LA PHIL
DE M. BN

Albert Farges

AU LECTEUR

La Philosophie de M. Bergson se compose de deux parties assez dissemblables: les théories pures et leurs conséquences pratiques.

Les conséquences pratiques qui ébranlent les anciennes thèses classiques de la philosophie spiritualiste sur la vérité absolue des premiers principes de la raison, et par suite sur Dieu, l'âme humaine, l'immortalité, la morale et la religion, sont facilement comprises de la plupart de ses auditeurs ou lecteurs, et c'est à peu près la seule chose qu'ils en retiendront, sur la foi du maître: *Magister dixit!*

Les théories pures, au contraire, qui doivent préparer et asseoir ces conclusions subversives, sont d'une subtilité si éthérée et si nuageuse, qu'elles pourraient être dites *ésotériques*. Seuls, les initiés peuvent se flatter d'en pénétrer le sens métaphysique, et encore n'est-il pas sûr qu'ils puissent le saisir bien clairement ni tout y comprendre.

Quant aux profanes — je parle des plus intelligents d'entre eux et des plus exercés aux subtilités de la métaphysique, — ils seront vite déroutés et découragés par une terminologie nouvelle et bizarre, où les mots sont trop souvent détournés des usages reçus, vidés de leur sens naturel, et aussi par des métaphores à jet continu, qui déguisent la pensée bien plus qu'elles ne l'expriment.

C'est à eux que ce travail s'adresse. Ils veulent se rendre compte, vérifier si les conséquences pratiques si graves et si troublantes de la philosophie nouvelle sont bien assises sur des principes solides et incontestables, car, pour eux, l'autorité du maître est le dernier et le plus pauvre des arguments, selon le mot célèbre de saint Thomas: *Locus ab auctoritate quæ fundatur super ratione humana, est infirmissimus.*

Pour les aider et les guider dans une recherche si délicate et si laborieuse, nous n'aurons rien négligé, ni la lecture annotée et l'étude de tous les ouvrages ou articles de revue de M. Bergson et de ses principaux disciples, ni l'assistance aux cours du Collège de France, ni le commerce avec les initiés.

Que si, malgré ces précautions, nous nous étions encore mépris sur le sens de quelques détails secondaires, notre bonne foi, du moins, serait hors de conteste, et nous nous en consolerions au souvenir de ces discussions passionnées qui ont retenti récemment dans la presse des deux Mondes, sur l'interprétation de certains points obscurs de la pensée de M. Bergson, et auxquelles son intervention seule a pu mettre fin.

Nous tenions à protester, dès le début, non seulement de notre bonne foi, mais aussi de notre respect sincère pour la personne du maître. Ses manières simples et modestes, où l'on ne sent rien d'un pédantisme si fréquent ni d'un sectarisme à la mode, son ton toujours grave qui semble le plus souvent convaincu, son talent incontestable d'artiste et de virtuose, inspirent plutôt la sympathie. Et si ses doctrines, en ce qu'elles ont de paradoxal et, de vraiment sophistique, méritent d'importantes critiques et même une juste sévérité dans le blâme, nous ne prendrons qu'à regret cette attitude et pour accomplir ce que nous croyons être pour nous un devoir.

Du reste, il n'y a pas que des théories fausses à relever dans cette nouvelle philosophie. Il y a nombre d'idées bonnes et même excellentes que nous serons heureux de mettre en relief et de louer aussi souvent que nous les rencontrerons.

C'est assez dire que ce volume, bien loin d'être une œuvre de parti pris ou de polémique personnelle, sera tout au contraire un travail de critique sereine, calme et impartiale, aussi objective qu'il nous sera possible.

Pour en assurer l'objectivité parfaite, nous ne reculerons pas devant le labeur ingrat des citations et des références minutieuses auxquelles on pourra constamment se reporter. De cette façon, quand notre subtil auteur se retranchera derrière la défense banale qu'*on ne l'a pas compris*, le lecteur pourra lui répliquer: *à qui la faute?*... C'est le système philosophique de M. Bergson que nous jugerons d'après les textes authentiques, et nullement ses intentions ni sa pensée intime, encore moins sa pensée définitive, que notre critique ne saurait viser et réserve expressément.

Nous avions déjà touché à la philosophie de M. Bergson en esquissant les grandes lignes de la *Théorie fondamentale de l'Acte et de la Puissance ou du Devenir,* mais d'une manière assez indirecte. Nous avions dû mettre alors en parallèle avec les théories de l'école péripatéticienne et thomiste que nous exposions, celles de la philosophie nouvelle. Mais cette critique n'était faite que par occasion, d'une manière accidentelle et très incomplète. Aujourd'hui, nous abordons de front l'œuvre du maître, pour en saisir les détails et l'ensemble, et suivre l'évolution de sa pensée à travers tous les écrits qu'il a publiés depuis sa thèse de 1889.

Cet ouvrage — malgré quelques répétitions nécessaires — ne fera donc pas double emploi avec le premier, qui pourra toujours être consulté utilement par ceux qui aiment les parallèles et les contrastes. Nous y renverrons quelquefois.

Et maintenant, souhaitons à ce petit livre d'aller au loin produire un peu de bien! Sans doute, il n'a pas la prétention naïve de convertir les Bergsoniens qui récusent les lumières de l'Intelligence, de la Raison et du Sens commun. Ce n'est pas d'arguments dont ces esprits ont besoin, mais de remèdes. Puisse-t-il du moins rassurer les autres, tous ceux qui n'ont pas laissé s'atrophier en eux ces facultés maîtresses de notre nature humaine, et les préserver à jamais d'une telle «catastrophe intérieure». Et comme ce résultat purement négatif serait insuffisant à asseoir leurs convictions spiritualistes, puisse-t-il les aider à s'orienter vers les lumières si sûres de la Philosophie traditionnelle.

N'obtiendrait-il ce succès qu'auprès de cette nouvelle jeunesse qui se lève — avide de théories lumineuses et fortes, et dédaigneuse de ce qu'elle a déjà nommé une «philosophie des phosphorescences et des velléités», — nous nous estimerions amplement récompensé notre peine!

INTRODUCTION GÉNÉRALE

Suivant une formule chère à son école: M. Bergson *est en train de se faire*. Nous ne parlons pas ici de sa réputation qui est déjà faite — non seulement en France, mais dans les deux hémisphères — et ne saurait guère s'amplifier davantage. A peu près dès le début de son enseignement à Paris, elle a retenti bruyamment et elle est devenue rapidement mondiale, grâce à une certaine presse et à cette unanimité de réclame mutuelle dont nos adversaires ont le secret, — et qui devraient être pour nous une leçon plus profitable d'union.

Sur la foi de sa renommée, bien des gens se pâment d'admiration à tout ce qui tombe aujourd'hui de ses lèvres ou sort de sa plume. Et je ne parle pas seulement du public féminin qui assiège sa chaire du Collège de France, ni des admirateurs par snobisme, incapables de comprendre le premier mot de théories si subtiles et si obscures, — mais aussi d'hommes de talent et de penseurs sérieux qu'on est surpris de rencontrer dans ce concert d'adulation universelle.

Nous pourrions en citer plusieurs parmi ses collègues de l'Université ou de l'Ecole normale, dont les éloges enthousiastes atteignent à un degré de lyrisme déconcertant.

L'un d'eux, dans un volume que nous avons sous les yeux, écrit qu'il faut classer M. Henri Bergson, non seulement «parmi les très grands philosophes de tous les pays et de tous les temps», — mais encore le proclamer «comme le seul philosophe de premier ordre qu'aient eu la France depuis Descartes, et l'Europe depuis Kant». Il ajoute expressément que Leibnitz, Malebranche, Spinosa, sont facilement éclipsés, ainsi que Fichte, Schelling et Hegel. Enfin, il conclut pompeusement: «Tel est le rythme de l'histoire des systèmes: de loin en loin, un héros heureux de la pensée s'étant enfoncé très avant dans les profondeurs du réel en ramène au jour de l'intelligence des intuitions merveilleuses, richesse brute que lui-même et des générations après lui s'emploient à élaborer. Avec un Descartes, avec un Kant, M. Bergson, sans aucun doute, est de ces héros-là.»

Après ces dithyrambes, on peut tirer l'échelle et redire avec assurance que la réputation du maître est déjà faite et qu'elle n'est plus à faire.

Le secret de ce succès inouï serait peut-être curieux à rechercher mais il n'est pas temps encore. Attendons la fin de ce travail pour le mieux comprendre.

En disant que M. Bergson est *en train de se faire*, je n'ai donc voulu parler que de sa philosophie, qu'il n'a révélée au monde que peu à peu, à travers les hésitations, on, comme il l'avoue lui-même, «les zigzags d'une doctrine qui se développe, c'est-à-dire qui se perd, se retrouve et se corrige indéfiniment elle-même».

Encore aujourd'hui est-elle loin d'être complète. Comportera-t-elle une Théodicée, une Morale? et lesquelles?... Bien des doutes sont encore permis sur de si graves sujets, et quoiqu'il soit bien délicat et presque téméraire de vouloir décrire le tracé de cette seconde courbe, de la pensée bergsonienne, avant qu'elle ait été formée, nous essayerons, à la fin de ce volume, d'en indiquer l'orientation probable — sous toutes réserves, — les effets de l'*Evolution créatrice* étant toujours «imprévisibles» et sans aucune proportion avec leurs antécédents, d'après M. Bergson. Au demeurant, ce qui a paru jusqu'à ce jour du nouveau système est déjà considérable, quoique restreint aux faibles dimensions de trois volumes de moyenne étendue et de quelques articles de revues, — sans parler d'un opuscule artistique sur le *Rire* ou la *Signification du comique*, que notre point de vue nous permettra de négliger.

Le premier de ces trois volumes, *Essai sur les données immédiates de la Conscience,* fut sa thèse de doctorat soutenue à la Sorbonne en 1889. Nous assistions à cette soutenance avec le regretté Mgr d'Hulst et quelques amis, philosophes de profession, aux yeux desquels le nouveau Docteur se révéla du premier coup comme un penseur original, d'une subtilité infiniment compliquée et nuageuse à la manière de Kant. La seule différence, nous semblait-il, c'est que, dans cette pénombre habituelle de la pensée, brillait parfois, comme un feu d'artifice, l'image, la métaphore à effet, et même le trait d'esprit français: choses inouïes chez le philosophe de Kœnigsberg et tous ses compatriotes.

L'auditoire en était à la fois charmé et déconcerté, lorsqu'un des membres du jury, le vénérable M. Ravaisson — si j'ai bonne mémoire, — interprète peut-être inconscient de cette impression générale, se laissa aller—pour terminer le compliment d'usage—à adresser, avec son fin sourire, cet éloge significatif au candidat: «Je n'ai pas toujours pu vous saisir, mais j'aime à croire, Monsieur, que vous vous êtes compris!» Aussitôt un murmure unanime d'approbation souligna ce trait qui portait au vif.

La difficulté de comprendre cet ouvrage—comme tous les suivants, du reste—vient sans doute du fond et de la forme, de ce qui est dit, mais encore plus peut-être de ce qui n'est point dit, de ce qui est sous-entendu ou dit seulement à demi-mot et au passage, alors que ce serait le plus intéressant et le plus important à connaître.

C'est le cadre et l'orientation qui font défaut. L'auteur semble nous conduire dans une nuit noire, à travers des chemins de traverse étroits et compliqués, sans nous dire où il veut nous mener. Sans doute, notre guide a son secret—du moins on doit lui supposer un secret,—car on ne peut admettre qu'il nous conduise à l'aventure. Mais ce secret, il ne le révèle que peu à peu, et par doses fragmentaires insuffisantes à nous rassurer.

Ainsi, par exemple, dans ce premier volume, son avant-propos nous avertit qu'il va traiter de la liberté psychologique et résoudre—grâce à une nouvelle méthode vaguement indiquée—les difficultés insurmontables soulevées contre elle.

Or, cette «nouvelle méthode» n'est pas sans nous inquiéter quelque peu, car on pressent déjà qu'elle pourrait bien devenir le principal, au lieu d'être l'accessoire, et déborder le sujet annoncé au point de le transformer en un simple épisode.

De fait, après avoir lu et refermé le volume, cette impression persiste et, loin de s'atténuer, redouble. Le malaise produit par l'incertitude du but que l'on poursuit devient plus aigu. La liberté elle-même, annoncée comme sujet principal de cette étude, a passé au second plan. Ce qui domine, c'est la théorie nouvelle du Temps ou de la Durée, qui serait plus exactement le titre de l'ouvrage, car la Liberté n'est plus qu'un simple corollaire. Cette théorie elle-même semble si grosse des conséquences les plus redoutables et les plus imprévues, qu'on pressent qu'elle va devenir la base infiniment subtile et comme la pointe d'aiguille sur laquelle devra se tenir en équilibre la masse imposante de l'édifice futur.

Avant d'examiner la solidité d'un tel fondement, faisons tout de suite connaître au lecteur l'édifice lui-même — au moins dans son plan général et ses plus grandes lignes, — telles qu'elles nous seront exposées par les volumes suivants. Et puisque l'auteur a cru si utile à son jeu de ne le démasquer pleinement qu'à la fin — semblable à ces prestidigitateurs qui n'annoncent leurs tours d'adresse que lorsqu'ils ont réussi, — la critique doit user de la tactique contraire et révéler du premier coup où l'on veut en venir.

Tout d'abord l'auteur a — comme on dit vulgairement — une idée de derrière la tête, qui est sa préoccupation dominante, quoiqu'il n'en dise rien ni dans son avant-propos ni dans le corps de l'ouvrage. C'est à peine s'il nous la laisse entrevoir discrètement dans une allusion finale.

Il s'agit pour lui, comme pour tous ceux qui aspirent à devenir chefs d'école, de faire une grande révolution en philosophie. Et cette révolution, il la fera d'abord contre la tyrannie devenue insupportable du kantisme. Plus tard, lorsqu'il se sentira plus de force et d'audace, ce sera contre la philosophie tout entière, des Eléates et de Platon jusqu'à nos jours, qu'il partira en guerre. Tous les penseurs de l'humanité avant lui avaient, paraît il, ignoré la méthode à suivre pour découvrir la vérité; aucun n'avait encore su se placer au véritable point de vue; aussi n'avaient-ils posé que des «pseudo-problèmes». En un mot, ils étaient tous intellectualistes, et M. Bergson se proclamera antiintellectualiste.

Cette prétention de supprimer d'un trait de plume l'expérience séculaire de l'humanité, lentement accumulée à travers les âges par les plus grands génies, est d'ailleurs une audace indispensable pour quiconque veut désormais devenir chef d'école. Descartes et Kant avaient donné le ton et agi de même, en faisant table rase du passé, et en ignorant de parti pris «qu'il y eût avant eux des hommes qui aient pensé».

Le procédé est donc classique: tout novateur commence par renverser; et c'est le genre où il excelle.

Pour le moment, le nouveau docteur ne rêve encore que de détrôner Kant, en terrassant le kantisme. Kant fut pourtant le maître de sa formation intellectuelle. Aux environs de 1880, lorsqu'il était sur les bancs du lycée Condorcet ou bien sur ceux de l'Ecole normale, la doctrine officielle de l'*Alma mater* était un kantisme rigoureux, s'en tenant à la *Critique de la Raison pure* et affectant de dédaigner les amendements et les restaurations de la *Raison pratique*.

Or, ce joug commençait à peser sur les esprits. Les plus jeunes et les plus indépendants aspiraient à le briser, et M. Bergson conçut alors son plan de destruction. Certes, il fallait du courage et de l'audace pour renverser l'idole. M. Bergson aura l'un et l'autre, mais il saura les allier à une prudence consommée. Il gardera fidèlement le secret du complot et n'en fera l'aveu que le jour où l'idole vermoulue sera remplacée par une autre, car—suivant un mot célèbre—on ne détruit que ce que l'on remplace.

Dans le cours de ce premier volume, on trouvera bien des traits acérés contre le kantisme, mais ils ne visent guère que des détails du système. A l'avant-dernière page de la conclusion seulement, il laisse entendre son dessein de s'attaquer au fondement lui-même de ce système qui interdit à l'esprit humain l'entrée dans le domaine du réel et de l'absolu.

«Kant, déclare M. Bergson, a mieux aimé ... élever une barrière infranchissable entre le monde des phénomènes, qu'il livre tout entier à notre entendement, et celui des choses *en soi*, dont il interdit l'entrée. Mais peut-être cette distinction est-elle trop tranchée et cette barrière plus aisée à franchir qu'on ne le suppose.»

Nous verrons bientôt comment M. Bergson espère la franchir aisément, grâce à sa théorie de l'Intuition supra-intellectuelle. Et lorsqu'il aura réussi, ou cru réussir sa savante manœuvre, nous l'entendrons faire triomphalement cette profession de foi anti-kantiste: «Dans l'absolu nous sommes, nous circulons et vivons. La connaissance, que nous en avons est incomplète, sans doute, mais non pas extérieure ou relative. C'est l'être même, dans ses profondeurs, que nous atteignons par le développement combiné et progressif de la science et de la philosophie.»

De l'autre côté de l'Océan, fera écho W. James, en traitant dédaigneusement la *Critique de la raison pure* comme «le plus rare et le plus compliqué de tous les vieux musées de bric-à-brac». Et cette irrévérence à l'égard du vieux maître déchu ne soulèvera pas, même en France, la moindre protestation indignée. Au contraire, la *Revue philosophique* avouera, en gémissant, que c'est là «une conclusion à laquelle la presque totalité des philosophes est déjà venue avec éclat».

Quoi qu'il en soit, dès le début, M. Bergson refuse de respecter l'interdiction fondamentale du maître. Il n'accepte plus sa consigne, et passe outre à ses défenses. Au fond de son cœur, le kantisme a vécu.

Déjà, les premiers disciples de Kant avaient agi de même. Les écoles de Schelling, de Fichte, de Hegel, au lieu de s'abstenir de toute spéculation sur l'absolu, comme d'un fruit défendu, en firent, au contraire, comme on le sait, de véritables débauches.

M. Bergson n'aura qu'à les imiter, à sa manière, dans leur révolte, et il sera applaudi par tous ceux — ils sont nombreux — qui sont fatigués d'entendre répéter que tout n'est pour nous qu'apparence et illusion, et qui ont enfin senti s'aiguiser en eux la faim et la soif du réel et de l'absolu, pendant ces trop longs jours d'abstinence kantienne. Malheureusement, comme la raison pure, si peu comprise et si critiquée par Kant, lui inspire encore la même défiance, il fera la gageure de s'en passer dans ses spéculations, de ne se servir que d'une prétendue *intuition* esthétique supra-intellectuelle, qui lui permettra de retourner à l'envers les notions les plus essentielles de la raison humaine. Son antiintellectualisme convaincu l'acculera à nous inventer une métaphysique nouvelle à rebours des évidences fondamentales du sens commun.

Ce sens commun lui-même deviendra un organe gênant qu'on finira par amputer. Après s'être incliné devant lui très respectueusement dans une Préface, on ne s'occupera plus de ses perpétuelles protestations, et les enfants terribles de la nouvelle école ne cesseront de nous «mettre en garde contre les illusions de l'évidence vulgaire», contre les notions communes d'intelligibilité, de raison, de vérité, en proclamant audacieusement qu'il n'en faut plus! Pour eux, le sens commun ne fournit que des recettes pratiques, sans aucune valeur intellectuelle.

L'édifice métaphysique bergsonien sera donc nettement antiintellectualiste, et voici ses principales thèses que nous allons essayer de formuler, — autant toutefois qu'il est possible de préciser et de réduire en formules des assertions extrêmement vagues et fuyantes, ennemies-nées de la précision et de la clarté didactiques.

L'idée mère et la pensée maîtresse de tout le nouveau système est celle du vieil Héraclite: *L'être n'est pas, tout est devenir pur*, c'est-à-dire perpétuel et intégral changement, en sorte que rien ne demeure le même dans cette fuite perpétuelle de la réalité: Πάντα ᾿ρει καὶ οὐδεν μένει. Il en donnait la comparaison célèbre: On ne se baigne pas deux fois dans le même fleuve ni même une seule fois, puisque tout change sans cesse et dans le fleuve et dans le baigneur, qui ne sont jamais les mêmes.

Or, cette fluidité universelle des êtres, dont la vie est le type premier, d'après M. Bergson, c'est ce qu'il a appelé le Temps ou la Durée pure, et dont il a fait la «substance résistante» ou «l'étoffe» même des choses, s'il est permis toutefois d'appeler de ce nom ce qui est l'inconsistance et la fluidité même.

De cette première négation de l'être, on va voir découler les plus graves conséquences, soit *métaphysiques,* soit *logiques*, soit *critériologiques*.

Au point de vue *métaphysique*, la catégorie de substance est biffée.

Il n'y a plus que des modes d'être sans être, des attributs sans sujet, des actions sans agent ou des passions sans patient; ce qui est radicalement inintelligible. Bien plus, les catégories d'accidents ou de modes sont réduites à une seule: le mouvement perpétuel. Qualité, quantité, etc., ne sont et ne peuvent être que des modes de mouvements: ce qui n'est pas moins inintelligible.

Au point de vue *logique*, si l'être n'est pas, il ne saurait être identique à lui-même, et le principe d'identité ou de non-contradiction est ruiné, entraînant à sa suite la ruine de tous les autres principes de la raison, qui, en dernière analyse, s'appuient tous sur le premier, sur l'impossibilité que l'être et le non-être, le oui et le non soient identiques. Pour la nouvelle école, au contraire, le contradictoire est sans doute impensable — vu la constitution actuelle de notre esprit, — mais nullement impossible. Bien plus, il est le fond même de toute réalité dans la nature, où tout est à la fois lui-même et autre que lui-même, puisque tout y est devenir pur, c'est-à-dire l'hétérogénéité même et la contradiction perpétuelle de l'être et du non-être simultanés.

Cependant nos nouveaux philosophes veulent bien conserver à ces premiers principes de la raison un rôle pratique et tout provisoire.

Ainsi, la formule *deux et deux font quatre* n'exprime aucune vérité absolue et définitive, mais elle reste «commode» et «utile», puisqu'elle réussit, — comme si son utilité pour régler avec mon débiteur n'était pas précisément le fruit de sa vérité mathématique et absolue!

Au point de vue *critériologique*, les conséquences ne sont pas moins révolutionnaires. Puisque tout est fluent, et qu'il n'y a rien de stable ni en moi ni hors de moi, la pensée abstraite qui nous montre des types fixes, des notions éternelles, des principes immuables et nécessaires, en un mot, des vérités absolues, ne saurait être qu'une faculté mensongère à laquelle nous ne pouvons plus nous fier.

La nouvelle école se proclame donc antiintellectualiste; elle fulmine contre «les concepts figés, cristallisés et morts, d'où la vie s'est retirée», et contre toutes les combinaisons par induction ou déduction de ces «entités conceptuelles», désormais «vieux jeu»; elle proclame qu'il faut «renoncer tout à fait au rationnel», suivant la maxime favorite de W. James, — et son moyen consisterait à remplacer l'autorité «périmée» de l'intelligence, soit intuitive, soit discursive, par une autre faculté qu'elle appelle l'*intuition,* mais qu'elle n'a jamais pu clairement définir. Cette faculté serait comme un sentiment esthétique, une sympathie divinatrice, entièrement libéré du joug de la raison et de la logique. «Au delà et au-dessus de la logique!» ou bien: «Vers les profondeurs supra-logiques!» Telle serait, d'après M. Le Roy, sa véritable devise.

Voilà en quelques traits synthétiques — sur lesquels nous aurons à revenir en détail très longuement — l'esprit de la philosophie nouvelle. Tout son développement futur tient en germe dans ces quelques principes, — si toutefois l'on peut encore parler de principes, après la suppression des premiers principes.

C'est à leur lumière qu'il faut lire les ouvrages de M. Bergson, où tout s'éclaire, si on ne les perd jamais de vue. Tout, disons-nous, ou plutôt *presque* tout, car il reste encore un petit nombre de paragraphes dans tels et tels chapitres qui semblent des énigmes mystérieuses ou presque indéchiffrables, même pour les plus vieux professeurs de métaphysique. Mais on peut ouvrir le secret des autres et pénétrer leur synthèse, avec un peu de patience, grâce à cette merveilleuse clé.

Nous allons en faire l'expérience, en parcourant ensemble les principaux passages de ces trois volumes. Mais auparavant, une autre remarque générale s'impose. Après avoir parlé du *fond*, il faut encore parler de la *forme* dont cette philosophie nouvelle aime à se parer.

Si le lecteur a bien compris combien cette nouvelle métaphysique est au rebours de celle du sens commun, ou, si l'on veut, de celle que M. Bergson lui-même a appelée «la métaphysique naturelle de l'intelligence humaine», il n'aura pas de peine à pressentir que pour la faire accepter de ses lecteurs ou de ses auditeurs, un professeur doit avoir à son service, non seulement un grand talent littéraire, mais encore certains procédés spéciaux, dont il importe de dévoiler les secrets.

D'abord, c'est l'usage constant et l'abus de la métaphore et des images qu'un artiste, un poète, comme lui, sait manier avec une adresse et une originalité consommées, dignes du plus séduisant des prestidigitateurs.

Nous sommes loin du temps où Aristote proscrivait de tout langage philosophique et s'interdisait sévèrement à lui-même l'emploi de la métaphore, cette «maîtresse d'erreur», comme il l'appelait, cette grande et incomparable magicienne qui sait donner au faux un si grand prestige. La vérité n'en a nul besoin et doit savoir s'en passer. Seule, elle peut montrer son visage à découvert, tandis que le faux a toujours besoin d'une parure étrangère et d'un déguisement pour se faire accepter.

Or, si nous assistons aujourd'hui aux cours publics les plus réputés de la nouvelle école, si nous feuilletons ses ouvrages philosophiques à grand succès, nous nous surprenons comme enveloppés par un tourbillon ininterrompu d'images qui rivalisent d'éclat et de charme imprévu. La métaphore a tout envahi, si bien qu'il ne reste plus de place pour la démonstration des thèses. C'est elle qui a remplacé la preuve. On a même érigé en principe que seule elle prouve, en nous donnant l'intuition du réel.

«Qu'on ne s'étonne pas, écrit M. Le Roy, de me voir donner plus de métaphores que de raisonnements: la métaphore est le langage naturel de la métaphysique, pour autant que celle-ci consiste en une *vivification de l'inexprimable*, en une *saisie du supra-logique par le dynamisme créateur de l'esprit.»* — Eh bien! Aristote et Platon ont déjà appelé tout cela: σοφίζεσται.

Les exemples abondent. Il suffit d'ouvrir au hasard le volume de l'*Evolution créatrice* et d'en lire une page pour constater que le culte de la métaphore y est élevé à la hauteur d'un procédé réfléchi d'exposition philosophique.

Ici, c'est la comparaison du cinématographe qui fait paraître continus et fluents des instantanés disjoints et immobiles. Là, c'est l'image du kaléidoscope qui, dans le continu morcelé et fragmenté, met un ordre enchanteur mais illusoire. Ailleurs, ce sont les brillantes fusées du feu d'artifice, qui figurent l'Evolution créatrice s'élevant en pensée étincelante pour retomber en matière, etc.

Ce procédé a plusieurs avantages, en outre de la vie et du charme dont, il pare les théories les plus abstruses. D'abord, il joue le rôle d'un prisme qui redresse et met d'aplomb les thèses de sens commun renversées par nos antiintellectualistes, rassurant ainsi les légitimes inquiétudes des auditeurs.

Expliquons notre pensée:

Pour nous faire comprendre la formule d'Héraclite: *tout passe et rien ne demeure* dans un être, en sorte qu'il n'est jamais le même, ni dans sa forme ni dans son fonds, — on emploie la comparaison célèbre du courant d'eau vive ou du fleuve. Or, le fleuve, au contraire, demeure le même dans son être substantiel, son eau restant la même, tant qu'elle coule de la source à l'embouchure. Ainsi, au lieu de nous présenter une image de la mobilité perpétuelle et totale de l'être, on nous offre celle d'un simple voyage, qui est la permanence même de l'être dont la position seule varie. Au lieu de nous offrir un exemple de changement total et perpétuel, on choisit celui de la plus faible et plus superficielle mutation. En sorte que la théorie du mobilisme absolu, qui renversait la raison, se trouve comme redressée et rendue acceptable par le mirage d'une métaphore qui a fait paraître droit ce qui était à l'envers.

Autre exemple: Si j'avance que la substance est une notion inutile et périmée; qu'il y a des modes d'être sans être, des attributs sans sujet, des actions sans agent, il faudra, pour ne pas trop effaroucher mon auditoire, que je lui trouve un équivalent ou un semblant d'équivalent. Pour cela, j'aurai recours à une image. Je dirai, par exemple, qu'il y a sous les phénomènes «un centre de jaillissement», et je répéterai la comparaison du feu d'artifice si familière à M. Bergson; je comparerai donc l'Evolution créatrice à ces milliers de fusées qui s'élèvent dans les airs en éventail, après être parties d'un centre unique de jaillissement—et mon auditoire, qui, avec son bon sens naturel, a déjà mis un artificier derrière ce centre de jaillissement, acceptera et applaudira la brillante image, très facile à saisir parce qu'elle a naturellement redressé une théorie à rebours et inintelligible.

De même, pour expliquer la mémoire que la suppression de la substance permanente ou de l'identité de la personne rendrait absurde—eh! comment *revoir*, par exemple, si l'on n'est plus resté le même?—on supposera que «dans chaque cellule cérébrale, partout où quelque chose vit, il y a ouvert quelque part un *registre* où le temps s'inscrit».—Mais aux yeux du simple bon sens, qu'est-ce qu' «un registre ouvert», où peuvent s'inscrire le passé, le présent et l'avenir, sinon une chose qui demeure, une substance, où s'enregistrent en passant les phénomènes qui se déroulent et disparaissent? Interprétée dans son sens naturel, la métaphore fait donc réapparaître aux yeux de tous la substance qu'on croyait disparue, et l'esprit se déclare satisfait. Encore une fois, l'image a joué le rôle du prisme redresseur de la pensée renversée, ou, si l'on préfère; une autre comparaison, nous dirons que ces images sont des pièces vraies destinées à suggérer une impression fausse, puisqu'elles laissent entendre qu'elles sont l'expression fidèle des théories: ce qui n'est pas. Elles donnent l'illusion que l'auteur respecte précisément ce qu'il condamne.

Mais le procédé que nous critiquons ne consiste pas seulement en abus d'images et de métaphores, il y ajoute une *terminologie* nouvelle, où les liens consacrés par l'usage qui rattachaient les mots aux idées correspondantes sont volontairement disloqués et brisés. On fait même parfois signifier aux mots exactement le contraire du sens universellement reçu.

Par exemple, le mot *durer*, dans toutes les langues, signifie *demeurer le même*, au moins quant au fonds de son être et malgré des changements accidentels de forme. Or, dans le vocabulaire nouveau, *durer* signifie *ne jamais demeurer le même*, en sorte qu'une chose qui cesserait de changer totalement et perpétuellement cesserait par là même de durer.

De là, un idiome mystérieux et étrange, ou plutôt une multitude d'idiomes, car, dans la nouvelle école, chacun se forge le sien, à son gré, comme pour étourdir le lecteur par des obscurités systématiques et par le flou des idées. On dirait qu'ils ont adopté la devise de Renan: «Le vague est seul vrai», parce qu'il peut seul rendre la fluidité insaisissable et protéiforme de toute chose. Oh! combien ils sont loin de vouloir mériter l'éloge que Barthélémy Saint-Hilaire adressait à la scolastique, d'être par sa précision et sa clarté «toute française et toute parisienne». Et ne croyez pas qu'ils cherchent à s'excuser de leur obscurité; au contraire, ils s'en vantent: «Ce qui est clair n'est plus intéressant, écrit M. Le Roy, puisque c'est ce à propos de quoi tout travail de genèse est achevé.... La philosophie a le droit d'être obscure, elle en a le devoir pour autant qu'elle doit toujours ou s'approfondir ou s'élever.... Le discours est subordonné à l'action et le clair à l'obscur.»

Encore une fois, dirons-nous avec Aristote et Platon, cela s'appelle tout simplement σοφίζεσται. Aussi bien le divin Platon ajoutait-il cette jolie définition du sophiste: «C'est un animal changeant qui ne se laisse pas prendre, comme on dit, d'une seule main ... une espèce bien difficile à saisir.»

Cette impression, du reste, ne nous est, pas personnelle, et nous n'avons encore rencontré aucun lecteur des ouvrages de cette, école qui n'en ait facilement convenu. Voici, par exemple, ce qu'écrivait l'un d'eux, philosophe de profession:

«Grisé de métaphores, ravi par les mouvements audacieux de sa phrase, comme l'aéronaute téméraire qui s'abandonne avec ivresse aux bonds imprévus de sa nacelle, il (le philosophe bergsonien) croit s'élever vers une réalité plus pure, alors qu'il monte dans les nuages en attendant la chute.... C'est l'image d'une nef délestée, désemparée, qui s'élève, s'abaisse, se précipite, se ralentit, tourbillonne, suivant les méandres les plus fantaisistes et les plus inquiétants, au gré du talent, à la vitesse de l'inspiration, à la merci de la passion ou du sentiment. Le lien qui rattache les mots aux idées a été brisé.... Affranchis des lois de l'usage, comme d'autant de conventions tyranniques, tantôt les mots disloqués se détachent de leur contexte naturel, tantôt ils forment des groupements révolutionnaires; la plupart du temps ils se soustraient à toute association normale.... Les mots nous apparaissaient chargés de souvenirs et de liens multiples, avec une physionomie caractéristique, accompagnés d'un cortège régulier d'idées, d'images et de sentiments, incorporés enfin et étroitement subordonnés au monde réel. Dans le vocabulaire nouveau, ils se présentent sans aïeux, sans histoire, sans tradition, disposés à tout signifier, comme dans une société anarchique ou jacobine tous les individus sont prêts à remplir toutes les fonctions, sans être préparés à aucune.... Il suffit de saisir une bonne fois le procédé.... On tire ainsi du langage de prestigieux effets, dissociant les alliances d'idées ou de choses apparemment les plus infrangibles, réconciliant les termes les plus opposés, formant d'éblouissantes synthèses, résolvant les problèmes les plus compliqués....»

Si telle est l'impression d'un professionnel de la philosophie, celle des «Philistins», et des plus savants d'entre eux, ne sera que pire. Le rêve de ce grand homme, écrivait M. Le Dantec, serait «d'être plongé dans un *in pace* parfaitement noir, et de s'y trouver suspendu sans contact avec les parois du cachot. Là, sans être troublé dans sa méditation par la vue, l'audition ou le contact, qui donnent des objets externes une notion fausse ou superficielle, le philosophe, enfin dégagé de toutes les entraves de la nature, vivrait dans sa pensée profonde la vie totale de l'Univers».

Cette ironie, un peu lourde, il est vrai, indique bien l'impression de noir parfait que la lecture de M. Bergson a dû laisser à ce savant, ami des méthodes positives et de la clarté.

Ainsi, pour l'un, c'est le vertige; pour l'autre, la nuit noire.... Et cependant, nombreuses sont les âmes simples ou insuffisamment instruites des premiers principes d'une saine philosophie qui se laissent prendre aux prestigieux effets produits par de nouvelles associations de mots et d'images. Noua en avons rencontré, par exemple, qui se pâmaient d'admiration devant le seul titre de l'*Evolution créatrice*. En apparence, en effet, le mot est heureux et n'a rien de choquant. On y trouve un sujet, un attribut, un verbe sous-entendu, et l'esprit est satisfait: *l'Evolution est créatice*. Mais si l'on va au delà des mots, jusqu'au fond de la pensée de l'auteur, et si l'on demande: 1°*Qui est créateur?* — Personne. C'est l'évolution qui se fait elle-même; c'est donc une création sans aucun créateur.

Si l'on demande en outre: 2° *De quoi est-elle créatrice?* — De rien, sinon d'elle-même! puisqu'il n'y a plus d'être, de chose! créée, et que tout est devenir, c'est-à-dire évolution pure. En sorte que c'est une création sans aucun créateur et sans aucune chose créée! — Alors, après cette découverte, tout s'obscurcit et devient incohérent: c'est le chaos des idées pour le simple bon sens. Mais l'étiquette, avec sa brillante métaphore, a su masquer parfaitement l'opposition des idées avec le sens commun. Tant est grande la magie des mots! Nos farouches contempteurs des idées «cristallisées et mortes», nos iconoclastes de toutes les idoles du langage et de la tradition, sont les premiers à se payer de mots et les seuls à adorer des métaphores!

Nous voici donc bien avertis sur les procédés littéraires et méthodiques de notre auteur, ainsi que sur l'esprit et la portée philosophique du nouveau système. Nous pouvons désormais entreprendre l'analyse des écrits de M. Bergson, en commençant par son premier-né, sa fameuse thèse sur la théorie nouvelle du Temps ou de la Durée pure, qui sera comme le *leit-motiv* de toutes ses autres théories. Nous nous bornerons toutefois aux grandes lignes et à une vue synthétique, évitant de les obscurcir par la critique, d'ailleurs facile, d'innombrables détails.

Si la nébulosité systématique de la nouvelle école a des avantages incontestables pour ses auteurs, elle a aussi des inconvénients, car elle permet à l'imagination de chacun de découvrir dans chaque nuée tout ce qui lui plaît, voire même les figures les plus opposées aux intentions de l'inventeur. M. Bergson ne pouvait manquer d'en être la première victime et de s'en plaindre amèrement. Il sera pour le moins curieux et très suggestif d'entendre ses protestations indignées contre les multiples défigurations de sa pensée que se sont permises MM. les professeurs des Lycées, auprès desquels M. Binet avait ouvert une enquête pour connaître l'influence de la philosophie bergsonienne sur leur enseignement. A ce sujet, le lecteur lira avec intérêt l'extrait suivant de la séance de la *Société française de Philosophie,* qui, le 28 nov. 1907, a mis aux prises M. Binet et M. Bergson.

«M. BINET. — Ma seconde question s'adresse spécialement à notre savant collègue M. Bergson, que nous avons la bonne fortune de compter aujourd'hui parmi nous. Il a vu (par l'enquête) quelle influence sa philosophie exerce sur l'enseignement secondaire. Il a vu aussi les doutes, les hésitations de certains maîtres, qui avouent très franchement qu'il ne sont pas encore parvenus à trouver la *formule d'adaptation de ses idées* à l'état d'intelligence de leurs l'élèves. Il me semble bien que M. Bergson doit être intéressé par le renseignement si curieux et si sincère que nos correspondants lui apportent. Nous serions heureux de connaître d'abord, si ce n'est pas indiscret, son impression de séance. Nous souhaitons aussi qu'après réflexion il puisse trouver les indications et les conseils qui aplaniront les difficultés que rencontre la propagation de ses idées.

«M. BERGSON.—J'avoue ne rien comprendre à certaines observations (des professeurs de lycée) dont M. Binet vient de donner lecture. M. Binet paraît désirer que je m'explique sur les questions qu'elles soulèvent. C'est de lui ou de ses correspondants que je réclame cette explication. Dans les théories qu'ils m'attribuent, je ne reconnais rien de moi, rien que j'aie jamais pensé, enseigné, écrit.... Où, quand, sous quelque forme ai-je dit quelque chose de tout cela? Qu'on me montre dans ce que j'ai écrit une ligne, un mot, qui puisse s'interpréter de cette manière, etc.» *(Bulletin de la Société française de philosophie*, numéro de janvier, 1908, p. 20, 21.)

I

LA NOTION BERGSONIENNE DU TEMPS

La nouvelle notion du Temps imaginée par M. Bergson est de la plus haute importance, puisqu'il en a fait le centre et le pivot de tout son nouveau système philosophique.

Au premier abord, il semble bien subtil et même paradoxal de vouloir fonder une philosophie tout entière, une explication totale des choses sur la notion du Temps. A la réflexion, toutefois, et au souvenir de la merveilleuse synthèse péripatéticienne entièrement élevée sur la notion du Mouvement — notion si voisine de celle du Temps, — on est plutôt tenté de faire crédit à l'auteur, non sans quelque défiance il est vrai, car si le Mouvement est un phénomène patent qui tombe sous les sens, il n'en est pas de même du Temps, le plus obscur et le plus mystérieux peut-être de tous les phénomènes de la nature. Ce contraste avait déjà été remarqué par les anciens, lorsqu'ils disaient: *Motus sensibus ipsis patet, non autem tempus.* Aussi pouvons-nous craindre très légitimement que le sophisme ne trouve plus facilement à s'embusquer derrière ces ombres profondes, et qu'au lieu de bâtir sur le roc, comme Aristote, M. Bergson ne puisse édifier que sur le sable mouvant des conjectures.

Quoi qu'il en soit, essayons d'expliquer aussi clairement que possible sa pensée toujours subtile et nuageuse, d'en montrer les côtés spécieux et d'en préciser les points faibles. Pour cela, commençons par faire connaître le résultat final de sa longue et laborieuse étude sur la notion du Temps.

Le Temps étant l'antithèse de l'Espace, il est bon de rapprocher ces deux notions pour en éclairer le sens par leur contraste. L'un et l'autre, dans la philosophie traditionnelle, sont des *quantités continues*, homogènes et mesurables; mais les parties de l'Espace sont coexistantes et *simultanées*, tandis que les parties du Temps sont *successives* et fluentes.

Or, dans le système de M. Bergson, l'Espace est défini par *quantité* et *homogénéité*, et partant par *mensurabilité*. C'est le propre de la matière. Toute quantité, soit discrète comme le nombre, soit continue comme les grandeurs, est de l'espace. «L'espace, dit-il, doit se définir l'homogène.... Inversement, tout milieu homogène et indéfini sera de l'espace.»

Au contraire, le Temps est défini par *qualité* pure et *hétérogénéité* pure, exclusive de toute quantité, de toute homogénéité, et partant de toute mensurabilité. C'est le propre de l'esprit. Ainsi le Temps vrai n'a ni parties virtuellement multiples, ni quantité par où il soit mesurable, ni homogénéité qui permette de comparer une durée à une autre durée et de les dire égales ou inégales.

«La durée pure, écrit M. Bergson, n'est qu'une succession de changements qualitatifs qui se fondent, qui se pénètrent, sans contours précis, sans aucune tendance à s'extérioriser les uns par rapport aux autres, sans aucune parenté avec le nombre. Ce serait l'hétérogénéité pure.»

Cette notion est sans doute à l'opposé de toutes les conceptions agnostiques ou idéalistes, kantistes ou leibnitziennes. Mais elle n'eut pas moins éloignée de toutes les définitions connues des écoles réalistes, qui sont unanimes à faire du Temps une quantité, notamment de la célèbre définition aristotélicienne, déclarant que le Temps est *le nombre ou la mesure du mouvement, selon l'avant et l'après.* Ἀριθμός κινήσεως κατὰ το πρότερον καὶ ὕστερον.

Et ce n'est pas seulement la pensée philosophique que contredit la nouvelle notion, ce sont encore les données de la Science expérimentale et du simple bon sens. La fiction d'un temps simple, impossible à mesurer, apparaît en effet du premier coup comme un défi au sens commun. Quant à la Science qui parvient à mesurer le temps et même à le prédire par des calculs d'une précision si merveilleuse, elle donne chaque jour à cette fiction le plus éclatant démenti.

Que telle soit bien pourtant la pensée de M. Bergson, on n'en saurait douter. Pour lui, le temps *vrai* ne se mesure point; celui de la science et du sens commun n'est qu'une illusion et une chimère, comme il le répète à satiété, sous toutes les formes, dans tout le cours de ses ouvrages, notamment dans les cinquante pages (57 à 107) du deuxième chapitre de son *Essai sur les Données immédiates de la conscience*, entièrement consacrées à combattre cette illusion.

En lisant tous les longs et subtils développements donnés par l'auteur à cette thèse, il est impossible à un philosophe quelque peu au courant des notions de Métaphysique générale ou d'Ontologie, de ne pas être frappé du nombre et de la gravité des confusions d'idées qu'on y rencontre. Les notions classiques les plus fondamentales ont été plus ou moins vidées de leur sens naturel, mutilées, chavirées comme à plaisir, au point d'étourdir et de saisir comme de vertige un lecteur inexpérimenté. Si l'on nous permettait l'expression à la mode, nous dirions — sans vouloir suspecter en rien les intentions de l'auteur — que c'est là comme un vrai «sabotage» de l'Ontologie. On croirait même à un «sabotage» réglé, méthodique, car ces confusions d'idées, qui semblent se succéder en désordre, conservent entre elles un ordre stratégique très étudié et très savant. Nous les comparerions volontiers à cette série de tranchées profondes et obscures où l'assiégeant se croit en sûreté, à l'abri des traits de l'ennemi, et qui le conduisent sous terre, très méthodiquement, jusqu'au pied de la place assiégée dont il veut faire l'assaut. Ici, la place assiégée s'appelle la notion traditionnelle du Temps.

Or, voici la série de ces confusions dans leur stratégie savante. Ne pouvant les relever toutes, pour ne pas trop fatiguer ou embrouiller nos lecteurs, contentons-nous d'indiquer les principales:

1° Confusion de la *quantité* avec la *qualité*; 2° de l'*unité* avec le *nombre*; 3° du *nombre* avec l'*espace*; 4° de l'*espace* avec l'*homogène*; 5° du *temps* avec le *mouvement*; 6° enfin — c'est l'erreur capitale, — confusion du *temps* avec l'*hétérogène*.

Plusieurs de ces confusions étaient trop évidentes pour ne pas causer l'étonnement et comme le scandale des philosophes quelque peu familiers avec les notions d'Ontologie. Aussi, malgré le prestige de la chaire officielle du haut de laquelle elles tombaient dans le public, ont-elles déjà soulevé les critiques et les protestations éparses d'un bon nombre de professeurs, nullement suspects d'attaches scolastiques, voire même de la part de certains collègues en Sorbonne, comme le regretté M. Huvelin dans sa brillante thèse de doctorat sur les *Eléments principaux de la représentation*, où la notion bergsonienne du Temps est vigoureusement, quoique très incomplètement, réfutée.

Mais ces critiques partielles, éparses çà et là dans les thèses et les revues contemporaines, sont loin d'avoir tout dit, ce nous semble, ni même le principal, à notre sens. Encore moins ont-elles montré, dans une vue d'ensemble, la synthèse et le lien de toutes ces erreurs partielles de la Philosophie nouvelle. Il y a donc encore place, croyons-nous, pour une réfutation plus méthodique et plus complète, sinon de tous les détails, ce qui serait infini, au moins des grandes lignes de cette philosophie à la mode.

Nous en commencerons l'essai par l'analyse des six confusions fondamentales que nous venons d'énumérer.

I. Une première confusion, découverte au point de départ et à la racine de la théorie nouvelle, est celle de la *quantité* avec la *qualité*. Pour la mettre en lumière, rappelons brièvement les deux notions classiques.

La *quantité*, au sens étymologique du mot, est ce qui répond à l'une des deux questions: quelle est la grandeur de tel objet? combien y a-t-il d'objets? C'est donc la quantité qui fait le plus ou le moins dans les dimensions ou dans le nombre des objets.

On la définit: *ce qui est divisible* (au moins idéalement et virtuellement) en parties homogènes ou de même espèce. Ποσον λέγεται το διαιρετόν.

Si ces parties, avant la division, sont déjà distinctes, on a la quantité *discrète* ou le nombre: dix hommes, une douzaine de pommes. Si ces parties, avant leur division, sont au contraire indistinctes, en sorte que la fin de l'une soit aussi le commencement de l'autre, on a la quantité *continue* ou extensive, soit dans l'espace, soit dans le temps.

Nous avons dit: divisible en parties de même espèce, car la division de l'eau en hydrogène et oxygène ne dit pas sa quantité, et la réunion du cheval et du cavalier ne saurait former un nombre.

La *qualité*, au contraire, est la manière d'être qui perfectionne un objet, soit dans son être, comme la beauté, la durée, soit dans son opération, comme la vertu. Ainsi la force est une qualité de la matière, la santé une qualité des vivants, la science une qualité de l'esprit.

On voit par là combien profonde est la différence entre la quantité et la qualité, entre le *quantum* et le *quale*. La qualité fait les êtres semblables ou dissemblables; la quantité les rend égaux ou inégaux.

Ce serait donc ne pas s'entendre de soutenir avec M. Bergson que «la quantité est toujours de la qualité à l'état naissant». A moins qu'on ne veuille jouer avec l'identité des contraires et l'indifférence des différents....

Mais ce n'est pas à dire que la qualité elle-même ne puisse avoir des degrés, c'est-à-dire du plus ou du moins dans la même perfection, et partant une certaine grandeur ou une certaine *intensité*. Et comme toute intensité est reconnue susceptible de grandir ou de diminuer, il est tout naturel de chercher de combien elle grandit ou de combien elle diminue, c'est-à-dire de la mesurer. Et si on peut la mesurer, elle a une quantité. Or, on peut la mesurer: c'est ce qui ne saurait être nié.

Que si on ne la peut mesurer directement, comme on mesure l'étendue par la superposition d'un étalon, on pourra du moins la mesurer indirectement par les effets sensibles qu'elle produit dans la matière. Ainsi une force de tension ou une force musculaire se mesureront par leurs effets sur un dynamomètre; et la force calorique par ses effets de dilatation sur le mercure du thermomètre. Par d'autres ingénieux procédés, les savants ont réussi à mesurer l'intensité des autres forces de la nature: lumière, son, magnétisme, électricité, etc.

On peut aussi mesurer l'intensité d'une qualité par sa comparaison avec une autre de même espèce. Ainsi deux forces qui s'équilibrent seront égales. Si l'une l'emporte, elle sera dite plus grande et sa rivale plus petite. Cette comparaison permet, dans un concours, de classer les plus forts et les plus faibles avec une précision quasi-mathématique.

Enfin, on peut parfois mesurer une qualité d'intensité variable en la comparant avec elle-même. Par exemple, on mesure une douleur actuelle par comparaison avec le degré maximum d'acuité ou le degré minimum déjà expérimenté. Et quoique cette appréciation soit plus vague et bien moins rigoureuse que les précédentes, il arrive parfois qu'une douleur peut paraître approximativement deux fois plus forte qu'à son début, et qu'ensuite elle semble avoir diminué d'autant. Il y a donc des qualités mesurables, c'est-à-dire douées de quantité.

La quantité peut donc être intensive aussi bien qu'extensive, et vouloir, avec M. Bergson, réduire toute quantité à de l'étendue ou à des rapports de contenance dans l'espace est un système préconçu, *a priori*, que la plus élémentaire observation se charge de démentir.

Nous n'irons pas cependant jusqu'à prétendre, avec M. Fouillée, que toute quantité est premièrement et essentiellement intensive, en sorte qu'elle ne deviendrait extensive que par une projection plus ou moins illusoire dans l'espace. Mais nous accorderons que les dimensions de volume ou de masse sont plutôt une vue extérieure et superficielle de l'être quantitatif, tandis que son intensité est une vue plus profonde de son essence. Celle-ci est la «racine» — le mot est de saint Thomas; — l'autre est son extension, sa manifestation dans l'espace.

C'est ce degré ou cette intensité dans la qualité que les scolastiques avaient appelé *quantité virtuelle, quantitas virtutis,* et qu'ils avaient déjà si souvent et si profondément analysé. Si M. Bergson avait connu leurs travaux, il n'aurait jamais essayé de confondre l'intensité d'une qualité avec cette qualité elle-même ou une simple «nuance» de cette qualité. Une «nuance» peut suffire à rendre deux qualités semblables ou dissemblables; elle ne suffit pas à les rendre égales ou inégales d'intensité.

Pour légitimer sa grave confusion, voici la raison qu'il a essayé de faire valoir:

En appelant du même nom de grandeur la grandeur extensive et la grandeur intensive, «on reconnaît par là, dit-il, qu'il y a quelque chose de commun à ces deux formes de la grandeur, puisqu'on les appelle grandeur l'une et l'autre et qu'on les déclare également susceptibles de croître et de diminuer. Mais que peut-il y avoir de commun au point de vue de la grandeur entre l'extensif et l'intensif, entre l'étendu et l'inétendu?»

Je réponds: ce qu'il y a de commun, c'est la *divisibilité,* au moins idéale et virtuelle, car il y a plusieurs espèces de divisibilité et autant d'espèces de quantité, nous dit saint Thomas, que d'espèces de divisibilité.

Lorsque vous mesurez la force ou la violence d'un coup de poing sur un dynamomètre, vous reconnaissez des degrés différents dans l'intensité des effets produits et partant dans l'intensité de la force elle-même qui les produit.

Sans doute, en divisant ensuite par la pensée ces degrés d'une force, on ne divise pas la force elle-même en parties réellement multiples et séparables, mais on l'estime équivalente à du multiple. Ce qui suffit à calculer sa quantité. Ainsi l'on peut juger que tel homme en vaut deux; et qu'un hercule de foire en vaut dix. Telle est la quantité virtuelle.

Sans doute encore, en divisant par la pensée ces degrés d'une même force, on ne divise pas de l'espace.

Mais il y a bien d'autres choses que l'espace qui sont divisibles, chacune à sa manière, quoi qu'en dise M. Bergson. Il y a le nombre abstrait des mathématiciens qu'on divise en unités; la vitesse d'un mouvement que l'on divise en degrés; le discours dont les parties ne sont pas de l'espace; le temps dont les heures et minutes ne sont pas davantage de l'espace. Le nier serait fermer les yeux aux expériences les plus élémentaires pour y substituer des théories préconçues.

Or, la divisibilité, sous quelque mode qu'elle s'opère, réelle ou idéale, c'est — nous l'avons dit — la définition même de la quantité, de l'aveu de tous les philosophes sans exception, même de ceux qui ont cherché à la quantité une raison d'être ou une racine encore plus profonde.

Concluons qu'il y a vraiment deux espèces de quantité continue dont les parties sont virtuelles ou indistinctes: 1° la quantité *extensive* dans le temps ou dans l'espace; 2° la quantité *intensive* dans la qualité.

Si M. Bergson a nié celle dernière, c'est parce que la qualité lui a paru simple et exclusive, de toute quantité: ce qui est vrai de la quantité extensive qu'elle exclut, et non de la quantité intensive qu'elle admet. Or, répétons-le, l'intensité n'est pas une qualité, mais une grandeur de la qualité, puisqu'elle donne du plus ou du moins à la même qualité, la rend égale à une autre de même degré, ou équivalente à plusieurs autres de degré moindre, et partant mesurable.

C'est la même méprise qui conduira bientôt le même auteur jusqu'à cette conséquence autrement grave, de nier la quantité et la divisibilité du temps. Telle est la logique de l'erreur: insignifiante au point de départ, elle peut mener à un abîme, suivant l'adage: *Parvus error in principio, magnus est in fine.*

Que le temps soit aussi qualitatif, personne n'en doute. Le temps est beau ou mauvais, la vie est gaie ou triste; et tous les intervalles de la durée se distinguent ainsi par des caractères intérieurs très variables. Mais de quel droit conclure: le temps est qualité, donc il n'est pas quantité! alors qu'il peut être l'un et l'autre à des points de vue différents. Il est l'un essentiellement et l'autre accidentellement.

Nous traiterons bientôt ce sujet de la nature du temps. Pour le moment, il nous suffit de laisser entrevoir ici le germe des confusions futures dans cette première confusion de la quantité intensive avec une pure qualité. Comme si la qualité était incompatible avec toute quantité!

Assurément, les contradictoires s'excluent; mais les divers et les contraires—sans s'identifier aucunement—se marient à merveille dans les réalités de la nature, et c'est le cas de la quantité et de la qualité, qui à la fois se distinguent et s'allient fort bien.

II. La deuxième confusion signalée est celle de l'*unité* avec le *nombre*. On trouve, en effet, dans le chapitre indiqué du même ouvrage cette étonnante proposition qui résume sa pensée: «Les unités, à leur tour, sont de véritables nombres».—Mais si les unités sont un nombre de fractions, ce nombre est-il pair ou impair?...—Ni l'un ni l'autre, assurément, et cette simple réplique du bon sens fait pressentir le sophisme qui essaye de confondre l'unité dont les parties, n'étant que virtuelles et indistinctes, sont sans nombre, avec une somme ou un produit dont les parties, étant toujours distinctes et actuelles, sont toujours un nombre.

L'unité et la somme peuvent, il est vrai, l'une et l'autre, être appelées des synthèses. Mais il y a deux conceptions fort différentes de la synthèse. La *synthèse-résultat*, née de l'assemblage de plusieurs éléments, est postérieure à ses éléments: telle est la somme. Au contraire, la *synthèse-principe* est antérieure à ses éléments auxquels elle donne naissance par sa division: telle est l'unité, non seulement l'unité abstraite du mathématicien, mais encore l'unité concrète. Telle est, par exemple, l'unité de la cellule-mère, dont le fractionnement graduel produira les cellules dérivées de tel ou tel organisme complet. C'est ce qui a fait dire à Aristote que l'unité est antérieure aux parties: Tὸ ὅλον πρότερον ἀναγκαιον εἶναι τοῦ μέρουσ.

Bien loin d'avoir en elle un certain *nombre fini* et déterminé de fractions réelles, l'unité n'en a aucune, tant qu'elle n'est pas divisée, soit physiquement, soit mentalement. Quant aux fractions purement possibles, elles sont *sans nombre*, car l'indéfini n'est pas un nombre. Et c'est pour cela qu'Aristote a soutenu que les fractions sont en puissance et non pas en acte dans l'unité: μάλιστα μὲν δυνάμει, ει δέ μὴ ἐνεργία.

Que si on leur supposait un *nombre infini*, on tomberait aussitôt dans l'absurde, car un nombre infini actuellement réalisé est une impossibilité manifeste. L'admettrait-on, qu'on retomberait dans une autre contradiction. En effet, chacune de ses parties sera supposée simple ou quantitative. Si on les disait quantitatives, les fractions totalisées seraient infinies et partant beaucoup plus grandes que l'unité, qui n'a rien d'infini: ce qui est impossible.

Si on les disait, au contraire, simples et inétendues, une ligne A B serait composée d'un nombre infini de points sans étendue; un mouvement A B serait composé d'un nombre infini de positions sans mouvement; et la durée T, d'un nombre infini d'instants sans durée. C'est alors que M. Bergson aurait beau jeu à nous reprocher de constituer l'étendue avec l'inétendu, le mouvement avec l'immobile, la durée avec ce qui ne dure pas! Mais nous n'avons jamais mérité un tel reproche. Pour nous, au contraire, le point n'est pas une partie de la ligne ni du mouvement; l'instant n'est pas une partie du temps. Le point n'est que la fin ou le commencement d'une ligne ou d'un mouvement: l'instant, la fin ou le commencement d'une durée, ou bien le passage d'une partie à la suivante.

Voilà le sens métaphysique et rigoureux de ces termes. Ce qui n'empêche pas de prendre aussi l'instant au sens psychologique, comme un *minima* de durée perceptible à la conscience. Mais alors ce *minima* n'est plus instantané, il a une durée finie—comme tous les prétendus instantanés des photographes,—et la durée totale n'est plus qu'un multiple de cette durée partielle. On peut prendre alors ce *minima* comme une tranche ou une unité du temps, sans encourir le reproche en question.

Que si aucune unité du temps ou de l'espace n'a rien d'infini, le mouvement peut les traverser, et tous les arguments de Zénon contre la possibilité du mouvement tombent du même coup. Et c'est ce que, dans sa réfutation de Zénon, M. Bergson n'a pas vu et n'a pas pu voir, du point de vue à contre-sens où il s'est placé.

Concluons: l'unité n'est pas un nombre de fractions, ni fini ni infini.

III. Troisième confusion: celle du *nombre* avec l'espace. D'abord, peut-on affirmer sans réserve, comme le fait M. Bergson, que «l'espace est la matière avec laquelle l'esprit construit le nombre, le milieu où l'esprit le place»?

Sans doute, c'est avec des boules ou d'autres objets matériels et étendus que l'enfant apprend à compter, et en ce sens c'est bien avec de l'espace que l'on commence à construire des nombres. Mais l'esprit s'en dégage bientôt et s'élève au-dessus de la matière pour compter des choses inétendues, comme des points géométriques, des notes de musique, des données psychiques ou morales, telles que les sept sacrements ou les trois vertus théologales; ou bien des données métaphysiques, comme les dix catégories ou les six transcendentaux. Il compte aussi des nombres abstraits composés d'unités abstraites qui n'ont rien d'étendu. Enfin, il compte le nombre d'années, de mois, de jours, de minutes qu'il a vécus, et il le place dans le temps et nullement dans l'espace, quoique ce temps ait, d'une certaine manière, traversé les espaces et les lieux où l'on a vécu.

Allons plus loin. Si l'espace, où M. Bergson voudrait reléguer le nombre, le contient réellement, c'est qu'il l'a emprunté bien moins à la quantité et aux dimensions spatiales des objets qu'il contient, qu'à la variété et aux contrastes des qualités qui distinguent surtout les choses entre elles, aux yeux de l'observateur attentif. En effet, videz l'étendue de toutes ses différences qualitatives, supprimez les figures, les couleurs, les sons.... Aussitôt elle devient une continuité uniforme et confuse, où je ne sais plus distinguer de nombre. C'est donc bien plus avec des figures et d'autres qualités qu'avec des étendues que je compte. Or, pour nombrer des qualités, inutile de les projeter dans l'espace ou, tout au moins, de nombrer les espaces où je les projette. Pour compter les espèces de plantes ou d'animaux, je n'ai besoin de compter aucun lieu; encore moins pour compter les peines et les plaisirs, les pensées et les désirs que j'éprouve. Le nombre déborde donc l'espace de tous côtés; il gouverne la qualité non moins que la quantité, le temps non moins que l'espace, l'esprit non moins que la matière. Il fait éclater de toute part l'étroite prison où M. Bergson voudrait le renfermer.

Il est donc faux de dire: «Toute idée claire du nombre implique une vision dans l'espace»;—«c'est à cause de leur présence dans l'espace que les unités sont distinctes»;—toujours «nous localisons le nombre dans l'espace». L'auteur de ces paroles est le jouet de son imagination captive elle-même de l'étendue spatiale.

Cela est faux, disons-nous, parce que c'est contraire aux faits. Nos idées des trois vertus théologales ou des sept sacrements, des trois propositions d'un syllogisme ou des minutes qu'a duré une argumentation, sont parfaitement claires et distinctes sans avoir besoin d'être localisées dans aucun espace.

Ce n'est pas que la localisation ne soit très souvent utile pour soutenir la pensée. Nos idées les plus distinctes du temps et de l'espace peuvent s'appuyer sur des images temporelles ou spatiales. Ainsi, pour compter les noies ascendantes de la gamme, je puis me figurer une ligne verticale en mouvement de bas en haut et y échelonner des notes qui s'élèvent pareillement des plus basses aux plus hautes. Mais je sens bien qu'en les comptant, je compte autre chose que de l'espace, car si je ne comptais que des points dans l'espace, une ligne horizontale me servirait tout aussi bien qu'une ligne verticale: ce qui n'a jamais lieu. Donc, même en utilisant des images spatiales pour compter, je compte autre chose que de l'espace.

Le nombre est donc, par essence, une notion transcendante de l'espace comme du temps. Et cela est vrai, tout aussi bien des *unités* qui composent le nombre que de la somme totale produite par ces unités.

Aussi ajouter, comme le fait M. Bergson, que, «par cela même qu'on admet la possibilité de diviser l'unité en autant de parties que l'on voudra, on la tient (l'unité) pour étendue», est un non-sens. Ni les fractions concrètes d'un temps donné ni les fractions abstraites des mathématiciens ne font un atome d'étendue. Pas plus qu'une unité générique ou spécifique des logiciens ou des botanistes n'est étendue par cela seul qu'elle peut être divisée en catégories subalternes.

Répétons-le: on divise autre chose que l'étendue, parce que la quantité extensive n'est pas la seule espèce de quantité. Ainsi l'on divise en degrés la puissance d'une force et l'intensité d'une qualité.

Il est vrai que ces fractions dans l'unité, comme ces unités dans un nombre, sont *coexistantes* ou simultanées. Mais la coexistence n'est pas suffisante à constituer de l'étendue. Trois sons simultanés, trois douleurs ressenties à la fois, trois termes de la même proposition ou trois propositions d'un même syllogisme, ne font pas un atome d'espace. Et c'est cette nouvelle confusion de la simultanéité avec l'espace qui clôt dignement cette dissertation: «Toute addition implique une multiplicité de parties perçues simultanément», et partant de l'espace.

Sous cette nouvelle forme se cache toujours la même erreur, à savoir que toute quantité se ramène à des dimensions spatiales, à des rapports de contenant et de contenu dans l'espace.

IV. La quatrième erreur, avons-nous dit, consiste à identifier l'*espace* avec l'*homogène*. «L'espace doit se définir l'homogène, et inversement, tout milieu homogène et indéfini sera espace.» D'où M. Bergson conclura plus tard, comme nous le verrons: le temps de la science et du simple bon sens est homogène; donc il n'est que de l'espace. Il n'est pas le *vrai* temps.

Pour percer à jour ce sophisme, il suffira de rappeler encore une fois les définitions classiques, calquées sur les faits les plus élémentaires de l'expérience universelle.

On peut entendre par quantité homogène, soit la quantité *discrète* ou le nombre, soit la quantité *continue*. Mais le nombre est désormais hors de cause, après ce que nous venons de dire sur l'impossibilité de le confondre avec l'espace. Reste donc à parler de la quantité continue, c'est-à-dire de celle dont les parties, bien loin d'être distinctes et actuelles, comme les unités dans un nombre, sont au contraire indistinctes et en puissance avant la division qui les fait naître.

Or, il y a deux espèces de quantité homogène et continue, comme l'expérience nous le révèle. L'une est *simultanée*, l'autre *successive*. L'une possède à la fois toutes ses parties quoique à l'état confus et indivis; l'autre les acquiert peu à peu dans un écoulement continu. La première s'identifie avec l'espace, soit avec l'espace plein ou physique, soit avec l'espace vide ou géométrique qui est la mesure idéale du précédent. Contenant et contenu sont en effet deux points de vue de la même notion d'espace.

Mais si nous accordons volontiers que l'espace s'identifie avec une telle quantité continue et homogène, nous ne pouvons admettre qu'il s'identifie pareillement avec cette autre quantité continue et homogène dont la réalité, bien loin d'être simultanée, n'est que successive et graduelle. Et pour nier résolument cette prétendue identité, il nous suffit d'en appeler aux faits les mieux expérimentés, tels que le *temps*, le *mouvement* local et le *discours*.

Le *temps* se compose d'intervalles écoulés entre deux instants donnés, le *mouvement* de distances parcourues, et le *discours* de paroles ou de phrases prononcées. Or, jamais on ne peut se trouver en présence de deux parties simultanées d'une telle quantité successive. Tandis que deux parties du même espace coexistent sous nos yeux, jamais deux minutes du même temps, ni deux stades du même mouvement, ni deux paroles du même discours. Et cette possibilité ou impossibilité de coexistence de plusieurs parties n'est pas un détail accidentel, mais l'essence même de ces notions, ce qui distingue la quantité simultanée de la quantité fluente, l'espace du temps. La quantité homogène et successive n'est donc pas de l'espace et s'en distingue essentiellement. Le nier, ce n'est pas adapter les théories aux faits, mais les forger sans se soucier des faits. Ce n'est plus de la science, c'est de la fantaisie ou du rêve.

V. La cinquième erreur consiste à confondre le *temps* avec le *mouvement* qui se produit avec le temps, et par conséquent à confondre la partie avec le tout. Et comme le mouvement conscient est le seul, d'après M. Bergson, où le temps se révèle, c'est aussi avec le mouvement psychique ou vital qu'il le confondra bientôt par la négation du temps cosmologique.

Sans doute, répondrons-nous, il n'y a pas de temps sans mouvement. Malgré cela, le temps n'est pas identique au mouvement. Il en est seulement la condition et la mesure.

Aristote et saint Thomas, avec leurs commentateurs les plus autorisés, ont donné de cette distinction des preuves nombreuses et péremptoires faciles à résumer en quelques mots.

1° Le mouvement est plus ou moins rapide dans le même temps; donc il en diffère.

2° Le temps est la mesure du mouvement—puisqu'il mesure su durée, et qu'il entre dans la mesure de sa quantité; or, la mesure et le mesuré font deux.

3° Pour être une mesure, le temps doit être uniforme et non pas plus ou moins rapide comme le mouvement.

4° On conçoit des mouvements instantanés — comme le passage de l'être au non-être, — tandis qu'un temps instantané serait contradictoire et inintelligible.

5° On conçoit aussi la réversibilité des mouvements, revenant à leur point de départ (chaque fois, du moins, que des liaisons causales ne s'y opposent pas). Or, la réversibilité du temps serait absurde, car le temps passé ne revient plus.

Donc, le temps et le mouvement ne sont pas identiques; ils s'accompagnent seulement, comme le dit si bien saint Thomas: *tempus sequitur motum.*

On pourrait donc se représenter la quantité de temps et la quantité de mouvement dans un temps donné comme deux faces inséparables et, pour ainsi dire, deux dimensions du même mouvement, non équivalentes et essentiellement distinctes.

Cette conception d'un réalisme modéré — aussi éloigné d'un réalisme absolu que d'un idéalisme pur — n'est pas plus inconcevable que toute autre notion de grandeur, par exemple, de la longueur, objectivement distincte de la largeur et de la profondeur, quoique inséparable, et servant de mesure partielle au volume total. Ainsi, la quantité de temps, quoique inséparable de la quantité de mouvement, en est objectivement distincte et lui sert de mesure partielle.

Que si, au contraire, nous avions confondu le temps avec le mouvement, nous devrions admettre qu'une même quantité de temps correspond toujours à une même quantité de mouvement, ce que l'expérience la plus élémentaire dément. Nous devrions admettre, en outre, des espèces de temps aussi nombreuses que les espèces de mouvement: des temps rectilignes et circulaires, des temps vibratoires, rotatoires et ondulatoires; des temps uniformes, accélérés ou ralentis, etc., ce qui n'a pas de sens. En outre, tous ces temps étant sans commune mesure, il serait impossible de mesurer l'un par l'autre. Impossible, par exemple, de mesurer le temps qu'a duré la course d'un projectile par le temps marqué par un chronomètre, ni celui-ci par le temps sidéral: tous ces temps pouvant être d'espèce ou de vitesse différentes. Donc, plus de mesure uniforme et commune. Et c'est bien la conclusion devant laquelle ne recule pas M. Bergson, qui se scandalise de ce que, dans l'hypothèse où «les mouvements de l'Univers se produiraient deux ou trois fois plus vite, il n'y aurait rien à modifier ni à nos formules (pour mesurer le temps) ni aux nombres que nous y faisons entrer».

Bien loin que le temps soit rapide ou lent comme le mouvement, nous voyons, au contraire, que le mouvement est d'autant plus rapide qu'il s'accomplit en moins de temps, et d'autant plus lent qu'il en exige davantage.

Il semblerait cependant, parfois que le temps s'accélère ou se ralentit avec la vitesse du mouvement. Ainsi, dans ces longues heures de sommeil où la vie se ralentit, le temps semble plus court: le réveil paraît presque continuer les derniers moments de la veille, les instants intermédiaires n'ayant pas été perçus par la conscience. D'autres fois, au contraire, lorsque le mouvement de la vie s'accélère avec une activité dévorante, le temps se précipite pareillement et paraît beaucoup plus court. Mais ce n'est là qu'une apparence due à une impression subjective de la sensibilité, comme le prouve l'opposition même de ces deux expériences. Car si le temps était identique au mouvement et à l'intensité de la vie, il devrait être dit long dans le deuxième cas et court dans le premier, au lieu d'être dit court dans les deux cas.

Du reste, pour mesurer le mouvement par le temps où il s'exécute, il faut que le temps soit une mesure uniforme et constante, car une mesure élastique et variable ne mesurerait rien exactement. Il doit être uniforme comme le nombre qui nous sert à le compter et qui n'est jamais ni lent ni rapide. Il a donc fallu distinguer du temps concret que marque plus ou moins exactement notre montre, par exemple, un temps abstrait et idéal qui seul a le droit de régler le premier.

Le mouvement apparent des cieux en serait comme la grandiose horloge, tant sa durée a semblé typique et régulatrice, la plus voisine de l'idéal.

De même que pour calculer les directions des mouvements dans l'espace, il a fallu distinguer des espaces réels et mobiles, un espace abstrait, absolu et immobile, réceptacle immense et sans fin où tous les corps se déploient, ainsi a-t-on imaginé un temps absolu, parfaitement régulier dans sa marche, où toutes les durées particulières coïncident et prennent date en se déroulant. Mais ce sont là des êtres de raison, des artifices ingénieux pour fixer les idées dans les calculs, qui ne suppriment nullement la réalité des espaces concrets et des durées concrètes dont ils sont la mesure idéale et le réceptacle imaginaire.

Quoi qu'il en soit, il est certain que le temps réel et concret mesure le mouvement. Or, ce qui mesure et ce qui est mesuré sont distincts; on ne peut donc les confondre.

VI. La sixième erreur des Bergsoniens, l'erreur capitale — et par elle nous abordons le nœud vital du sujet, — est de définir le Temps par *qualité hétérogène,* ou, comme ils disent, par une «hétérogénéité pure», étrangère à toute espèce de quantité. En sorte que le Temps serait conçu d'abord comme une pure *qualité,* absolument simple et impossible à mesurer ou à diviser en intervalles égaux ou inégaux; ensuite comme qualité *hétérogène,* c'est-à-dire en changement perpétuel et essentiel, supprimant toute ressemblance, à plus forte raison toute identité du même être à deux instants de sa durée, et par suite supprimant la durée dans le Temps.

C'est ici que le paradoxe de M. Bergson atteint son maximum d'acuité et d'invraisemblance, en même temps que de subtilité; aussi réclamons-nous du lecteur toute sa bienveillante attention, tout son effort d'application.

Pour comprendre comment M. Bergson a été conduit à une telle notion excentrique, si étrangère aux données de l'expérience, il faut connaître le point de départ et l'orientation première de sa pensée.

De très bonne heure, nous dit un de ses biographes et admirateurs, notre jeune philosophe, qui était surtout fort en mathématiques, fut frappé de la différence profonde qui semble exister outre la notion mathématique et la notion philosophique du temps. Voici comment il résume sa pensée:

«Le caractère singulier du temps dans les équations de la mécanique est de *ne pas durer.* Le temps abstrait t attribué par la science à un objet matériel ne consiste en effet qu'en un nombre déterminé de *simultanéités,* ou plus généralement de *correspondances,* nombre qui reste le même quelle que soit la nature des intervalles qui séparent les correspondances les unes des autres. On pourrait supposer, par exemple, que le flux du temps prit une rapidité infinie, que tout le passé, le présent et l'avenir des objets matériels fut étalé d'un seul coup (?) dans l'espace: il n'y aurait rien à changer aux formules du savant, le nombre *t* signifiant toujours la même chose, savoir un nombre déterminé de correspondances entre les états des objets et les points de la ligne toute tracée qui serait maintenant le cours du temps.»

Et M. Bergson de conclure: «La science n'opère sur le temps et le mouvement qu'à la condition d'en éliminer d'abord l'élément essentiel et qualitatif,—du temps la durée, et du mouvement la mobilité.»

Pour lever ce scandale un peu factice, il suffit de reconnaître que la science et la philosophie traditionnelle, tout en acceptant la donnée vulgaire du temps, ne l'étudient pas au même point de vue ni dans le même but. La science s'occupe de la mesure du temps; la philosophie étudie surtout le temps mesuré. Or, de même que pour l'espace le contenant et le contenu sont deux points de vue différents du même espace, ainsi le *temps-mesure* et le *temps mesuré* devront être pareillement des points de vue différents.

La différence est même ici beaucoup plus notable pour le temps que pour l'espace. En voici la raison:

Tandis que nous pouvons mesurer directement l'espace concret, tel que la longueur A B en lui superposant un étalon de convention tel que le mètre, et calculer d'après la comparaison des deux espaces, mesurant et mesuré, combien il y a de mètres ou de fractions de mètre entre A et B, nous ne pouvons plus procéder ainsi quand il s'agit du temps.

Il n'y a pas d'étalon tout fait du temps que je puisse plier ou rouler comme un décamètre, ou manipuler comme lui pour le superposer à la durée réelle. Il n'y a pas non plus d'étalon fluide et successif. Je ne puis prendre une révolution apparente du soleil et l'appliquer sur celle de demain pour les comparer, ni prendre une oscillation du balancier et l'appliquer sur d'autres oscillations, comme on applique une ligne sur une autre pour voir si elles sont égales. Ici, toute superposition est impossible.

Pour mesurer le temps, cette grandeur fluide qui échappe à toute mesure directe, le savant devra donc employer des moyens détournés. Au lieu de le mesurer lui-même, il mesurera à sa place un substitut du temps, c'est-à-dire quelqu'un de ces phénomènes sensibles qui s'accomplissent dans l'espace et peuvent être considérés en fonction du Temps.

S'il s'agit d'un temps dont la durée successive a laissé des traces dans l'espace, comme pour le mouvement d'un projectile, nous aurons prise sur cet espace et nous pourrons constater qu'un mobile animé d'un mouvement uniforme parcourt constamment des espaces proportionnels aux temps écoulés, c'est-à-dire que l'espace parcouru e est toujours égal au produit de la vitesse v par le temps t. D'où la formule élémentaire: $e = vt$. De laquelle on déduit algébriquement les deux autres formules:$v = e/t$; et $t = e/v$. Cette dernière indique clairement que le temps a pour équivalent l'espace parcouru divisé par la vitesse mise à le parcourir.

Que si le temps à mesurer ne laisse aucune trace saisissable dans l'espace, comme celui où se déroulent nos phénomènes de conscience, la difficulté va s'accroître sans devenir insoluble.

D'ordinaire—et c'est le procédé le plus simple,—on prendra pour le mesurer un changement de lieu, tel que le va-et-vient d'un pendule, et comme on vérifie expérimentalement que ses oscillations sont isochrones, dès que leur amplitude ne dépasse pas deux ou trois degrés, il suffira de compter le nombre de ces battements, que nous nommerons des secondes, si vous voulez, et de constater la coïncidence du premier et du dernier avec le commencement et la fin du phénomène psychique en question, pour en conclure qu'il a duré tant de secondes, de minutes ou d'heures.

Nous disons que c'est le procédé le plus simple, car l'on pourrait en imaginer de plus compliqués. On pourrait, par exemple, supputer les durées en les rapportant à des élévations ou à des abaissements réguliers de température, à des écoulements de sable ou d'eau— comme on le fait avec un sablier ou avec une clepsydre (horloge d'eau),—voire même à des processus psychiques, tels qu'un nombre déterminé de paroles. On dit ainsi que tel phénomène a duré l'espace d'un *Pater* ou d'un *Ave*. Mais rien n'égale en précision le mouvement local d'un pendule ou d'un chronomètre; c'est l'instrument scientifique par excellence de la mesure du temps. On le règle sur le mouvement apparent du ciel, dont la marche régulière est pour nous la manifestation la moins imparfaite, et pratiquement suffisante du cours idéal du temps.

Que si le temps se mesure par autre chose que du temps, il n'est donc plus surprenant que la notion de *temps-mesure*, c'est-à-dire de cet équivalent ou substitut du temps dont s'occupe le savant en mécanique ou en astronomie, soit assez différente de celle du *temps mesuré* dont le philosophe précise la nature ou que le psychologue expérimente en sa conscience. Mais, au lieu de se contredire, les deux points de vue se complètent et le scandale est levé.

Cette solution était sans doute trop simple et trop banale pour plaire à un esprit aussi compliqué et original que celui de M. Bergson. Voici la solution autrement subtile et nouvelle qu'il va nous proposer.

Il faut distinguer, dit-il, deux sortes de temps. Le premier, qui répond à la notion vulgaire et scientifique, est un temps quantitatif et homogène. Il est long ou court et partant mesurable. Ses parties, quoique intimement unies et continues entre elles, se distinguent les unes des autres: il y en a de passées, de présentes et de futures. Pour se distinguer ainsi, en se déroulant successivement, elles se mettent en dehors les unes des autres et s'excluent réciproquement. Mais ce temps vulgaire, déclare M. Bergson, n'est qu'un décalque de l'espace, un temps «bâtard» qui recèle «tout un monde de difficultés». Il faut le traiter comme illusoire. L'autre temps, le seul réel, aux yeux de M. Bergson, est un temps étranger à la quantité, à la division et à la mesure, un temps purement qualitatif, et comme cette qualité consiste à changer sans cesse, puisque l'instant présent, étant plus vieux que le précédent, n'est jamais le même, elle est «l'hétérogénéité pure».

En présence de cette nouvelle thèse, nous allons nous poser deux questions: 1° Quelles sont les preuves alléguées pour nous faire rejeter comme illusoire la notion vulgaire et scientifique du Temps? 2° Quelle est la valeur de la nouvelle notion; est-elle même simplement intelligible?

A la *première* question, nous répondrons: M. Bergson affirme sans preuve que le temps vulgaire est illusoire, car on ne peut considérer comme des preuves ni l'hypothèse que l'ancienne notion est celle d'un temps «bâtard», ni l'affirmation «qu'elle recèle tout un monde de difficultés».

Cependant, examinons de plus près ces deux semblants de preuves.

D'abord, que veut dire M. Bergson en affirmant que la notion vulgaire est celle d'un temps «bâtard»? Le voici, en nous servant de l'exemple, qu'il a lui-même choisi.

Comment comptons-nous les coups successifs d'une cloche lointaine? Pour les compter, il nous faut les aligner dans un milieu homogène où ils viennent successivement occuper un rang: un, deux, trois, quatre.... «Reste à savoir si ce milieu est du temps ou de l'espace.» Or, pour M. Bergson, c'est sans doute de l'espace. En effet, le second ne saurait s'ajouter au premier, ni le troisième au second que s'ils se conservent, et, s'ils se conservent, ils deviennent aussitôt simultanés, c'est-à-dire qu'ils deviennent de l'espace. «C'est donc bien dans l'espace que s'effectue l'opération ... ces moments susceptibles de s'additionner entre eux sont des points de l'espace. D'où résulte qu'il y a deux espèces de multiplicité: celle des objets matériels qui forment un nombre immédiatement, et celle des faits de conscience qui ne sauraient prendre l'aspect d'un nombre, sans l'intermédiaire de quelque représentation symbolique où intervient nécessairement l'espace.» C'est cette union adultérine du temps avec l'espace qui donne un produit «bâtard». Le temps «qualité pure» s'altère ainsi et contracte au contact de l'espace l'apparence trompeuse d'une quantité ou d'un nombre. Il devient alors ce que l'opinion vulgaire et scientifique veut qu'il soit.

Le sophisme ici sera vite percé à jour. Il consiste à dire: «Un moment du temps ne saurait se conserver pour s'ajouter à d'autres sans devenir simultané; donc il devient de l'espace.»

Sans doute, répliquerons-nous, le moment, passé est bien passé et ne se conserve plus *physiquement*. S'il se conservait ainsi, il perdrait son caractère essentiel de successif pour devenir simultané: ce qui est contradictoire. Mais pourquoi ne se conserverait-il pas *mentalement* ? Pourquoi son souvenir avec son caractère d'écoulement successif ne resterait-il pas gravé dans la mémoire? Et s'il en est ainsi, comme la conscience l'atteste, cela suffit pour que l'esprit unisse dans une synthèse mentale ces divers moments du passé, en conservant l'ordre chronologique de leur écoulement.

L'esprit complète ainsi ce que la réalité fluente n'avait fait qu'indiquer; il en fait la synthèse. Voilà pourquoi les scolastiques ont défini le temps *un être de raison, fondé sur la réalité*, et qui par suite n'est pas purement idéal et irréel.

Il est seulement en partie réel et en partie idéal. Réel, puisque chacune de ses parties successives a l'existence et un ordre réel de succession. Idéal, puisque cet ordre n'est compris formellement comme synthèse que par l'esprit, comme le nombre qu'il contient n'est nombre que par l'esprit.

Voilà pourquoi saint Thomas a répété en l'approuvant la célèbre parole d'Aristote: «Sans l'intelligence, il n'y aurait pas de temps.» Parole dont on comprendra maintenant le sens véritable. Elle n'est nullement idéaliste à la manière kantienne, encore moins réaliste outrée à la manière du temps newtonien contre lequel M. Bergson a beau jeu; mais elle tient le milieu entre ces deux exagérations en sens inverse. C'est une notion idéale, bien fondée ou calquée sur la réalité, comme pour les autres notions universelles.

Cette explication si claire et si lumineuse, ce nous semble, va nous donner la solution de la *seconde* difficulté alléguée par M. Bergson contre la notion vulgaire et scientifique du temps. «Elle recèle, nous dit-il, tout un monde de difficultés.»

En effet, si vous le considérez comme une quantité, toutes ses parties réunies se séparent à la première analyse et tombent en poussière. Le passé n'est plus, l'avenir n'est pas, et le présent lui-même est un zéro de durée, un rien insaisissable. C'en est donc fait de toute vie et de toute réalité! —Cela prouve, répliquerons-nous, que l'*union* de toutes ces parties dans un même nombre n'était qu'idéale; mais l'existence successive et continue de chacune n'en est pas moins réelle, et cela suffit à la réalité du mouvement et de la vie.

On touche ici du doigt le procédé sophistique de tous ceux qui traitent d'illusoires les faits les plus évidents parce qu'ils sont mystérieux et plus ou moins difficiles à comprendre. Zénon nie le mouvement parce qu'il ne le comprend pas. D'autres après lui ont nié l'espace et l'étendue parce qu'ils ne les compreniaent pas davantage; M. Bergson nie le temps vulgaire pour la même raison. Et il n'est pas un fait quelque peu important de la conscience ou de la nature qui résisterait à une telle épreuve, si elle était légitime, mais elle ne l'est point.

Déjà Aristote faisait remarquer à ces philosophes que leur négation de faits évidents mais incompris ou difficiles à comprendre était le renversement de toute méthode scientifique, en ajoutant l'exemple célèbre: on constate d'abord qu'il y a une éclipse, et ensuite l'on cherche à comprendre ce qu'est l'éclipse — si on le peut. Que si on ne peut pas la comprendre, cela ne donne aucun droit de nier l'éclipse.

D'ailleurs, étudions à notre tour la *nouvelle notion* du temps, et examinons si elle serait plus intelligible que l'ancienne.

D'après M. Bergson, le Temps véritable serait entièrement étranger à la quantité. On n'y pourrait compter aucun nombre de parties égales entre elles, puisque aucune durée n'est semblable à une autre durée. Cependant, toutes ces parties, si différentes par leurs qualités internes, ou si hétérogènes, s'emboîtent et se fondent les unes dans les autres, comme les notes d'une phrase musicale dans une mélodie. Il n'y a pas de temps longs ou courts, il n'y a que des actes de développement, des progrès, qui fusionnent dans un acte un et indivisible.

Dans cette description nouvelle du Temps, il y a des *détails accessoires* et une *partie essentielle*. Des détails nous ne dirons rien, pour ne pas être trop long, à l'exception toutefois d'un seul qui nous semble vraiment dépasser la mesure permise.

Pour soutenir contre toute évidence, non pas l'unité continue du temps qui est hors de conteste, mais son indivisibilité idéale en minutes, en secondes, ou autres parties égales, on suppose que nos états de conscience, en s'écoulant, peuvent «s'emboîter les uns dans les autres», à peu près comme les parties articulées d'une longue-vue. Que cette comparaison, plus ou moins heureuse, puisse s'appliquer aux opérations *simultanées* de nos diverses facultés, nous l'accordons volontiers. Il est d'expérience que plusieurs de nos facultés agissent toujours ensemble et de concert, et que, par exemple, un acte d'amour de Dieu et du prochain comprend à la fois de la connaissance et de la volonté, des idées et des images, des sentiments et des sensations, jusqu'à des états physiologiques les plus variés.

Mais de ce que nos phénomènes de conscience simultanés fusionnent et «s'emboîtent», comment conclure que les phénomènes successifs, présents, passés, futurs, «s'emboîtent» pareillement? Ici, la comparaison n'a plus de sens.

Dire que le passé s'est emboîté dans le présent et le présent dans le futur, c'est dire qu'ils sont simultanés et non pas successifs; c'est nier leur distinction radicale, leur exclusion manifeste; c'est changer la succession temporelle en coexistence spatiale, — sans arriver pour cela à supprimer le nombre et la quantité, car des parties ne peuvent s'emboîter que si elles sont distinctes et multiples.

Non, nous ne comprendrons jamais comment le passé peut coexister avec le présent et le futur, emboîtés ensemble, et les ingénieuses comparaisons de M. Bergson, loin de nous le faire comprendre, montrent expressément le contraire, comme le lecteur va en juger.

«Quand les oscillations régulières du balancier, écrit l'auteur, nous invitent au sommeil, est-ce le dernier son entendu, le dernier mouvement perçu qui produit cet effet? Non, sans doute.... Il faut donc admettre que les sons se composaient entre eux et agissaient ... par l'organisation rythmique de leur ensemble.... Chaque surcroît d'excitation s'organise avec les excitations précédentes, et l'ensemble nous fait l'effet d'une phrase musicale qui serait toujours sur le point de finir et sans cesse se modifierait dans sa tonalité par l'addition de quelque note nouvelle....»

Dans cette brillante image, nous avons beau chercher l'emboîtement du passé avec le présent et le futur, nous ne le découvrons point. Nous voyons seulement la fusion des souvenirs et des sensations qui persistent, après la disparition de leurs causes, et qui, par conséquent, demeurent toujours présents et simultanés. Ce qui est bien différent. En vérité, une si grossière équivoque n'est plus sérieuse, et nous aurions pu nous contenter de répondre plaisamment avec M. Fouillée: «Ce sera l'originalité des bergsoniens d'avoir inventé un nouveau sophisme du chauve: Les cheveux de l'homme chauve existent encore, puisqu'il en a le souvenir et que cette idée *opère* pour l'inciter à faire sur son crâne des lotions régénératrices. Donc le chauve n'est plus chauve.»

Ajouter avec M. Bergson que cette fusion du passé et du présent s'opère en vertu d'une «synthèse mentale» n'atténue rien, car la synthèse fusionne des souvenirs présents avec des sensations présentes et nullement le présent au passé qui n'est plus. Bien plus, elle aggrave l'erreur: les minéraux, les plantes et même les animaux, étant privés de toute «synthèse mentale», il faudrait en conclure que le monde extérieur ne dure pas, et M. Bergson est bien de force à ne pas reculer devant cette nouvelle gageure au bon sens. «L'intervalle de durée, écrit-il, n'existe que pour nous à cause de la pénétration mutuelle de nos états de conscience.»

Toutes les sciences, au contraire, apportent des preuves décisives de la réalité du temps cosmologique. En mécanique, on fait entrer le temps (ou son substitut) dans tous les calculs, comme un élément d'importance capitale; et ces calculs sont confirmés par l'expérience. Les sciences naturelles étudient avec succès l'âge des étoiles, l'âge des terrains et des périodes géologiques, l'âge des plantes et des animaux ou de leurs embryons, car tout évolue ici-bas avec son âge. Le temps est donc bien un des plus importants facteurs de la nature; il l'était avant l'apparition de l'homme, et il le demeurerait alors même que l'esprit humain n'existerait plus pour le concevoir dans ses «synthèses mentales» ou pour le mesurer dans ses calculs. Inutile d'insister davantage sur une vérité si manifeste.

Hâtons-nous de passer à la *partie essentielle* de la nouvelle notion du Temps, celle qui a la prétention: 1° d'en exclure toute quantité, et 2° d'en faire une qualité pure, toujours changeante et hétérogène, — car ce sont bien là les deux formes, l'une négative, l'autre positive, de cette curieuse et étonnante notion. Examinons-les l'une après l'autre.

D'abord, la prétention d'exclure du temps toute quantité, d'en faire une unité simple et indivisible, impossible à mesurer, est-elle vraiment conforme aux données de l'observation? Ne heurte-t-elle pas de front, au contraire, toutes les expériences vulgaires et scientifiques qui divisent le temps en ses éléments présents, passés et futurs, et qui réussissent à en mesurer les plus petits intervalles avec une si grande précision? La réponse à ces simples questions est tellement évidente qu'on attend avec curiosité par quel artifice ingénieux M. Bergson va essayer d'y échapper. Le voici:

Le temps, ainsi que le mouvement, dit-il, sont une synthèse mentale; ce sont des actes psychiques. Or, un acte psychique est simple et indivisible, donc il n'a rien de quantitatif et ne se mesure pas: «On peut bien diviser une *chose*, mais non pas un *acte*.» — «Nous n'avons point affaire ici à une *chose*, mais à un *progrès*: le mouvement, en tant que passage d'un point à un autre, est une synthèse mentale, un processus psychique et par suite inétendu.» — De cette singulière théorie nous devrions logiquement conclure que tous les mouvements, toutes les durées, même celles des êtres matériels, comme les fleuves et les plantes, sont vraiment psychiques ou spirituels. Et cette conclusion — malgré sa haute invraisemblance — n'est pas si étrangère qu'on pourrait le croire à la pensée de M. Bergson, puisqu'il soutiendra bientôt que «le physique n'est que du psychique inverti».

Ajournons à plus tard cette discussion. Accordons pour le moment — *dato non concesso* — que toute durée est psychique ou spirituelle. Mais la durée d'une opération psychique ne se mesure-t-elle donc plus? L'acte de contemplation le plus simple, en se déroulant dans l'avant et l'après de ma conscience, le raisonnement le plus subtil, en s'élevant progressivement du plus connu au moins connu, ne durent-ils pas un temps mesurable, un temps continu et indivis, sans doute, mais pourtant divisible pour ma pensée en avant et après, en intervalles longs et courts?

C'est à ce point que, pour en prendre conscience, il me faut un minima ou une certaine quantité de durée, sans laquelle, de l'aveu de tous les psychologues, un phénomène psychique ne laisserait aucune trace sensible, tomberait dans l'inconscient. La durée du temps peut donc se mesurer, même pour les opérations de l'esprit; elle n'est donc pas étrangère à la quantité. C'est la *substance* de l'esprit qui ne se mesure pas; c'est aussi le passage de la puissance à l'acte de ses facultés qui est instantanée; mais l'opération elle-même est toujours mesurée dans le temps par sa durée, parfois même elle est mesurable par ses effets dans l'espace lorsqu'elle informe une matière, comme c'est le cas de l'âme humaine et de tous les organes animés.

Prenons l'exemple sur lequel insiste le plus M. Bergson, soit un geste de la main qui va d'un seul trait de gauche à droite, du point A au point B. «N'est-ce pas, nous dit-il, une action simple et indivisible?» Nullement, répondons-nous. Cette action, malgré son *unité*, n'est pas *simple*, car elle a des parties virtuelles, soit dans l'espace, soit dans le temps. Dans l'espace, elle est un geste deux fois, trois fois, dix fois ... plus long ou plus court que tel autre geste donné. Cette, action unique équivaut à deux, trois, dix actions plus petites, elle est donc quantitative et mesurable. Dans le temps, si elle a duré une minute, sa durée, quoique unique, équivaut à soixante secondes de durée. Il est donc faux de dire qu'on ne peut mesurer que les *choses* et jamais les *actes* et que la durée vraie ne se mesure point.

D'ailleurs, «si la durée ne se mesurait pas, qu'est-ce donc que les oscillations du pendule mesurent»? A cette objection si naturelle que M. Bergson ne pouvait manquer de prévoir, il répond par trois pages de distinctions subtiles et embrouillées que nous recommandons au lecteur comme un modèle du genre.

Au fond de ces subtilités impalpables, on finit par découvrir qu'aux yeux de M. Bergson les oscillations du pendule ne mesurent que des coïncidences dans l'espace et non dans le temps. Mais cette interprétation ne résiste pas à la plus simple expérience. Si je mesure la durée d'un discours, par exemple, en comptant les coups d'un pendule battant la seconde, ce ne sont pas les coups, à proprement parler, que je compte, mais les intervalles entre ces coups; ce ne sont pas les positions du balancier à droite ou à gauche que j'observe, mais les secondes qu'il mesure pour aller de droite à gauche ou de gauche à droite. Chaque battement est donc pour moi un signe temporel et nullement un signe spatial.

Que si je suis obligé pourtant de recourir à un mouvement dans l'espace pour mesurer le temps, cela prouve assurément que le temps ne se mesure pas directement, comme nous l'avons déjà expliqué, mais indirectement, par ses coïncidences avec un mouvement spatial tel que les oscillations du pendule. Mais de ce qu'il ne peut se mesurer directement, comment conclure qu'il ne se mesure pas du tout, qu'il n'est ni long ni court et hors de la quantité? Ce sont là des équivoques tellement évidentes qu'il nous semble inutile d'insister davantage.

En second lieu, la notion d'un temps purement qualitatif est-elle intelligible? Nous ne le croyons pas.

En effet, il n'y a pas de temps sans succession continue ni de succession continue sans pluralité virtuelle des parties qui se succèdent. Que s'il y a pluralité des parties, il y a aussi divisibilité, au moins idéale, et partant nombre, mesure, quantité. Sans quantité continue, plus de succession possible, plus de mouvement, plus de temps: c'est l'éternité intemporelle de la durée.

Il est donc faux que la succession soit un rapport purement qualitatif. Par leur succession même, les parties qui se succèdent se, mettent en dehors les unes des autres, tout en restant unies et continues. Ma journée d'aujourd'hui n'est pas celle d'hier; le soir n'est pas le matin; chacune de mes pensées ou de mes actions laisse en ma conscience un souvenir différent, comme chacune de mes paroles laisse sur la cire du graphophone une trace distincte. Il y a donc exclusion absolue entre ces termes qui pourtant s'enchaînent et se suivent: passé, présent, futur; l'un n'est pas l'autre. On peut donc les compter, dire le nombre de secondes, de minutes, d'heures qu'ils ont duré ou qu'ils dureront, et quoique chacun puisse avoir sa nuance et sa qualité propre, ils auront toujours ceci de commun d'avoir duré pendant des secondes, des minutes ou des heures de durée identique. Leur nombre sera ainsi constitué par une multitude de parties égales. Or, le nombre, c'est la quantité, et comme les unités de ce nombre, quoique distinctes, ne sont séparées les unes des autres que par un jeu de l'esprit, une pure abstraction, cette quantité sera réellement continue. Nous avons donc retrouvé la quantité véritable sous le flot mouvant des qualités variées que les parties de la durée peuvent revêtir.

Impossible de remplacer cet élément quantitatif par n'importe quel rapport qualitatif, jamais avec de la qualité pure on n'a pu faire du temps. Leibnitz y a échoué et M. Bergson n'y réussira pas davantage. En effet, quel pourrait être ce rapport purement qualitatif? Serait-ce une *exclusion* d'une qualité par une autre? Nullement. Prenez deux qualités qui s'excluent, comme le blanc et le noir; cette incompatibilité d'essences n'est pas encore une succession temporelle; elles sont exclusives, mais non pour cela successives.

Serait-ce une *hiérarchie* de perfections, soit ascendante, soit descendante? — Mais la hiérarchie des nombres ou des espèces n'est pas encore une succession dans le temps. Encore moins la hiérarchie des anges ou des purs esprits.

Serait-ce une *intensité* dans les qualités? — Mais une intensité plus ou moins grande de la couleur rouge, par exemple, ne fait pas sa durée; une intensité plus ou moins grande d'un mouvement ou de sa vitesse ne change pas sa durée et n'influe en rien sur le laps de temps où on l'observe.

Serait-ce une *dépendance causale* qui relierait ces qualités l'une à l'autre, la seconde étant supposée produite par la première? — Alors on introduit subrepticement le temps avec la causalité, car la liaison causale suppose la succession temporelle, bien loin de la constituer. On suppose donné ce qu'il faut expliquer.

Mais, dira-t-on encore, si l'on supposait à ces qualités un *ordre irréversible*, n'aurait-on pas le contraire de l'espace qui est toujours réversible, et par conséquent le temps qui ne l'est jamais? — Je réponds qu'un ordre n'est irréversible que par la dépendance causale. Si le fils n'était pas produit par son père, il n'y aurait aucune raison pour que le fils ne pût être antérieur à son père. Cette explication retombe donc dans la précédente et se trouve entachée du même vice.

Que s'il était possible de prendre la *causalité* dans un sens très large, purement qualitatif, sans succession temporelle — et en ce sens les principes premiers avec leurs conséquences logiques sont également éternels, — nous nous trouverions alors en face d'un éternel présent, immobile et toujours identique à lui-même. C'est l'éternité, l'opposé du temps. Que si notre adversaire avait la témérité de les identifier et de les confondre, pour éviter à tout prix de mettre du nombre et de la quantité continue dans le temps, nous lui demanderions alors de renoncer à ces expressions de «mouvement vital», d'«élan vital», de «courant de vie», de «flot montant de vie», de «progrès» et de «recul», dont il se sert à tout propos et qui expriment la succession au lieu de nous montrer un éternel présent.

Cette contradiction n'est pas la seule où M. Bergson se soit laissé acculer par les conséquences inéluctables de sa fausse notion. En voici une autre non moins instructive. Ne pouvant pas prouver que notre notion vulgaire et scientifique est illusoire, il cherche du moins à expliquer comment elle aurait pu se produire, comment elle aurait pu supplanter la notion de durée purement qualitative et hétérogène, naturellement suggérée par les données immédiates de la conscience.

Or, d'après M. Bergson, l'illusion se serait produite insensiblement, à travers les temps préhistoriques, grâce à la *durée homogène* de certaines lois psychologiques, ayant pour but l'utilité pratique, soit biologique, soit sociale, de l'être vivant. — Sans chercher à comprendre comment une illusion mensongère pourrait être utile à la direction de l'action pratique «qui ne se meut jamais dans l'irréel», constatons seulement que, par cette hypothèse, la *durée homogène* est ainsi rétablie subrepticement dans la réalité, après avoir été niée. Après avoir supposé la durée hétérogène comme la seule donnée réelle de la conscience, voici qu'on ramène sa rivale expulsée et que l'on s'appuie de nouveau sur la durée homogène. La nouvelle notion ne suffit donc plus, puisqu'elle appelle l'ancienne à son secours.

Bien plus, dans le dernier chapitre de *Matière et Mémoire,* voici que M. Bergson, à la suite de tous les psychologues, fait intervenir la notion de *minima* pour qu'un temps soit perceptible à la conscience, et rétablit ainsi, bon gré mal gré, la forme quantitative dans la durée. Je veux bien que ce *minima* soit très court: deux millièmes de seconde, d'après Exner;—il n'en contient pas moins des centaines de trillions de vibrations lumineuses; c'est donc une quantité que l'on peut mesurer. La quantité expulsée revient donc triomphalement dans la notion du Temps: c'est la revanche du bon sens et de la vérité.

Terminons par une dernière critique, qui, au fond, synthétisera toutes les autres, car elle vise la fameuse notion *d'hétérogénéité pure* dont M. Bergson, nous l'avons dit, a fait comme la synthèse de sa notion du Temps.

Qu'est-ce que l'hétérogénéité? Ce ne peut être qu'une absence d'homogénéité ou de ressemblance, et l'hétérogénéité pure, une absence totale. En sorte que chaque instant nouveau serait totalement dissemblable de l'instant précédent, sans aucune ressemblance même partielle. Une telle conception nous paraît sans doute un rêve aussi impossible que celui de la «mobilité pure», que nous discuterons plus tard. Accordons, pour le moment, sa possibilité; en voici les conséquences.

En supprimant ainsi toute ressemblance—à plus forte raison toute identité—entre les divers instants de notre vie, on aboutit à éliminer du Temps la durée elle-même. Et c'est bien là le dernier mot de notre critique de la notion bergsonienne: elle imagine un *temps sans durée.* Qu'est-ce, en effet, que durer, sinon *continuer d'être le même*?

Or, dans le temps bergsonien, rien ne continue d'être le même. Ce n'est pas le *fond substantiel* qui continue d'être le même sous des modes divers, puisque ce nouveau système nie formellement la substance de l'être—comme nous le verrons plus tard en étudiant sa notion de l'être. Ce n'est pas davantage le *mode* de l'être ou le phénomène qui continue d'être le même à travers le temps, puisque tout y est supposé hétérogénéité pure et perpétuel changement. Ce n'est pas enfin la *mesure* elle-même de la durée qui ne change pas, puisque, étant perpétuellement variable, la durée n'a plus de mesure fixe et uniforme. Donc rien ne continue d'être le même, et partant rien ne dure; la durée est éliminée du Temps.

En sorte que l'objection terrible que M. Bergson brandissait plus haut contre la science moderne—et d'ailleurs la science de tous les siècles,—en l'accusant faussement d'avoir «vidé le temps de sa durée»,—semblable au boomerang rotatif des chasseurs australiens, manié d'une main imprudente,—se retourne soudain contre celui qui l'a lancée et le frappe en pleine poitrine. La notion bergsonienne du Temps ne tient plus debout, et c'est la contradiction interne qu'elle portait dans ses flancs qui l'a tuée.

Lorsqu'un expérimentateur aboutit par hasard à une conclusion absurde, il recommence ses calculs ou ses expériences, étant bien convaincu qu'il y a eu maldonne quelque part. Mais un philosophe comme M. Bergson, partisan de la logique de la contradiction, ne recommence jamais et poursuit sa marche intrépide à travers tous les dédales sans fin de l'impossible. Pour cela, il lui suffira de chavirer et de mettre à l'envers la notion de durée qui le gêne. Durer consistera pour lui à changer sans cesse et totalement, c'est-à-dire à ne plus durer. Plus tard, en critiquant sa notion de la *Vie* et du *Devenir*, nous verrons ce paradoxe faussement appuyé sur l'exemple de l'être vivant, car celui-ci n'évolue que pour se conserver, en sorte que ses changements de surface, loin d'être un but, ne sont que le moyen de durer en se conservant au fond toujours le même. Nous verrons alors quelle philosophie nouvelle, au rebours de l'ancienne, naîtra de ce germe empoisonné jeté dans le sillon. Elle se vantera d'être une philosophie de la *durée,* alors qu'elle est la philosophie du *non-être* et du néant, suivant la sévère mais juste critique qu'Aristote et Platon adressaient déjà aux sophistes de leur temps.

Pour le moment, nous retenons la notion vulgaire et scientifique du Temps comme la seule conforme à l'expérience et la seule intelligible—au moins pour le commun des mortels. M. Bergson en fait l'aveu en reconnaissant la «difficulté incroyable» que tous éprouvent à comprendre sa nouvelle notion. Cet aveu suffit à nous rassurer et à nous affermir dans la conviction où nous sommes qu'elle ne saurait prévaloir.

II

LA LIBERTÉ HUMAINE

Armé de cette définition nouvelle du Temps ou de la durée, comme d'une clé magique, M. Bergson va s'essayer à ouvrir cette «serrure embrouillée» de la Métaphysique, qu'on appelle le problème de la Liberté humaine.

Après avoir supprimé de la durée psychologique où se meut notre Liberté toute distinction de parties, tout nombre et toute quantité mesurable se déroulant successivement dans le Temps, voici comment il procède:

Il appelle à sa barre partisans et adversaires de la Liberté, et leur demande d'expliquer le motif de leur querelle. Ceux-ci soutiennent que dans le conflit des motifs qui nous font hésiter dans nos choix, et finalement prendre un parti, c'est toujours le motif le plus fort qui l'emporte, et, partant, pas de Liberté possible!

Ceux-là, au contraire, disent que, dans ce conflit, le motif qui reste le plus fort n'est devenu tel que par notre libre choix: donc, la Liberté demeure.

La cause est entendue, et M. Bergson de répondre: Vous avez tort les uns et les autres, parce que vous posez mal le problème, «en le posant dans le nombre et dans l'espace». Cette diversité de motifs est un nombre. Ce déroulement successif du conflit, ce n'est pas du temps, c'est de l'espace.

Et puisqu'il n'y a plus dans la simplicité de la durée psychologique, ni multiplicité de motifs, ni aucune distinction possible d'éléments divers, votre conflit de motifs est purement illusoire. Pareillement illusoire votre conclusion pour ou contre la Liberté.

Et dans les considérants de l'arrêt nous retrouvons toujours le fameux principe: «On analyse et l'on décompose une *chose*, mais pas un *progrès*; on décompose l'étendue et non la durée.»

Ainsi nos plaideurs sont renvoyés dos à dos.

Cette solution géniale me rappelle la fable des *Plaideurs et de l'Huître*, à laquelle la méthode de M. Bergson permettrait d'apporter une solution nouvelle que notre bon La Fontaine n'avait pas prévue. Qu'est-ce que l'huître? dira le nouveau juge à ses plaideurs, sinon un produit de l'Océan, un extrait de l'Océan, comme une perle de l'Océan? Or, l'Océan n'appartient à personne! Et, de nouveau, les plaideurs seront renvoyés dos à dos, grâce à l'ingéniosité d'une définition nouvelle.

C'est un véritable charme d'entendre M. Bergson lui-même exposer les tours et les détours subtils par lesquels, après bien des hésitations qui ménagent les esprits timorés, il se voit conduit à des définitions surprenantes pour le sens commun. D'ordinaire, le professeur accompagne et souligne ses exposés littéraires et pittoresques d'un geste de la main qui intrigue quelque peu les spectateurs novices, surtout les plus jeunes: cet âge est sans pitié!...

Il tend vers eux le pouce et l'index de la main, comme pour leur montrer une muscade invisible. Les plus myopes sont même tentés de s'approcher pour en bien constater la réalité. Puis, après un moment solennel, sa main s'ouvre entièrement et la muscade a disparu.... Geste intéressant, et surtout symbolique, qui mériterait d'avoir été celui qu'Aristote attribuait au sophiste Cratyle: άλλα τόν δάχτυλον έκείνει μόνον.

Ce résumé de la théorie bergsonienne sur la Liberté est, sans doute, beaucoup trop succinct et schématique, aussi avons-nous hâte d'en examiner les principaux détails. Mais nous tenions, dès le début, à confier au lecteur l'impression d'ensemble produite en nous par la lecture de ces soixante-quinze pages qui terminent les *Essais*.

M. Bergson admet la liberté humaine et s'en proclame le champion. Ce serait assurément très bien et l'auteur mériterait tous nos éloges si nous n'avions à faire bientôt de graves réserves sur la manière dont il définit la liberté, car elle risque fort de défigurer ou de supprimer la chose après en avoir conservé le mot.

En attendant, ce dont nous le louerons sans aucune restriction, c'est d'avoir, pour en démontrer l'existence, conservé cet argument du témoignage de la conscience, si imprudemment lâché par des spiritualistes contemporains et même des catholiques, malgré l'évidence intime de sa force probante.

Nous aimons à relire sous la plume de M. Bergson des phrases comme celles-ci: «Même lorsqu'on esquisse l'effort nécessaire pour accomplir une action, on sent bien qu'il est encore temps de s'arrêter.» «Nous ne connaissons la force que par le témoignage de la conscience, et la conscience n'affirme pas, ne comprend même pas la détermination absolue des actes à venir: voilà tout ce que l'expérience nous apprend, et si nous nous en tenions à l'expérience, nous dirions que nous nous sentons libres....» «La liberté est donc un fait, et parmi les faits que l'on constate, il n'en est pas de plus clair.»

Et remarquez que M. Bergson se garde bien, après avoir admis la liberté, de la reléguer avec honneur parmi les noumènes inaccessibles, comme l'avait imaginé Kant: hypothèse invraisemblable contre laquelle il proteste franchement: «Kant, dit-il, l'éleva donc (la liberté) à la hauteur de noumène ... inaccessible par conséquent à notre faculté de connaître. Mais la vérité est que nous nous apercevons de ce moi toutes les fois que, par un vigoureux effort de réflexion, nous détachons les yeux de l'ombre qui nous suit pour rentrer en nous-mêmes. » Un peu plus loin, il affirme encore que «le moi saisi par la conscience est une cause libre; nous nous connaissons absolument nous mêmes ... cet absolu se mêle sans cesse aux phénomènes, en s'imprégnant d'eux....»

Cette profession de foi est vraiment bien, et quoi qu'elle soit précédée et suivie de ces idées systématiques que nous sommes en train de réfuter, on peut l'en abstraire et l'approuver pleinement.

Toutefois, il ne saurait nous suffire d'entendre la liberté humaine proclamée, il nous faut voir surtout comment M. Bergson va la défendre, car il a la curieuse prétention de la défendre contre ses partisans non moins que contre ses adversaires: ce qui paraît quelque peu inquiétant.

Dès le début, l'auteur nous expose les deux conceptions opposées de la Nature: *mécanisme* et *dynamisme,* que la question de la liberté met aux prises. Le mécanisme, dit-il, veut expliquer le plus par le moins, la volonté par l'acte réflexe, l'acte réflexe par un simple mouvement cinétique. Le dynamisme, au contraire, croit que le plus est seul capable d'expliquer le moins, et projette le psychique à divers degrés d'atténuation dans l'Univers matériel.

Le déterminisme lui-même se divise en deux espèces, selon qu'il se fait de la nécessité une conception *physique* ou bien *psychologique*. Mais la première de ces deux formes se ramène à la seconde, car tout déterminisme, même physique, implique une hypothèse psychologique....

Toutefois, cette démonstration n'intéressant pas notre but, nous ne pouvons y suivre l'auteur; encore moins le suivrons-nous dans son exposé historique et sa critique du principe de la conservation de l'énergie, qui, malgré leur réel intérêt, nous semblent ici des préambules un peu longs et même superflus.

Passons à l'exposé du *déterminisme psychologique*. Sous sa forme la plus précise et la plus récente, nous dit l'auteur, il implique une conception associationniste de l'esprit. Il se représente l'état de conscience actuel comme lié aux états précédents, et aussi nécessité par eux. Sans doute, cette nécessité ne saurait être géométrique, comme il arrive pour la résultante de plusieurs forces qui se combinent en donnant une somme totale, mais plutôt métaphysique, comme tout effet dépend de sa cause. «Nous admettrons sans peine, observe M. Bergson, l'existence d'une relation entre l'état actuel et tout état nouveau auquel la conscience passe. Mais cette relation, qui explique le passage, en est-elle la cause?»

Observation très juste, qui nous montre que des phénomènes psychologiques, tout en se succédant à la surface de nos consciences, ne sont pas toujours pour cela des causes l'un de l'autre. Ainsi la faim à satisfaire et la faim satisfaite sont deux états de conscience qui se succèdent sans se causer. Et nous nous servirons plus tard de cette observation contre le phénoménisme de M. Bergson, qui, en supprimant leur cause profonde avec la substance de l'âme, laisse les phénomènes psychiques se succéder sans cause et sans aucune raison d'être. Une fois le moteur central disparu dans votre montre, comment les mouvements extérieurs pourraient-ils continuer à se succéder?

Mais n'anticipons pas — fermons la parenthèse, — et revenons à la première réfutation du déterminisme associationniste.

Qu'ils se causent réellement l'un l'autre, ou qu'ils se conditionnent seulement — peu importe, — les phénomènes de la conscience n'en sont pas moins affirmés multiples et parfaitement distincts, au point de se conditionner les uns les autres. Comme Bain le proclamait si heureusement: «Toute pensée obéit à la loi du nombre. Par cela seul que notre vie mentale procède par battements et transitions, que nos sentiments sont interrompus et repris, ils sont des nombres et toute conscience est une conscience du nombre.» Or, c'est cette multiplicité dans la durée dont M. Bergson ne veut à aucun prix. C'est «l'illusion du morcelage» qu'il ne cessera de dénoncer. «Le point de vue même où l'associationnisme se place implique une conception défectueuse du moi et de la multiplicité des états de conscience.» — «La multiplicité (de nos états de conscience) n'apparaît que par une espèce de déroulement dans ce milieu homogène que quelques-uns appellent durée et qui est en réalité de l'espace.... Mais parce que notre raison, armée de l'idée d'espace et de la puissance de créer des symboles, dégage ces éléments multiples du tout, il ne s'ensuit pas qu'ils y fussent contenus. Car au sein du tout ils n'occupaient point d'espace (!) et ne cherchaient point à s'exprimer en symboles (!!); ils se pénétraient et se fondaient les uns dans les autres. L'associationnisme a donc le tort de substituer sans cesse au phénomène concret qui se passe dans l'esprit la reconstitution artificielle (!) que la philosophie en donne et de confondre ainsi l'explication du fait avec le fait lui-même.»

En lisant cette théorie, que M. Bergson croit sans doute explicative, le lecteur se sera demandé avec son vulgaire bon sens: Est-ce que trois sentiments successifs, d'amour, de haine et de repentir, ne font plus trois sentiments? Est-ce que trois propositions d'un syllogisme, se déroulant, ne font plus trois propositions? Et si elles se déroulent, est-ce bien dans l'espace, comme le prétend M. Bergson, ou bien dans le Temps, comme tous les hommes, savants et ignorants, l'ont toujours cru?

Assurément, les états de conscience dont nous soutenons la distinction et le nombre ne sont pas pour cela séparés et discontinus, comme des «atomes» de conscience juxtaposés. Rien n'empêche qu'ils se suivent dans une parfaite continuité. Quand le physicien compte les sept couleurs du spectre solaire: *violet, indigo, bleu, vert, jaune, orangé, rouge*, il ne nie pas pour cela que chaque couleur soit liée à la suivante, comme à la précédente, par d'imperceptibles nuances. Mais cela ne l'empêche pas de distinguer le bleu du rouge ou le vert du bleu. De même, le psychologue a le droit de distinguer une joie d'une souffrance, un sentiment d'une représentation, un raisonnement d'un acte de liberté. Il peut donc, lui aussi, distinguer, classer et compter des états différents, lors même qu'ils se suivent d'une manière continue.

Si cela est vrai des états de conscience qui se succèdent dans la même *série unilinéaire*, à plus forte raison des *séries multiples* qui s'écoulent simultanément. Ainsi, en écoulant un orateur, je puis à la fois voir, entendre, jouir, comprendre, etc. Je puis être assiégé par les sentiments les plus divers, sollicité par des désirs bons ou mauvais, ou par les mobiles les plus variés. Et là est aussi un autre vice de la notion bergsonienne, de considérer le Temps de la conscience comme toujours unilinéaire, alors qu'il est le plus souvent un écoulement simultané de flots multiples provenant d'une même source, c'est-à-dire d'une multitude d'actions ou d'émotions simultanées provenant d'un même agent aux puissances multiples.

Tantôt cette multiplicité d'actions est unifiée par un même objet auquel nous le rapportons ou bien par une même fin; tantôt elle reste distincte et sans liaison. Ainsi nous pouvons à la fois méditer, marcher, voir ce qui nous entoure, éviter les obstacles, parler et gesticuler. Nous pouvons même penser à plusieurs choses disparates en même temps. Un grossissement remarquable de ce fait banal nous est fourni par le génie et la folie. On sait que des esprits particulièrement puissants, tels que Jules César ou Napoléon, pouvaient conduire en même temps des séries multiples de pensées différentes, et par exemple dicter à plusieurs secrétaires à la fois. D'autre part, dans certains cas de folie, tels que les curieux phénomènes de «dédoublement de la personnalité», la dissociation des états de conscience est si évidente qu'elle suffirait à prouver la pluralité de ces états.

Quoi qu'il en soit, que le continu de nos consciences s'agglomère en une série linéaire unique, ou qu'il se disperse parfois en plusieurs séries parallèles ou divergentes, la distinction et, partant, la multiplicité des opérations ou des états, dans le même *moi-agent*, s'imposent, bon gré, mal gré, à tout observateur que les préjugés n'aveuglent pas.

D'ailleurs, n'est-elle pas de M. Bergson, cette ingénieuse théorie des *plans de conscience* superposés et impuissants à fusionner entre eux? N'est-elle pas de lui, celle comparaison si poétique et si gracieuse: «Il s'en faut que toutes nos idées s'incorporent à la masse de nos états de conscience. *Beaucoup flottent à la surface, comme des feuilles mortes sur l'eau d'un étang?»*

Vaincu par l'évidence, M. Bergson lui-même sera bien forcé d'employer le mot de *multiplicité* pour décrire nos états de conscience si variés et si opposés les uns aux autres. Mais aussitôt après il essayera de se reprendre en neutralisant le sens de ce mot par une épithète nouvelle. Il forgera pour cela l'expression de *multiplicité qualitative*. Comme si les qualités qu'on peut compter ne formaient plus un nombre! Une telle prétention est vaine: tout ce qui est accessible à la numération ou au calcul ne peut pas ne pas faire un nombre; et c'est en cela même que la quantité s'oppose irréductiblement à la qualité.

M. Bergson invente aussi le mot de *multiplicité de fusion ou de pénétration mutuelle*, qu'il oppose à notre prétendue *multiplicité de juxtaposition*. Mais d'une part, nous n'avons jamais soutenu que les moments ou les unités de durée se succèdent par juxtaposition, mais au contraire par une vraie continuité. D'après le théorie aristotélicienne, les parties qui ne seraient que juxtaposées ou contiguës l'une à l'autre sont déjà divisées. Or, nous reconnaissons qu'une telle conception des parties dans la durée serait fausse — les parties du continu n'étant pas divisées mais seulement divisibles, en puissance seulement et non pas en acte, — comme nous l'avons déjà expliqué.

D'autre part, la *multiplicité de fusion ou de pénétration mutuelle* dont parle M. Bergson est impossible entre termes successifs, car si l'on peut *unir* le passé, le présent et l'avenir dans une suite continue, on ne peut les *réunir*, les fusionner ensemble et les compénétrer: ce ne serait là qu'une conception contradictoire.

Il ne reste donc plus à admettre dans le continu temporel qu'une multiplicité de parties virtuelles, capables d'être distinguées et comptées, c'est-à-dire une multiplicité vraiment quantitative et numérique.

La réfutation du Déterminisme basée sur la non-multiplicité de nos états de conscience n'est donc pas valable, et sa prétention d'atteindre du même coup adversaires et partisans de la Liberté — qui supposent également cette multiplicité — est parfaitement vaine: *Telum imbelle, sine ictu.*

Examinons si les autres réfutations sont plus solides.

La *seconde* pourrait se formuler ainsi: Avoir conscience du libre arbitre signifie avoir conscience de pouvoir choisir entre plusieurs partis, et de pouvoir choisir autrement que, de fait, nous choisissons. C'est bien ainsi que défenseurs et adversaires de la Liberté l'ont toujours entendue. Or, la question ainsi posée, aux yeux de M. Bergson, serait «vide de sens». En conséquence, amis et ennemis de la Liberté seraient pareillement confondus.

Nous accordons que la question serait mal posée si l'on prétendait avoir conscience de sa liberté comme d'une *puissance pure*. Notre conscience ne pouvant saisir que nos actes (actions et passions), une pure puissance serait, en effet, pour elle insaisissable. Mais dès que cette puissance fait effort pour passer à l'acte, nous surprenons fort bien son réveil, et c'est précisément l'effort pour agir dont notre conscience a le sentiment le plus vif. Or, cet effort se colore parfois dé liberté ou d'indétermination dans ses choix. C'est même le contraste parfois si tranché entre nos opérations volontaires et involontaires, qui nous fait comprendre la liberté de certaines actions et la nécessité des actions opposées. Ainsi, par exemple, je me sens impuissant à ne pas vouloir mon propre bonheur, mais je me sens parfaitement libre de placer ce bonheur dans tel ou tel bien, à mon choix. Je me sens impuissant à arrêter une action réflexe telle que les battements de mon cœur; je me sens au contraire libre d'étudier ou de me promener.

La question ainsi posée, loin d'être «vide de sens», nous paraît pleine de cette réalité vécue qui est la lumière même de nos consciences. Pour la trouver «vide de sens», M. Bergson va se placer au point de vue de sa fausse conception de la durée.

D'abord c'est la fameuse «illusion du morcelage» qui va rentrer en scène. «J'hésite entre deux actions possibles X et Y, dit-il, et je vais tour à tour de l'une à l'autre. Cela signifie que je passe par une série d'états, et que ces états se peuvent répartir en deux groupes, selon que j'incline davantage vers X ou vers le parti contraire.... Il demeure entendu que ce sont là des représentations symboliques, qu'en réalité il n'y a pas deux tendances ni même deux directions, mais bien un moi qui vit et se développe par l'effet de ses hésitations mêmes, jusqu'à ce que l'action libre s'en détache à la manière d'un fruit trop mûr.»

Sans doute—répliquerons-nous,—*s'il n'y a pas deux tendances ni deux directions possibles*, il n'y a plus de choix concevable, et notre définition de la Liberté par le choix entre plusieurs tendances, entre plusieurs objets, est bien «vide de sens». Mais est-ce bien là une «donnée immédiate» de la conscience; n'est-ce pas, au contraire, le défi le plus audacieux à son témoignage?

Lorsque j'hésite entre le bien et le mal, entre le vice et la vertu, surtout dans ces moments d'incertitude et d'angoisse d'une tentation violente, est-ce que je ne sens pas en moi clairement, sinon *deux hommes*—suivant la poétique exagération de Buffon,—au moins *deux* tendances opposées vers *deux* partis possibles? Celui qui a une fois fait cette expérience poignante—et qui ne l'a jamais faite?—se refusera à prendre au sérieux la distinction subtile de M. Bergson entre la multiplicité vraiment *numérique*—telle qu'elle nous apparaît ici—et la multiplicité non numérique et purement *qualitative*, imaginée par M. Bergson. Une multiplicité qui ne serait plus un nombre n'est pas plus intelligible qu'un cercle carré ou un triangle rond. S'il y a une notion «vide de sens», la voilà.

A l'appui de sa négation de nos deux tendances et de nos deux directions possibles, M. Bergson nous trace un graphique, représentant le temps passé par une ligne M O qui arrive jusqu'au point de bifurcation 0. De ce point, deux lignes divergentes, O X, O Y, symbolisent les deux tendances différentes vers deux directions possibles.

Puis, après avoir tracé ce schéma, il s'indigne contre «ce symbolisme grossier sur lequel on prétendait fonder la contingence de l'action accomplie, et qui aboutit par un prolongement naturel à en établir l'absolue nécessité.... Bref, cette figure ne me montre pas l'action s'accomplissant, mais l'action accomplie. Ne me demandez donc pas si le moi, ayant parcouru le chemin M O et s'étant décidé pour X, pouvait ou ne pouvait pas opter pour Y: je répondrais que la question est vide de sens, parce qu'il n'y a pas de ligne M O, pas de point O, pas de chemin O X, pas de direction O Y. Poser une pareille question, c'est admettre la possibilité de représenter adéquatement le temps par de l'espace, et une succession par une simultanéité. C'est attribuer à la figure qu'on a tracée la valeur d'une image et non pas seulement d'un symbole.... Cette figure représente une *chose* et non pas un *progrès*; elle correspond, dans son inertie, au souvenir en quelque sorte figé de la délibération tout entière, etc.» .

Nous répondrons à cette longue dissertation — dont nous n'avons pu offrir au lecteur qu'un des échantillons les moins confus — par deux remarques:

1° Si ce symbolisme graphique déplaît à M. Bergson, pourquoi l'a-t-il imaginé? Est-ce pour avoir le plaisir de le combattre? Jamais, dans nos leçons, nous n'y avons eu recours pour expliquer le processus de l'acte libre, et l'on peut très bien s'en passer.

2° Mais nous croyons que ce graphique, tout symbolique qu'il soit, n'est pas si absurde qu'on le prétend. S'il a paru tel à M. Bergson, c'est qu'il a supposé «que cette ligne symbolise, non pas le temps qui s'écoule, mais le temps écoulé», et partant déjà fixé, cristallisé par le souvenir et incapable de symboliser le mouvement et le progrès du temps. Mais ce point de vue est vraiment trop exclusif. Remplacez ces lignes *toutes faites* par des lignes *en voie d'être tracées*, ou par des points en mouvement dans la direction indiquée par ces lignes, et ce graphique reprenant, par la pensée, le mouvement et la durée, sera capable de les symboliser plus exactement.

Sans doute, il ne prouvera ni pour ni contre la liberté, suivant l'axiome bien connu: comparaison n'est pas raison. Mais il en expliquera fort bien le processus, si, une fois arrivé à l'instant présent, figuré par le point O, on suppose que le moi peut se diriger vers l'un des deux partis possibles, X ou Y, et accomplir l'action O X plutôt que l'action O Y. Et ce déroulement de l'action sur une ligne en formation ou sur un point en mouvement est bien un déroulement dans le continu successif et non dans le continu simultané, dans le temps et non dans l'espace.

M. Bergson en conclut: «La question revient toujours à celle-ci: le temps est-il de l'espace?» Nous sommes du même avis. Et la confusion qu'il a déjà faite de ces deux notions est précisément le point de départ de toutes ses vaines disputes et de toutes ses inintelligences de la question présente.

Passons à la *troisième* «réfutation». Partisans et adversaires de la Liberté humaine ont pareillement défini l'acte libre: «celui qu'on ne saurait prévoir, même quand on en connaîtrait à l'avance toutes les conditions.» Or, cette définition étant encore «vide de sens», leur querelle doit se prolonger jusqu'à la fin du monde. Ce n'est donc là que l'objet d'un «pseudo-problème».

Pour le montrer, M. Bergson distingue d'abord deux espèces de prévisions du futur. L'une est la prévision probable ou conjecturale, l'autre la prévision certaine ou infaillible.

«Dire qu'un certain ami, dans certaines circonstances, agira très probablement d'une certaine manière, ce n'est pas tant prédire la conduite future de notre ami que porter un jugement sur son caractère présent, c'est-à-dire, en définitive, sur son passé....

Tous les philosophes s'accordent sur ce point.... Mais le déterministe va beaucoup plus loin: il affirme que la contingence de notre solution tient à ce que nous ne connaissons jamais toutes les conditions du problème ... et qu'une connaissance complète, parfaite, de tous les antécédents, sans exception aucune, rendrait la prévision infailliblement vraie.»

M. Bergson leur répond que prévoir ainsi est impossible, parce que prévoir, ce serait déjà voir ou agir soi-même: «*il n'y a pas de différence sensible entre prévoir, voir et agir*».

L'essai de démonstration d'un tel paradoxe ne dure pas moins de douze pages, où l'embarras de l'auteur, d'ordinaire si à son aise, fatigue péniblement l'esprit, sans parvenir à l'éclairer, encore moins à le convaincre. Nous recommandons ce passage aux amateurs de clair-obscur qui se plaisent dans les nuages. En voici le plus clair:

«Pour que Paul (prédise ou) se représente adéquatement l'état de Pierre à un moment quelconque de son histoire, il faudra de deux choses l'une: ou que, semblable à un romancier qui sait où il conduit ses personnages, Paul connaisse déjà l'acte final de Pierre ... ou qu'il se résigne à passer lui-même par ces états divers, non plus en imagination, mais en réalité. La première de ces hypothèses doit être écartée, puisqu'il s'agit précisément de savoir si, les antécédents seuls étant donnés, Paul pourra prévoir l'acte final. Nous voici donc obligés de modifier profondément l'idée que nous nous faisions de Paul: ce n'est pas, comme nous l'avions pensé d'abord, un spectateur dont le regard plonge dans l'avenir, mais un acteur qui joue par avance le rôle de Pierre.... Mais si Pierre et Paul ont éprouvé dans le même ordre les mêmes sentiments, si leurs deux âmes ont la même histoire, comment les distinguerez-vous l'une de l'autre?... Il faut donc maintenant que vous en preniez votre parti: Pierre et Paul sont une seule et même personne, que vous appelez Pierre quand elle agit, et Paul quand vous récapitulez son histoire (pour la prédire).... C'est donc une question vide de sens que celle-ci: l'acte pouvait-il ou ne pouvait-il pas être prévu, étant donné l'ensemble complet de ses antécédents? Car il y a (seulement) deux manières de s'assimiler ces antécédents, l'une dynamique, l'autre statique. Dans le premier cas, on sera amené par des transitions insensibles à coïncider avec la personne dont on s'occupe, à passer par la même série d'états, et ... il ne pourra plus être question de prévoir. Dans le second cas, on présuppose déjà l'acte final....»

Les graphiques qui suivent ce beau raisonnement peuvent l'illustrer, mais sûrement ils ne l'éclairent pas, et leur aspect scientifique provoque aussitôt l'objection que les savants prédisent fort bien les conjonctions des astres, les éclipses de soleil ou de lune et les autres phénomènes astronomiques, sans avoir besoin de «coïncider avec eux», ou de «passer eux-mêmes par les mêmes états», ni en imagination, ni en réalité. Il y aurait donc quelque autre mode de prévoir.

M. Bergson, qui ne pouvait pas ne pas prévoir une objection si simple et si naturelle, essaye de s'en tirer par la fameuse distinction — déjà exposée au lecteur — entre le temps astronomique et le temps psychologique. Le temps des savants n'est qu'un temps *bâtard*, qui a pour essence de *ne pas durer*, aussi est-il accessible au nombre, à la mesure et à la prévision, tandis que le temps vrai, celui de la conscience, qui seul a une durée, est un *progrès* et non une *chose*, et partant qualité pure, dont la simplicité parfaite exclut tout nombre, toute analyse, tout calcul et par suite toute prévision.

Voici comment il formule cette conclusion: «Lors donc qu'on demande si une action future pourrait être prévue, on identifie inconsciemment le temps dont il est question dans les sciences exactes, et qui se réduit à un nombre, avec la durée réelle, dont l'apparente quantité est véritablement une qualité.... La question de savoir si l'acte pouvait ou ne pouvait pas être prévu revient toujours à celle-ci: le temps est-il de l'espace?»

Inutile de revenir encore une fois sur cette équivoque. Le temps n'est nullement de l'espace, parce qu'il se déroule, non dans le continu simultané de l'espace, mais dans le continu successif de la durée, et c'est ce déroulement continu qui permet de nombrer ses moments, d'en faire la base de nos calculs et de nos prévisions.

Non, ce ne sont pas les savants qui ont confondu le temps avec de l'espace, mais c'est M. Bergson qui a confondu l'espace avec le temps, de l'avis des penseurs, savants ou philosophes de toutes les écoles et de tous les siècles: car M. Bergson est ici seul contre tous: *etiamsi omnes, ego non*! Le geste, du moins, serait-il beau? Nullement, car, suivant la parole du poète: «Rien n'est beau que le vrai.»

Une *quatrième* et dernière «réfutation» nous reste à examiner. Elle a trait au principe de causalité. Partisans et adversaires de la liberté l'entendent en ce sens que l'acte libre ne serait pas nécessairement déterminé par sa cause. Mais cette introduction de la causalité dans les phénomènes de conscience paraît une conception inadmissible à nos nouveaux philosophes. Encore une question «vide de sens», une «pseudo- question» qu'on ne doit plus poser!

En effet, le principe de causalité proclame que «les mêmes causes, dans les mêmes circonstances, produisent toujours les mêmes effets». Appliquer ce principe aux phénomènes psychiques serait donc supposer que les antécédents psychiques d'un acte libre sont susceptibles de se reproduire à nouveau, ce qui n'a jamais lieu, car le même état de conscience, par cela seul qu'il se répète, devient un état tout nouveau, et partant n'est déjà plus la simple répétition du premier. Laissons la parole à M. Bergson:

«Dire que les mêmes causes internes produisent les mêmes effets, c'est supposer que la même cause peut se présenter à plusieurs reprises sur le théâtre de la conscience. Or, notre conception de la durée ne tend à rien moins qu'à affirmer l'hétérogénéité radicale des faits psychologiques profonds (?), et l'impossibilité pour deux d'entre eux de se ressembler tout à fait, puisqu'ils constituent deux moments différents d'une histoire.... L'on ne saurait parler ici de conditions identiques, parce que le même moment ne se présente pas deux fois.... Une cause interne profonde (P) donne son effet une fois et ne se reproduira jamais plus.»

Tel est, en effet, le corollaire de la notion bergsonienne de la durée où le passé «s'emboîte» dans le présent, comme pour faire «boule de neige». En avançant ainsi vers l'avenir, le moi se grossit d'un passé toujours plus riche, il change donc incessamment et n'est jamais le même. «Le même ne demeure pas ici le même, mais se renforce et se grossit de tout son passé.»

Cette théorie, assurément, n'est pas totalement fausse, car il est sûr qu'à chaque instant nous mûrissons ou nous vieillissons, et que, en un certain sens, nous ne sommes plus les mêmes, étant entraînés malgré nous dans un perpétuel changement. L'important est de savoir si ce changement n'est qu'accidentel ou s'il est essentiel; si c'est le fond de notre être, notre personnalité même qui change, ou seulement le flot accidentel et mouvant des phénomènes actifs et passifs dont notre moi est le théâtre.

Or, notre conscience a répondu par l'affirmation catégorique de notre identité permanente à travers tous les changements de surface, et elle proteste avec évidence chaque fois qu'on ose la mettre en doute. En sorte que, s'il y a «une donnée immédiate de la conscience» claire et indiscutable, c'est bien celle-ci qui tient le premier rang et qui s'impose le plus fermement. Nous y reviendrons plus tard, car nous aurons occasion de réfuter les bergsoniens qui ne veulent voir au dedans de nous que du mouvement, alors qu'il y a aussi et surtout du stable et du permanent.

Que s'il y a du stable et du permanent dans les activités de notre conscience, la nouveauté des circonstances où elles opèrent pour une dixième, vingtième ou centième fois peut n'introduire que des variations insignifiantes et négligeables; en sorte que les mêmes causes devront encore reproduire substantiellement les mêmes effets, dans des circonstances suffisamment identiques.

Ainsi, par exemple, une poule ne pond jamais le même œuf, et cependant tous ses œufs sont semblables par les caractères de l'espèce, de la race, voire même par des traits accidentels. De même, nous constatons que notre âme produit habituellement, dans des circonstances données, les mêmes pensées, les mêmes désirs, les mêmes sentiments de sympathie ou d'antipathie. Et si chacun de ces effets se colore presque toujours de quelque nuance accidentelle qui l'individualise, leur ressemblance fondamentale n'en est pas moins évidente. Pareilles aux feuilles du même arbre qui se ressemblent toutes, malgré leur distinction individuelle, nos actions nous offrent souvent entre elles ce caractère de ressemblance frappante.

Il n'est donc ni faux ni inutile d'appliquer à la causalité des êtres vivants le principe général: les mêmes causes dans les mêmes circonstances produisent toujours les mêmes effets.

Accordons toutefois à M. Bergson que, dans le domaine psychologique, il soit encore plus difficile de constater si les causes sont les mêmes et les circonstances suffisamment identiques. Accordons-lui, en outre — *dato, non concesso*, — qu'une même action ne se répète jamais deux fois, le principe de causalité sera-t-il par là mis en échec? Nullement.

Cette première formule du dit principe n'est en effet ni la seule formule ni la plus importante, car ce principe régit tout aussi bien les causes qui n'agiraient qu'une fois, sans pouvoir jamais se répéter, que celles qui pourraient multiplier indéfiniment les mêmes actions dans les mêmes circonstances.

En effet, le principe de causalité proclame tout d'abord deux choses: 1° tout effet doit avoir une cause; 2° tout effet est proportionné à sa cause, car l'être ne peut *agir* que comme il *est*. L'action n'est, en effet, qu'un rayonnement, une manifestation de la cause, et voilà pourquoi nous pouvons remonter de la nature de l'effet produit à la nature de sa cause. Impossible, par exemple, qu'une action libre soit produite par une cause; nécessitée, et réciproquement, ou bien qu'une action spirituelle soit l'effet d'une cause matérielle.

Sous cette forme, le principe de causalité s'applique donc fort bien au monde de la conscience. Et s'il est incapable, à lui seul, de résoudre le problème de savoir si nous sommes libres ou nécessités, on ne peut toutefois soutenir qu'il n'est plus applicable à ce nouveau domaine où il serait hors de chez lui.

Telle est pourtant la thèse de M. Bergson.

«Pour le physicien, écrit-il, la même cause produit toujours le même effet; pour un psychologue qui ne se laisse point égarer par d'apparentes analogies, une cause interne donne son effet une fois et ne le produira jamais plus. Et si, maintenant, on allègue que cet effet était indissolublement lié à cette cause, une pareille affirmation signifiera de deux choses l'une ... également vides de sens, et impliquant, elles aussi, une conception vicieuse de la durée.... Le principe de la détermination universelle perd toute espèce de signification dans le monde interne des faits de conscience.» Ce monde échappe donc au principe de causalité.

Toutefois, pour un principe nécessaire et universel, ce serait là une «incompréhensible exception». Aussi le même auteur se décide-t-il finalement à en nier la nécessité et à opposer en cela les deux principes d'identité et celui de causalité.

«Le principe d'identité, dit-il, est la loi absolue de notre conscience ..., et ce qui fait l'absolue nécessité de ce principe, c'est qu'il ne lie pas l'avenir au présent, mais seulement le présent au présent. Mais le principe de causalité, en tant qu'il lierait l'avenir au présent, ne prendrait jamais la forme d'un principe nécessaire; car les moments successifs du temps réel ne sont pas solidaires les uns des autres, et aucun effort logique n'aboutira à prouver que ce qui a été sera ou continuera d'être, que les mêmes antécédents appelleront toujours des conséquences identiques.»

Voilà qui est plus franc et paraît plus logique que d'admettre le principe de causalité pour le monde physique et le rejeter pour le monde psychologique. Mais alors nous aboutissons à la négation de la causalité elle-même, car s'il y a des causes véritables, il faut bien qu'elles *agissent* comme elles *sont*. Que s'il n'y a plus de causalité, au contraire, mais de pures successions de phénomènes, régies par le hasard ou le caprice, on comprend sans peine que n'importe quel phénomène puisse succéder à un autre, et qu'aucun lien entre eux ne soit absolument nécessaire.

Ce serait là une question de fait ou de coutume, non plus une question de droit. Il se pourrait donc absolument que la combinaison de l'hydrogène et de l'oxygène, HO^2, produisît autre chose que de l'eau, et que des œufs de poules vissent éclore tout autre volatile que des poulets. Conclusions rigoureuses et que l'expérience, malheureusement, ne semble pas confirmer.

Toutes ces difficultés où s'embourbe lu marche de noire auteur viennent — comme il nous le confesse — de ce qu'il n'a pas compris «la préformation de l'avenir dans le présent» et qu'il la rejette pour n'avoir pu la comprendre. Il n'a pu la concevoir, dit-il, que «sous forme mathématique», comme les conclusions d'un théorème de géométrie sont contenues dans leurs principes. Mais il n'y a nullement là un exemple de «préformation de l'avenir dans le présent», car les principes mathématiques et leurs conséquences sont également nécessaires et éternels, et leur déroulement logique n'a rien de commun avec le mouvement et la causalité dans le temps.

Aristote ne cesse de nous mettre en garde contre une si grossière confusion du logique et du réel. La causalité, dit-il, n'existe que dans la nature physique ou psychique, parce qu'elle se déroule dans le temps; jamais dans la Logique pure, qui ne s'occupe que du simultané et de l'éternel. La causalité se meut dans la sphère de la contingence, la Logique dans celle de la nécessité.

Pour saisir dans nos consciences une «préformation de l'avenir dans le présent», il faut donc recourir à d'autres exemples, tel que l'*effort* pour penser, vouloir, agir, qui nous fait passer de la puissance à l'acte. Mais cette «préformation», M. Bergson le reconnaît lui-même, est fort imparfaite, puisque l'action à venir que va produire l'effort n'était nullement contenue dans sa cause sous sa forme future. Et pourtant elle y était contenue de quelque manière, qu'Aristote a appelée *virtuelle* ou en *puissance*, et dont la réalité, quelque mystérieuse qu'elle soit, ne saurait être nié.

Le poulet était-il contenu dans l'œuf? Assurément, puisqu'il en sort. — Y était-il contenu à l'état des préformations, si microscopique ou infinitésimale qu'on le voudra? Nullement. Et la théorie de l'*épigénèse* ayant définitivement triomphé, dans les sciences biologiques, des hypothèses de «préformation» ou «d'emboîtement des germes», c'est l'état réel de *puissance* préexistante qui s'impose, et c'est ainsi que l'effet sera donné dans sa cause.

D'ailleurs, si la «préformation» dans l'œuf avait un sens pour les formes plastiques des vivants, elle n'en a plus aucun pour la «préformation» dans l'esprit de pensées ou de vouloirs qui n'ont aucune figure, et l'état réel de *puissance* s'impose une seconde fois.

Confondre cet état réel avec celui de *possibilité pure*, comme a l'air de le faire M. Bergson, c'est tout simplement supprimer la causalité et laisser les effets en l'air, sans raison d'être.

Que s'il y a dans le monde de la conscience une causalité véritable, comme l'*effort* suffirait à en témoigner, la question si grave de sa coexistence avec la liberté — également posée par les déterministes de tous les temps et tous leurs adversaires — n'est donc plus une «pseudo-question», et c'est la fin de non-recevoir de M. Bergson qui devient une pseudo-réponse, où la solution du redoutable problème ne se trouvera même pas en germe.

Poursuivons cependant notre étude, car il serait curieux de voir si, dans la notion finale que M. Bergson va nous donner de la Liberté humaine, il ne va pas supprimer la causalité libre, en y supprimant toute causalité, comme son système l'exige.

Jusqu'ici, nous avons vu que M. Bergson a également reproché aux déterministes et à leurs adversaires de mal poser le problème, en donnant de la Liberté des définitions vicieuses.

Vous définissez l'acte libre, leur a-t-il dit, comme le fruit du libre choix entre plusieurs partis ou plusieurs motifs; mais cela n'a pas de sens, car cette multiplicité est illusoire et transformerait le temps en espace.

Vous le définissez: «Celui qu'on ne saurait prévoir, même quand on connaît d'avance toutes les conditions?» — Mais concevoir toutes ces conditions données, ce n'est plus prévoir, c'est voir et se placer au moment où l'acte s'accomplit. Ou bien, si l'on prévoit à la manière des physiciens, c'est admettre que la durée psychique peut se représenter symboliquement à l'avance, ce qui revient à confondre le temps avec l'espace.

Vous le définissez encore, en disant qu'il n'est pas nécessairement déterminé par sa cause? — Mais alors vous admettez que les antécédents psychiques d'un tel acte sont susceptibles de se reproduire à nouveau, que la liberté se déploie dans une durée dont les moments se ressemblent, et que le temps est un milieu homogène comme l'espace.

Toutes ces définitions une fois écartées, on attend avec anxiété celle que M. Bergson va leur substituer. Malheureusement, il aime mieux ne nous en donner aucune, sous prétexte que la Liberté est «indéfinissable », et que «toute définition donnerait raison au déterminisme.... La définir serait la nier».

Ecoutez plutôt la manière élégante et subtile avec laquelle il nous échappe au moment même où nous pensions le saisir:

«Nous pouvons maintenant formuler noire conception de la liberté. On appelle liberté le rapport du moi concret à l'acte qu'il accomplit.

Ce rapport est indéfinissable, précisément parce que nous sommes libres. On analyse, en effet, une chose, mais non pas un progrès; on décompose de l'étendue, mais non pas de la durée. Ou bien, si l'on s'obstine à analyser quand même, on transforme inconsciemment le progrès en chose, et la durée en étendue. Par cela seul qu'on prétend décomposer le temps concret, on en déroule les moments dans l'espace homogène; à la place du fait s'accomplissant, on met le fait accompli; et comme on a commencé par figer en quelque sorte l'activité du moi, on voit la spontanéité se résoudre en inertie, et la liberté en nécessité. — C'est pourquoi toute définition de la liberté donnera raison au déterminisme.»

Telle est la manière — assez vague et peu compromettante — par laquelle M. Bergson prétend avoir «formulé sa conception de la liberté». S'il avait voulu ne pas la formuler du tout, il n'aurait pas mieux dit. S'il n'avait pu en donner une formule — faute d'en avoir, — il n'aurait su l'insinuer en termes plus heureux.

Cependant, M. Bergson n'a pas toujours eu ce scrupule si excessif de ne pas vouloir toucher la liberté du bout de l'index par une définition, de crainte de la faire tomber en poussière.

J'ouvre le même ouvrage, quelques pages plus haut, et j'y rencontre, non sans quelque étonnement, des descriptions et des définitions de la Liberté, autrement compromettantes.

Citons les textes eux-mêmes, où il résume le mieux sa pensée. «C'est une psychologie grossière, dupe du langage, dit-il, que celle qui nous montre l'âme déterminée par une sympathie, une aversion ou une haine, comme par autant de forces qui pèsent sur elle. Ces sentiments, pourvu qu'ils aient atteint une profondeur suffisante, représentent chacun l'âme entière, en ce sens que tout le contenu de l'âme se reflète en chacun d'eux. Dire que l'âme se détermine sous l'influence de l'un quelconque de ces sentiments, c'est donc reconnaître qu'elle se détermine elle-même.... C'est de l'âme entière que la décision libre émane ... σόν ὅλη τῇ ψυχῇ, selon l'expression de Platon.»

«Bref, conclut-il, nous sommes libres quand nos actes émanent de notre personnalité entière, quand ils l'expriment, quand ils ont avec elle cette indéfinissable ressemblance qu'on trouve parfois entre l'œuvre et l'artiste. En vain on alléguera que nous cédons alors à l'influence toute-puissante de notre caractère. Notre caractère, c'est encore nous; et parce qu'on s'est plu à scinder la personne en deux parties pour considérer tour à tour, par un effort d'abstraction, le moi qui pense et le moi qui agit, il y aurait quelque puérilité à conclure que l'un des deux moi pèse sur l'autre.... En un mot, si l'on convient d'appeler libre tout acte qui émane du moi, et du moi seulement, l'acte qui porte la marque de notre personne est véritablement libre, car notre moi seul en revendiquera la paternité.»

Cette notion de la liberté nous paraît à la fois trop étroite et trop large. D'abord trop étroite, car elle n'embrasse pas une quantité d'actes libres — peut-être les plus nombreux, — où, sans avoir besoin de faire vibrer toute la lyre des sentiments et des puissances de l'âme tout entière, nous agissons pourtant en pleine liberté, comme notre conscience en témoigne clairement. Ainsi, j'écris en ce moment, je lis, je parle ou je me repose, fort librement, alors que ma «personnalité tout entière» devrait pour ainsi dire vibrer, d'après M. Bergson, pour faire un acte libre. C'est donc une exagération d'ajouter que «les actes libres sont rares, même de la part de ceux qui ont le plus coutume de s'observer eux-mêmes et de raisonner sur ce qu'ils font».

D'autre part, cette définition de la liberté est beaucoup trop large, car elle risque d'embrasser des actes qui ne sont point libres. Par exemple, le désir du bonheur en général, qui est le plus profond de notre nature et remue notre âme tout entière, précisément parce qu'il est le fond de notre instinct naturel, vient au monde avec nous, et nous ne pouvons pas plus y renoncer qu'à notre nature raisonnable. Que si nous sommes libres de placer notre bonheur ici ou là, dans tel ou tel moyen particulier, la fin elle-même, qui est d'être heureux, s'impose tellement à nous que nous ne pouvons pas ne pas la vouloir. La résultante de toutes les puissances de notre âme n'est donc pas toujours un acte de liberté.

Accordons-le, pour un instant, à M. Bergson. Et demandons-lui d'où pourrait venir qu'une telle résultante fût libre. Les animaux, eux aussi, peuvent agir suivant la résultante de toutes leurs facultés, ils n'en sont pas moins incapables de liberté.

Si M. Bergson n'était pas antiintellectualiste, il nous répondrait en nous montrant dans l'intelligence de l'homme la racine de sa liberté. C'est l'idéal conçu par l'intelligence qui nous découvre par comparaison les imperfections de tous les biens créés, nous fournissant ainsi des motifs suffisants pour les refuser, en désirant et cherchant toujours mieux. C'est cette poussée idéale vers l'infini qui nous permet de choisir librement parmi les biens finis.

Mais après avoir fait fi de l'intelligence, que peut bien nous répondre un antiintellectualiste? Comment va-t-il s'y prendre pour fonder la liberté sur les ruines de la raison? Jugez de son embarras. Il revient à la résultante des forces psychiques, et l'acte libre ne sera plus que leur produit spontané, s'en détachant comme un fruit mûr. «En réalité, dit-il, il n'y a pas (dans nos âmes) deux tendances ni même deux directions, mais bien un moi qui vit et se développe par l'effet de ses hésitations mêmes, jusqu'à ce que l'action libre s'en détache à la manière d'un fruit trop mûr.»

Cette conception bergsonienne est grosse de conséquences extrêmement graves. Si l'intelligence n'est plus pour rien dans la liberté, pourquoi ne pas l'attribuer aussi aux êtres inintelligents? Si l'acte libre n'est qu'un produit qui se détache comme un fruit mûr, s'il n'est que la résultante de nos forces psychiques, pourquoi ne serait-il pas également la résultante des forces psychiques des animaux inférieurs à l'homme, et même de toutes les autres forces de la nature conçues sur le modèle des nôtres plus ou moins dégradées? — Cette conclusion, parfaitement logique, M. Bergson la fera sienne. Non seulement dans son dernier volume, où il nous montrera une liberté fondamentale dans cet «élan vital» de l'Evolution créatrice qui pousse en avant tous les êtres de la nature, mais, dès maintenant, il prélude nettement à sa théorie future, en confondant ensemble les idées de force, de causalité, de spontanéité et de liberté. «L'idée de force, écrit-il, exclut en réalité celle de détermination nécessaire.... Nous percevons la force, à tort ou à raison, comme une libre spontanéité.... Toute conception claire de la causalité, où l'on s'entend avec soi même (?), conduit a l'idée de la liberté humaine comme à une conséquence naturelle....»

Que si toute force, toute spontanéité, toute causalité est libre, il n'y a plus de place pour les forces, les spontanéités, les causalités nécessaires; il n'y a plus de distinction entre la liberté et la nécessité, c'est-à-dire que le déterminisme universel a triomphé, en sacrifiant son enseigne et en appelant la nécessité du nom de liberté.

Et c'est ainsi que le grand sabre de M. Prudhomme, qui devait si vaillamment défendre la cause sacrée de la Liberté, a réussi à la combattre et à assurer sa défaite, tout en proclamant sa victoire.

Avions-nous raison, en commençant, de nous défier des mots et du verbalisme sonore de la Philosophie «nouvelle»? Le lecteur en jugera.

Parvenu à la fin de ce premier volume, on se sent vraiment humilié et comme dupé d'avoir été obligé de faire la lecture — et la réfutation — de 182 pages in-8° de subtilités vertigineuses sur le temps et l'espace pour en arriver à une conclusion si inattendue. M. Bergson aurait bien mieux fait de nous éviter cette fatigue inutile en nous avouant clairement sa pensée dès le début. Il eût été si simple de la déclarer de suite aux belligérants — déterministes et leurs adversaires — qu'il voulait renvoyer dos à dos, et de leur dire: votre discussion n'a pas d'objet; liberté et nécessité, c'est au fond la même chose, sous deux noms différents! Du moins, les plaideurs eussent compris de suite de qui l'on prétendait se moquer au nom des soi-disant «données immédiates» de la conscience.

III

L'UNION DE L'ÂME ET DU CORPS

La nouvelle notion du Temps n'a pas seulement la prétention de nous donner la clé du problème de la Liberté, mais encore celle de l'union de l'âme et du corps. C'est l'objet du second volume de M. Bergson. Son titre: *Matière et Mémoire* est l'équivalent de *Matière et Esprit*, puisque, dans le nouveau système — comme nous le verrons, — la mémoire, c'est l'esprit ou la manifestation la plus indiscutable de l'esprit. Du reste, le sous-titre: *Essai sur la relation du Corps et de l'Esprit* nous en avertit déjà, et nous n'en saurions douter: il s'agit bien de l'union de l'âme et du corps.

Ce problème «crucial» de la philosophie, dont on ne s'occupait plus dans les chaires universitaires de France, depuis l'invasion du kantisme où il était traité de pseudo-problème, M. Bergson a le courage, non sans mérite, de le reprendre des mains de Descartes, en passant irrespectueusement par-dessus le veto de Kant. Il a le courage, malgré les clameurs universelles des positivistes, kantistes et néo-kantistes, de soutenir que la nature de l'âme et du corps n'est plus inconnaissable et de se proclamer spiritualiste.

«Nous avons répudié le *matérialisme*, écrit-il, qui prétend faire dériver le premier terme du second (l'esprit de la matière); et nous n'acceptons pas davantage l'*idéalisme* qui veut que le second soit une simple construction du premier. Nous soutenons contre le matérialisme que la perception dépasse infiniment l'état cérébral; et nous avons essayé d'établir contre l'idéalisme que la matière déborde de tous côtés la représentation que nous avons d'elle, représentation que l'esprit y a pour ainsi dire cueillie par un choix intelligent. De ces deux doctrines opposées, l'une attribue au corps et l'autre à l'esprit un don de création véritable, la première voulant que notre cerveau engendre la représentation, et la seconde que notre entendement dessine le plan de la nature.»

A la page précédente, l'auteur avait déjà précisé la question à résoudre: «Ce problème n'est rien moins que celui de l'union de l'âme et du corps. Il se pose à nous sous une forme aiguë, parce que nous distinguons profondément la matière et l'esprit. Et nous ne pouvons

74

le tenir pour insoluble, parce que nous définissons esprit et matière par des caractères positifs, non par des négations.»

Cette profession de foi spiritualiste, chez M. Bergson, n'est pas accidentelle ni intermittente. Il ne laisse guère échapper une occasion de combattre le matérialisme sous toutes ses formes, et, au besoin, de le cribler de ses traits acérés, par exemple, lorsqu'il réfute la célèbre théorie de la conscience-épiphénomène qu'il qualifie «d'inintelligible épiphénomène», de vrai «miracle» ou de *Deus ex machina.*

Quant à son spiritualisme, il aime à le «pousser à l'extrême»; et, de fait, nous y trouverons des exagérations inutiles où il nous sera impossible de le suivre. «Le corps, dit-il, ne saurait engendrer ni *occasionner* (?) un état intellectuel.... Les états cérébraux qui accompagnent la perception n'en sont ni la cause ni le duplicat....» Il aime ainsi à se jouer en «paraissant creuser entre le corps et l'âme un abîme infranchissable», pour se donner ensuite la joie et la surprise de les avoir encore mieux unis.

Cette aversion intransigeante pour le matérialisme et cette foi robuste, excessive même, en la puissance du spiritualisme, ont contribué beaucoup — comme on le devine — à la réputation et au succès de M. Bergson dans certains milieux religieux et même parmi des catholiques, dont on ne peut s'expliquer autrement l'étrange engouement. Avant de prendre feu si vite, ces admirateurs eussent été bien plus sages de se dire: attendons la fin!...

Avec M. Bergson, en effet, on n'est jamais parfaitement sûr de l'exacte signification des mots ni du sens de ses professions de foi les plus sincères. Corps et âme, qu'est-ce que cela peut bien vouloir dire pour un coryphée du phénoménisme et du monisme universel? Question anticipée. Ici, je n'en sais rien ou n'en veux rien savoir, et prie le lecteur de vouloir bien, lui aussi, attendre la fin.

Pour le moment, la position du bergsonisme, dédaigneuse de Kant et de ses vétos périmés, agressive contre le matérialisme et l'idéalisme, vengeresse du spiritualisme, n'est que digne de nos éloges les plus sincères.

L'union de l'âme et du corps est donc bien le sujet principal de ce second volume. Il est bon de le souligner et d'en avertir le lecteur, qui ne s'en douterait guère après l'avoir lu en entier, tellement est exiguë la place qui lui est consacrée. La thèse principale y est tellement noyée dans les thèses accessoires qui la précèdent ou l'accompagnent qu'elle risque de devenir à peu près insaisissable à l'observateur qui ne serait point averti.

Mais passons l'éponge sur ce reproche – pourtant si grave du manque presque absolu de composition, – et voyons le fond de la doctrine nouvelle sur cet unique sujet de l'union de l'âme et du corps, nous réservant de reprendre en temps et lieu la critique des autres sujets accessoires.

D'abord, la méthode positive qu'on nous annonce et qui doit faire reposer la solution métaphysique sur des bases expérimentales et psychologiques n'a rien pour nous déplaire. Au contraire, l'avons-nous nous-mêmes prônée depuis longtemps comme excellente et comme la seule vraiment sérieuse. Le seul point difficile est de bien interpréter les faits observés à la lumière des données intellectuelles sans jamais les fausser ni les outrepasser. Si les faits observés n'étaient que l'occasion ou le prétexte de rêveries philosophiques, il est clair que nous retomberions dans tous les inconvénients des constructions systématiques *a priori*.

Sur le principe de la méthode, nous voilà d'accord avec M. Bergson: «La même observation psychologique, dit-il, qui nous à révélé la distinction de la matière et de l'esprit, nous fait assister à leur union.»

Ce point de départ étant reconnu vrai, examinons la marche des idées et leur déroulement vers le but annoncé.

Avant d'expliquer l'union des deux termes: *corps et âme*, il est indispensable de nous en donner quelque notion, au moins très sommaire, et nous comprenons la réserve de M. Bergson qui se refuse à approfondir ici toute la métaphysique de la matière et de l'esprit.

«Il ne peut être question ici de construire une théorie de la matière ... ni de l'esprit. Nous n'avons pas à explorer ce domaine.»

Il nous faut donc tenir compte à l'auteur de cette réserve expresse et lui faire crédit, jusqu'au jour où il voudra bien nous révéler ou nous laisser entrevoir, sur ce sujet capital, le fond de sa pensée.

Qu'est-ce que le corps? — Dès la première page de son ouvrage, il se hâte de répondre à cette question, et sa réponse métaphorique est tellement déconcertante, au premier abord, qu'elle a besoin d'être expliquée pour ne pas scandaliser le lecteur: *Les corps sont des images*. Et cette métaphore paradoxale, il la répète, il la reprend sans cesse, nous en sature, sans prendre la peine de nous l'expliquer clairement. Ce n'est qu'à la cinquantième page qu'on finit par en deviner le sens. On découvre alors que cette «image» est vraiment du «réel», et que si l'expression est idéaliste en plein, la pensée n'en est pas moins absolument réaliste.

On saisit ici sur le vif la manière de M. Bergson. Non seulement il veut piquer la curiosité, mais il cherche comme à plaisir à jouer au paradoxe et à éblouir les esprits par les clairs-obscurs de ses feux d'artifice. Les amis passionnés de la vérité, de Platon ou d'Aristote jusqu'à Descartes et Leibnitz, n'ont jamais procédé ainsi. Nous osons dire qu'ils n'ont même pas soupçonné qu'une telle manière de philosopher fût la vraie. En voici quelques échantillons.

«Nous allons feindre pour un instant que nous ne connaissons rien des théories de la matière et des théories de l'esprit, rien des discussions sur la réalité ou l'idéalité du monde extérieur. Me voici donc en présence d'images, au sens le plus vague où l'on puisse prendre ce mot, images perçues quand j'ouvre mes sens, inaperçus quand je les ferme. Toutes ces images agissent et réagissent les unes sur les autres dans toutes leurs parties élémentaires, selon les lois constantes que j'appelle les lois de la nature.... Il en est une (image) qui tranche sur toutes les autres en ce que je ne la connais pas seulement du dehors par des perceptions, mais aussi du dedans par des affections: c'est mon corps....» — «Les nerfs afférents sont des images, le cerveau est une image, les ébranlements transmis par les nerfs sensitifs et propagés dans le cerveau sont des images encore....»

«Tout se passe comme si, dans cet, ensemble d'images que j'appelle l'univers, rien ne se pouvait produire de réellement nouveau que par l'intermédiaire de certaines images particulières, dont le type m'est fourni par mon corps.» — «J'appelle matière l'ensemble des images, et perception de la matière ces mêmes images rapportées à l'action possible d'une certaine image déterminée, mon corps.»

De temps en temps, cependant, mais rarement, l'auteur consent à appeler ces «images» d'un autre nom. Il permet qu'on les appelle des «objets matériels», des «centres de rayonnement», indiquant par là qu'elles ont une réalité indépendante de notre représentation. Il l'affirmera même expressément: «Il est vrai, dira-t-il, qu'une image peut *être* sans être *perçue.*» — «Quand nous disons que l'image existe en dehors de nous, nous entendons par là qu'elle est extérieure à notre corps.... Et c'est pourquoi nous affirmons que la totalité des images perçues subsiste, même si notre corps s'évanouit, tandis que nous ne pouvons supprimer notre corps sans faire évanouir nos sensations. »

Nous voilà donc enfin rassurés sur la réalité objective des images bergsoniennes; elles sont indépendantes de nos images mentales et n'ont rien de commun avec ces fantômes de l'idéalisme dont toute la réalité consiste à être perçue: *esse est percipi.*

Mais pourquoi ne pas nous avoir rassurés plus tôt? Pourquoi ne pas nous avoir montré, dès le début, dans ce mot d'image, le synonyme de «phénomène», pris dans son sens étymologique et rigoureux? Le phénomène, en effet, c'est l'être lui-même en tant qu'il apparaît au dehors et se manifeste; c'est l'être en tant qu'il agit et rayonne autour de lui. Or, l'action, c'est l'expression même de l'agent, et partant son image; car on agit comme on est, *agere sequitur esse.* Voilà pourquoi cette action, lorsqu'elle est reçue passivement ou imprimée dans un organe sentant, prend le nom de *species impressa*, selon le vocabulaire si clair et si rigoureusement précis de la philosophie scolastique. Avant d'être reçue dans l'organe, elle était déjà *species*, image physique; elle devient alors physico-psychique, c'est-à-dire sentie ou consciente.

Le mot d'images matérielles appliqué aux corps peut donc revêtir un sens très exact et aussi très profond, celui que lui a donné la philosophie traditionnelle. En l'employant, malgré tous les usages reçus, M. Bergson ne soupçonnait probablement pas qu'il parlait la vieille langue des scolastiques et qu'il se rapprochait de leur doctrine.

Après avoir défini le premier terme du problème, le corps, il faudrait essayer de définir le second, l'âme, et répondre à cette nouvelle question: *qu'est-ce que l'âme?* Malheureusement, nous n'avons pu découvrir aucune réponse claire ni même aucun essai de réponse. On comprend, d'ailleurs, qu'après avoir défini le corps en termes psychiques, on soit embarrassé, car la définition de l'âme en termes psychiques serait une tautologie.

Aussi bien l'auteur, au lieu de définir l'âme, va s'en remettre à l'observation psychologique pour nous faire expérimenter l'esprit dans son opposition irréductible à la matière, en même temps que dans son union avec elle.

Et où nous propose-t-il de saisir l'esprit? Serait-ce dans la perception des sens, dans la mémoire ou bien dans les opérations intellectuelles? Ces dernières sont écartées par un silence qui, loin d'être «respectueux», paraît plutôt dédaigneux. Il fallait s'y attendre de la part d'un antiintellectualiste intransigeant comme M. Bergson. L'intelligence, qui distingue l'homme de l'animal, qui est la source du jugement, du raisonnement, du choix et de la liberté humaine, et partant la grande et féconde preuve, d'une inépuisable richesse, de la spiritualité de l'âme, est laissée dans l'oubli. Et l'on croira plus solide et plus fort de prouver cette spiritualité de l'âme par la spiritualité de la mémoire!

Voici donc la thèse de la philosophie nouvelle: *La perception pure annonce déjà et prépare l'esprit, mais c'est la mémoire qui manifeste l'esprit*. Donnons quelques développements à chacune de ces deux propositions.

D'abord, nous dit M. Bergson, «tant que nous en restons à la sensation et à la perception pure, on peut à peine dire que nous ayons affaire à l'esprit. Sans doute nous établissons, contre la théorie de la conscience-épiphénomène, qu'aucun état cérébral n'est l'équivalent d'une perception. Sans doute, la sélection des perceptions parmi les images en général est l'effet d'un discernement qui annonce déjà l'esprit.... » Mais ce n'est pas encore l'esprit.

Quelle en est la raison? C'est que la perception pure noms place d'emblée dans la matière. Assurément, dit-il, «nous soutenons contre le matérialisme que la perception dépasse infiniment l'état cérébral », mais il n'en est pas moins vrai que dans la perception des sens l'esprit «coïncide» avec son objet matériel et ne s'en dégage pas encore. «Dans la perception visuelle d'un objet, le cerveau, les nerfs, la rétine et *l'objet lui-même* forment un tout solidaire, un processus continu»; si bien que la perception de l'objet extérieur semble plutôt hors de moi qu'en moi, plutôt extensive et matérielle que simple et spirituelle.

En effet, «sa tâche est de se mouler sur l'objet extérieur....», bien loin de n'être qu'une «espèce de vision intérieure et subjective, qui ne différerait du souvenir que par sa plus grande intensité»; «nos perceptions se disposent en continuité rigoureuse dans l'espace». C'est donc une grave erreur de les prendre pour des états de conscience inextensifs. La perception objective, comme les sensations subjectives qui l'accompagnent, sont des états psychiques également extensifs, par essence et non par accident, dès le début de leur formation et non pas seulement à la fin. Vérité capitale, fondée sur l'observation la plus élémentaire de notre conscience, et sur laquelle M. Bergson ne cesse de revenir pour la faire bien pénétrer dans les esprits, malgré les préjugés contraires de nos contemporains. En cela, M. Bergson rejoint la Scolastique.

Ecoutons avec quelle vigueur il défend sa cause: «Profitant de ce que la sensation—à cause de l'effort confus qu'elle enveloppe—n'est (parfois) que vaguement localisée, le psychologue la déclare tout de suite inextensive, et il fait dès lors de la sensation en général l'élément simple avec lequel nous obtenons par voie de composition les images extérieures. La vérité est que l'affection n'est pas la matière première dont la perception est faite; elle est bien plutôt l'impureté qui s'y mêle.... L'affection elle-même possède, dès le début, une certaine détermination extensive....»—«De là l'illusion qui consiste à voir dans la sensation un état flottant et inextensif, lequel n'acquerrait l'extension et ne se consoliderait dans le corps que par accident: illusion qui vicie profondément, comme nous l'avons vu, la théorie de la perception extérieure et soulève bon nombre de questions pendantes entre les diverses métaphysiques de la matière. Il faut en prendre son parti: la sensation est, par essence, extensive et localisée.»

Sur ce terrain solide, il y aurait plaisir à suivre M. Bergson dans sa campagne vigoureuse contre l'idéalisme anglais qui s'épuise en vains efforts pour construire la matière extensive avec des états intérieurs inextensifs, et pour expliquer la perception des sens par une «hallucination vraie», suivant la fameuse formule de Taine, dont le paradoxe seul a pu faire l'étonnant succès.

Mais cela nous éloignerait beaucoup trop de notre sujet présent, et nous aimons mieux ajourner ces développements au chapitre que nous consacrerons à la théorie bergsonienne de la connaissance sensible.

Pour le moment, il nous suffit de conclure que perceptions et sensations se déroulant dans l'espace, ce sont là des facultés organiques, et qu'il nous faut chercher ailleurs l'esprit pur ou sans mélange avec le corps.

Or, M. Bergson, avons-nous dit, prétend l'avoir trouvé dans la mémoire, et comme cette assertion a de quoi surprendre à la fois physiologistes et psychologues, il se hâte de distinguer deux espèces de mémoires: la *mémoire motrice* et la *mémoire proprement dite*.

«Il y a deux mémoires profondément distinctes: l'une, fixée dans l'organisme, n'est point autre chose que l'ensemble des mécanismes intelligemment montés (dans le cerveau et la moelle) qui assurent une réplique convenable aux diverses interpellations possibles. Elle fait que nous nous adaptons à la situation présente, et que les actions subies par nous se prolongent d'elles-mêmes en réactions tantôt accomplies, tantôt simplement naissantes, mais toujours plus ou moins appropriées. Habitude plutôt que mémoire, elle joue notre expérience passée, mais n'en évoque pas l'image. L'autre est la mémoire vraie. Coextensive à la conscience, elle retient et aligne à la suite les uns des autres tous nos états au fur et à mesure qu'ils se produisent, laissant à chaque fait sa place et par conséquent lui marquant sa date, se mouvant bien réellement dans le passé définitif et non pas, comme la première, dans un présent qui recommence sans cesse.»

Cependant, ces deux mémoires, loin d'être séparées, se prêtent un mutuel appui. La mémoire du passé présente aux mécanismes sensori-moteurs tous les souvenirs-images capables de les guider dans leur tâche et de diriger utilement leurs réactions motrices. De là naissent les associations d'images et de mouvements, soit par contiguïté, soit par similitude. D'autre part, les appareils sensori-moteurs, grâce à leurs habitudes, peuvent réveiller les souvenirs-images endormis ou inconscients, leur donnant ainsi le moyen de prendre corps, de se matérialiser en redevenant présents et actifs. C'est à la solidité plus ou moins bien établie de cet accord entre les images et les mouvements et à sa précision plus ou moins parfaite que nous reconnaissons les esprits équilibrés ou déséquilibrés et impulsifs.

A son tour, la mémoire proprement dite se subdivise en *souvenir-image* et en *souvenir pur*. Le souvenir-image, comme son nom l'indique, emmagasine et reproduit les images; le souvenir pur les reconnaît.

En effet, M. Bergson l'a fort bien dit: «*Imaginer* n'est pas se *souvenir*. Sans doute, un souvenir, à mesure qu'il s'actualise, tend à vivre en image; mais la réciproque n'est pas vraie, et l'image pure et simple ne me reportera au passé que si c'est en effet dans le passé que je suis allé la chercher.»

Or, pour M. Bergson, ces deux espèces de souvenir sont également inorganiques et constituent l'esprit pur. La seule différence qui existerait entre eux, c'est que le souvenir-image «tend à se matérialiser» en actions motrices dont nous avons indiqué le mécanisme, tandis que le souvenir pur ne le peut par lui-même et sans s'être exprimé dans une image. De là découle une gradation insensible entre trois termes: 1° Le souvenir pur qui tend à s'exprimer en image; 2° le souvenir-image qui tend à s'associer à une perception présente pour la compléter; 3° la perception elle-même qui tend a se matérialiser en mouvements.

Nous n'hésiterons pas à accorder à l'auteur la distinction qu'il demande entre le souvenir pur et le souvenir-image. C'est une de nos thèses fondamentales en philosophie scolastique qu'au-dessus de la mémoire des images il y a une mémoire pure et inorganique, celle des idées, jugements, raisonnements et des sentiments purement spirituels. Mais nous croyons que la mémoire des images, loin d'être inorganique et purement spirituelle, comme il le soutient, est vraiment organique et localisée dans des organes. Ici, M. Bergson va contre l'opinion universellement admise par tous les physiologistes et psychologues contemporains, et nous n'avons aucune raison de le suivre dans un des excès les plus reprochés au spiritualisme cartésien.

Je sais bien qu'il s'en défend et qu'il a construit tout un long plaidoyer pour montrer que sa thèse ultra-spiritualiste n'était point entamée par les plus récentes expériences sur les localisations cérébrales, notamment par les recherches si curieuses sur les cas pathologiques de l'aphasie.

Mais sa défense, si ingénieuse qu'elle soit, ne nous a point convaincu, et nous persistons à penser que la vieille thèse sur le caractère organique de toutes nos sensations, et partant des images sensibles du souvenir, est bien plus conforme et même la seule conforme aux faits observés.

Comment explique-t-il, en effet, les cas pathologiques où nous constatons qu'à certaines lésions localisées de l'écorce cérébrale correspondent toujours des troubles de la mémoire imaginative et de la reconnaissance, soit de la reconnaissance visuelle ou auditive (cécité ou surdité psychique), soit de la reconnaissance des mots (cécité verbale, surdité verbale), etc.?

Il répond que ces troubles des images et du souvenir pourraient bien provenir indirectement de ce que les mécanismes moteurs du cerveau seraient lésés sans que les images elles-mêmes soient atteintes. Ces images ne seraient donc pas localisées dans le cerveau.

Ces lésions des images, dit-il, ne viennent pas du tout de ce qu'elles occupaient la région lésée. Elles tiennent à deux autres causes: «Tantôt à ce que notre corps ne peut plus prendre automatiquement l'attitude précise par l'intermédiaire de laquelle s'opérait une sélection entre nos souvenirs, tantôt à ce que les souvenirs ne trouvent plus dans le corps un point d'application, un moyen de se prolonger en action.» Dans le premier cas, la lésion portera sur les mécanismes qui fixent l'attention et préparent les souvenirs; dans le second, sur les *centres qu'on appelle, à tort ou à raison, des centres imaginatifs*, et qui préparent les mouvements. «Dans un cas comme dans l'autre, ce sont des mouvements actuels qui seront lésés ou des *mouvements à venir qui cesseront d'être préparés*: il n'y aura pas eu destruction de souvenirs.»

Admettons, pour un instant, cette explication. Elle n'évitera qu'en partie la localisation des images. Pourquoi, dans le second cas, «les mouvements à venir cessent-ils d'être préparés»? sinon parce que «les centres qu'on appelle, à tort ou à raison, des centres imaginatifs» sont lésés et que les images lésées ou détruites ne peuvent plus faire leur fonction habituelle d'éclairer et de coordonner les mouvements. Donc, les images sont bien lésées, et ce n'est pas à tort, mais à raison, qu'on parle de «centres imaginatifs».

Ce qui achève de rendre plus vraisemblable cette explication, c'est le cas très fréquent où, par suite de lésions cérébrales, les mécanismes moteurs paraissent intacts, alors que les images seules font défaut. Tels sont les cas de cécité ou de surdité verbale, où le malade n'est ni aveugle ni sourd, car il voit et il entend fort bien, mais il ne peut plus comprendre les mots qu'il entend ou qu'il lit, parce qu'il ne sait plus traduire ces signes matériels en images intelligibles. Et cependant, il n'est nullement idiot, car il reconnaît son infirmité et en gémit. Bien plus, si le dialogue le déroute, le monologue peut lui être encore permis. Parfois même, il pourra dialoguer encore, mais seulement par écrit. Que lui manque-t-il donc? Ce n'est pas le mécanisme moteur, mais seulement les images par lesquelles il avait coutume de traduire les sons articulés perçus par son oreille ou les signes graphiques que ses yeux perçoivent encore. Or, les sièges de ces images ou centres imaginatifs paraissent aujourd'hui très nettement déterminés.

Ce ne sont donc pas les faits de psycho-physiologie nettement observés qui ont conduit M. Bergson à son interprétation systématique, mais l'idée préconçue que le cerveau ne pouvait être un magasin d'images. «Nous ne voyons pas, dit-il, comment la mémoire se logerait dans la matière.» En sorte que s'il nie les faits observés, c'est sous le prétexte qu'ils sont impossibles à comprendre. Toujours la méthode *a priori*!

Pour nous, si nous accordons qu'il peut y avoir des conceptions grossières de la localisation des images, par exemple celle qui voudrait assimiler le cerveau à «un grenier de théâtre ou à un entrepôt de tableaux», nous soutenons qu'il doit y avoir des conceptions moins grossières et plus intelligentes. Et les exemples si curieux de l'enregistrement d'un discours ou d'un concert de musique dans la cire molle d'un phonographe nous engagent à espérer que le mode de leur enregistrement, dans le cerveau se découvrira tôt ou tard et nous révélera une nouvelle merveille de l'Intelligence créatrice, insoupçonnée du génie humain.

En attendant le jour, plus ou moins éloigné, d'une révélation si instructive, nous inclinons à croire que ces images, vestiges microscopiques de la perception des sens, sont conservées, non pas en acte, mais en puissance virtuelle dans les cellules cérébrales où elles sommeillent. C'est la conscience qui les réveille et qui, en elles et par elles, déroule sa puissance d'imagination et de ressouvenir.

Nous reconnaissons donc là des opérations organiques de l'âme qu'elle exerce dans le corps et par le corps et qui participent à la nature de ces deux coprincipes, matière et esprit.

Quoi qu'il en soit, accordons à M. Bergson que la nature du *souvenir-image* peut encore prêter à controverses; accordons-lui même qu'il soit inorganique et spirituel, à l'égal du *souvenir pur*, et examinons comment il va nous expliquer l'union de l'esprit et de la matière, de l'âme et du corps.

C'est, en effet, le grand problème dont la solution, avons-nous dit, est l'objet de ce volume, et qui nous tient en éveil à travers tous ces longs préliminaires sur la nature de la matière et de l'esprit. Nous entrons ici au cœur même du sujet, au point le plus subtil qui réclamera tout notre effort d'application.

Le problème de l'union de l'âme et du corps a été mal posé jusqu'à ce jour, d'après M. Bergson. Il a été posé *en fonction de l'espace,* alors qu'il doit se poser désormais en *fonction du temps.*

Descartes, en effet, ayant défini le corps par l'étendue et l'âme par la pensée inétendue, avait rendu impossible toute union et même tout rapprochement entre eux. La distinction de l'étendu et de l'inétendu étant radicale, ne comporte pas de degré, pas d'intermédiaire qui puisse les réunir. Si la matière est dans l'espace et l'esprit hors de l'espace, il n'y a pas de transition possible entre eux et tout rapprochement devient contradictoire et chimérique.

Ne pouvant plus unir les deux termes, il ne reste plus qu'à les supposer parallèles, comme deux horloges parfaitement réglées qui marchent d'accord sans s'influencer mutuellement, et à verser avec les cartésiens dans les systèmes si artificiels de l'harmonie préétablie ou de l'occasionnalisme.

Or, M. Bergson rejette avec raison tous ces systèmes qui esquivent la difficulté au lieu de la résoudre; il démontre que l'hypothèse du parallélisme repose sur un «paralogisme» et même sur un véritable «enchevêtrement de paralogismes». Non seulement l'hypothèse est «arbitraire», dit-il, mais elle n'explique pas la réussite de la science qui demeure «un mystère».

D'autre part, il accorde à Descartes que l'opposition entre le corps et l'esprit est bien celle de l'*étendu* et de l'*inétendu.* Bien plus, il la renforce et la complique de deux nouvelles antithèses: 1° opposition de la *quantité homogène* qui caractérise les corps et des *qualités hétérogènes* qui distinguent les phénomènes psychiques; 2° opposition de la *nécessité* qui détermine la matière et de la *liberté* qui distingue l'esprit. Triple antithèse au lieu d'une seule!

Ayant ainsi creusé plus à fond que jamais le fossé infranchissable entre la matière et l'esprit, et pour ainsi dire exaspéré comme à plaisir la difficulté du problème, M. Bergson va faire jaillir la solution d'une innovation due à son génie. Il suffira, nous l'avons dit, de poser autrement le problème: *en fonction du temps,* et non plus *en fonction de l'espace!*

Solution vraiment originale mais si étonnante qu'elle ne peut manquer de laisser quelque peu sceptique et rêveur un vieux professeur de métaphysique!... Consentons toutefois de bonne grâce à écouter l'explication du secret magique, et ne le jugeons qu'après l'avoir entendu. La voici fidèlement reproduite:

«Nous avions raison de dire, au début de ce livre, que la distinction du corps et de l'esprit ne doit pas s'établir en fonction de l'espace, mais du temps. Le tort du dualisme vulgaire est de se placer au point de vue de l'espace, de mettre d'un côté la matière avec ses modifications dans l'espace, de l'autre des sensations inextensives dans la conscience. De là l'impossibilité de comprendre comment l'esprit agit sur le corps et le corps sur l'esprit. De là les hypothèses qui ne sont et ne peuvent être que des constatations déguisées du fait, l'idée d'un parallélisme ou celle d'une harmonie préétablie. Mais de là aussi l'impossibilité d'établir, soit une psychologie de la mémoire, soit une métaphysique de la matière....»

Or, nous avons réussi à constituer l'une et l'autre. «La matière, à mesure qu'on en continue plus loin l'analyse, tend de plus en plus à n'être qu'une succession de moments (?) infiniment rapides qui se déduisent les uns des autres et par là s'équivalent. L'esprit, étant déjà mémoire dans la perception, s'affirme de plus en plus comme un prolongement du passé dans le présent, un *progrès*, une évolution véritable.»

C'est donc l'esprit qui, par la mémoire, relie entre eux et pour ainsi dire «solidifie» l'écoulement continu des choses; c'est par là qu'il a prise sur le corps, en liant les moments successifs de sa durée.

«Mais la relation du corps à l'esprit en devient-elle plus claire? A une distinction spatiale nous substituons une distinction temporelle: les deux termes en sont-ils plus capables de s'unir?» — A cette objection facile à prévoir, M. Bergson répond aussitôt: «Il faut remarquer que la première distinction (celle de l'étendu et de l'inétendu) ne comporte pas de degrés: la matière est dans l'espace, l'esprit est hors de l'espace; il n'y a pas de transition possible entre eux. Au contraire, si le rôle le plus humble de l'esprit (mémoire) est de lier les moments successifs de la durée des choses, si c'est dans cette opération qu'il prend contact (?) avec la matière, et par elle aussi qu'il s'en distingue d'abord, on conçoit une infinité de degrés entre la matière et l'esprit (la mémoire) pleinement développé.»

«...Ainsi, entre la matière brute et l'esprit le plus capable de réflexion, il y a toutes les intensités possibles de la mémoire, ou, ce qui revient au même, tous les degrés de la liberté (?). Dans la première hypothèse, celle qui exprime la distinction de l'esprit et du corps en termes d'espace, corps et esprit sont comme deux voies ferrées qui se couperaient à angle droit; dans la seconde, les rails se raccordent selon une courbe, de sorte que l'on passe insensiblement d'une voie sur l'autre.»

Telle est la réponse de M. Bergson à l'objection ci-dessus. Avouons qu'elle est vraiment bien faible, pour ne pas dire nulle. C'est une affirmation sans preuve, se déguisant mal sous une image étrangère à la question. Si le corps et l'âme, l'étendu et l'inétendu, ne peuvent s'unir dans l'espace, comment s'uniront-ils mieux dans le temps? — On nous répond que *le rôle le plus humble de l'esprit est de lier les moments successifs de la durée des choses, que c'est dans cette opération qu'il prend contact avec la matière*. Mais n'est-ce pas précisément ce qu'il faut expliquer? Comment l'esprit peut-il prendre contact avec la matière dans le temps, sans prendre contact aussi dans l'espace? Comment le contact dans le temps pourrait-il servir de préparation ou d'intermédiaire au même contact dans l'espace? Le premier serait-il donc antérieur au second? Et qui pourra jamais comprendre des subtilités si nuageuses qui laissent loin derrière elles toutes les chimères des entités scolastiques!

Ajouter à cette mauvaise réponse qu'on peut admettre «toutes les intensités possibles de la mémoire» et en imaginer une d'un degré infiniment petit n'atténue en rien la difficulté de «greffer l'un sur l'autre» les deux termes du problème, l'étendu et l'inétendu. L'esprit le plus inférieur demeurera toujours esprit inétendu, en présence du corps étendu — malgré le prétendu intermédiaire du temps, — et le problème en restera toujours au même point. Les deux voies ferrées seront toujours coupées à angle droit, et l'élégante courbe qui devait les relier restera dans le pays des rêves.

La solution «géniale» qu'on nous annonçait n'est donc, à l'examiner de près, qu'une solution purement verbale: *voces et verba, prætereaque nihil!*

Il faut bien que M. Bergson ait eu quelque intuition de sa faiblesse pour avoir cherché une autre solution au redoutable problème, car il va nous en proposer une autre, et même deux.

D'abord, rappelons-nous la triple antithèse qu'il a admise entre le corps et l'esprit. «L'opposition des deux principes, a-t-il écrit, dans le dualisme en général, se résout en la triple opposition de l'*inétendu* à l'*étendu*, de la *qualité* à la *quantité* et de la *liberté* à la *nécessité*.»

Or, il a l'intention «de lever ou d'atténuer ces trois oppositions» et de nous donner ainsi une solution que j'appellerai par l'*identité des contraires*. Au lieu de chercher à *unir* les termes opposés mais complémentaires dans un même sujet, comme l'a essayé la philosophie traditionelle, il va s'escrimer à les *identifier* en trouvant des termes moyens entre les deux extrêmes, qui réduiront ou sembleront réduire les oppositions de nature à de simples différences de degrés. Et c'est alors que les deux voies qui se coupaient à angle droit se trouveront reliées par d'élégantes courbes se fondant l'une dans l'autre. Nous jugerons bientôt de la valeur d'une telle méthode. Voyons-en d'abord les résultats.

La *première antithèse*, avons-nous dit, est celle qui oppose l'étendu à l'inétendu. M. Bergson, qui avait, un peu plus haut, jugé cette opposition absolument irréductible, va se raviser et finir, grâce à la souplesse de sa dialectique, par leur imaginer un moyen terme. Laissons-lui la parole. D'abord, il nous prévient contre une «illusion»: «Notre entendement, cédant à son illusion habituelle (?), pose ce dilemme qu'une chose est étendue ou ne l'est pas....» Puis il nous indique comment il a échappé à cette «illusion».

«Si l'on imagine, d'un côté, une étendue réellement divisée en corpuscules, par exemple, de l'autre, une conscience avec des sensations par elles-mêmes inextensives qui viendraient se projeter dans l'espace, on ne trouvera évidemment rien de commun entre cette matière et cette conscience, entre le corps et l'esprit. Mais cette opposition de la perception et de la matière est l'œuvre artificielle d'un entendement qui décompose et recompose selon ses habitudes et ses lois: elle n'est pas donnée à l'intuition immédiate. Ce qui est donné, ce ne sont pas des sensations inextensives: comment iraient-elles rejoindre l'espace, y choisir un lieu, s'y coordonner enfin pour construire une expérience universelle? Ce qui est réel, ce n'est pas davantage une étendue divisée en parties indépendantes.... Ce qui est donné, ce qui est réel, c'est quelque chose d'intermédiaire entre l'étendue divisée et l'inétendu pur; c'est ce que nous avons appelé l'*extensif*.»

Ainsi M. Bergson distingue l'étendue déjà *divisée* de l'étendue *indivise*, mais pourtant divisible, qu'il appelle l'*extensif*. Accordons-lui cette terminologie, quoiqu'elle ne soit pas exacte, car l'étendue déjà divisée forme *plusieurs* étendues, tandis que l'indivise est seule *une* étendue. Qu'en conclure? Le corps humain—comme tous les organismes vraiment doués d'unité—étant précisément une étendue indivise ou extensive, on n'a pas encore trouvé de moyen terme entre le corps et l'âme ni diminué le fossé qui les sépare. La distinction de M. Bergson reste à côté de la question et ne porte pas le coup qu'il en espérait.

Deuxième antinomie. L'obscurité du problème de l'union tiendrait, en second lieu, à l'antithèse que l'entendement établit entre la *quantité* et la *qualité*. La science, en effet, tend de plus en plus à assimiler les corps à des quantités et des mouvements homogènes, tandis que la conscience paraît essentiellement constituée d'états qualitatifs et hétérogènes. Mais tout rapprochement entre ces deux conceptions contraires ne paraît plus impossible dans la théorie bergsonienne, et le fossé serait de nouveau comblé si l'on pouvait les considérer comme les deux extrêmes d'un état moyen. Or, il en serait bien ainsi: la qualité hétérogène ne serait qu'un groupement et une condensation par la mémoire d'une multitude d'états homogènes. Ainsi, par exemple, la qualité *rouge* ne serait que la contraction par la conscience de plusieurs trillions de vibrations homogènes. Cet état moyen entre la quantité homogène et les qualités hétérogènes a pris le nom de *tension* dans la nouvelle école.

«L'analyse de la perception pure nous a laissé entrevoir dans l'idée; *d'extension* un rapprochement possible entre l'étendu et l'inétendu. Mais noire conception de la mémoire pure devrait nous conduire, par une voie parallèle, à atténuer la seconde opposition, celle de la *qualité* et de la *quantité*.... Où est au juste la différence entre les qualités hétérogènes qui se succèdent dans notre perception concrète et les changements homogènes que la science met derrière ces perceptions dans l'espace? Les premières sont discontinues et ne peuvent se déduire les unes des autres; les seconds, au contraire, se prêtent au calcul. Mais pour qu'ils s'y prêtent, point n'est besoin d'en faire des quantités pures: autant vaudrait les réduire au néant. Il suffit que leur hétérogénéité soit assez *diluée*, en quelque sorte, pour devenir, à notre point de vue, pratiquement négligeable. Or, si toute perception concrète, si courte qu'on la suppose, est déjà la synthèse, par la mémoire, d'une infinité de «perceptions pures» qui se succèdent, ne doit-on pas penser que l'hétérogénéité des qualités sensibles tient à leur contraction dans la mémoire, et l'homogénéité relative des changements objectifs à leur relâchement naturel? Et l'intervalle de la quantité à la qualité ne pourrait-il pas alors être diminué par des considérations de *tension*, comme par celles *d'extension,* la distance de l'étendu à l'inétendu?»

Ainsi — nous n'avions pas mal compris ces distinctions subtiles, — la quantité et la qualité, l'homogène et l'hétérogène ne sont que des degrés dans la contraction ou le relâchement d'une même chose, la *tension*, de même que l'étendu et l'inétendu sont des degrés et comme les limites extrêmes d'un même état, l'*extension.*

En sera-t-il de même pour le nécessaire et le libre? Seront-ils une même et unique chose, plus ou moins «diluée»? C'est ce qu'on va nous dire.

Troisième antinomie. Désormais, «on aura moins de peine, ajoute M. Bergson, à comprendre la troisième et dernière opposition, celle de la *liberté* et de la *nécessité.* La nécessité absolue serait représentée par une équivalence parfaite des moments successifs de la durée les uns dans les autres. En est-il ainsi de la durée de l'univers matériel? Chacun de ses moments pourrait-il se déduire mathématiquement du précédent? Nous avons supposé dans tout ce travail, pour la commodité de l'étude, qu'il en était bien ainsi.... que la contingence du cours de la nature, si profondément étudiée dans une philosophie récente, doit équivaloir pratiquement pour nous à la nécessité.... La liberté n'est pas dans la nature un empire dans un empire.... Le progrès de la matière vivante consiste dans une différenciation des fonctions qui amène la formation d'abord, puis la complication graduelle d'un système nerveux capable de canaliser des excitations et d'organiser des actions: plus les centres supérieurs se développent, plus nombreuses deviendront les voies motrices entre lesquelles une même excitation proposera à l'action un choix. Une latitude de plus en plus grande est laissée au mouvement dans l'espace.... Elle devient de plus en plus capable de créer des actes dont l'indétermination interne, devant se répartir sur une multiplicité aussi grande qu'on voudra des moments de la matière, passera d'autant plus facilement à travers les mailles de la nécessité. Ainsi, qu'on l'envisage dans le temps ou dans l'espace, la liberté paraît toujours pousser dans la nécessité des racines profondes et s'organiser intimement avec elle».

Et c'est ainsi que M. Bergson espère avoir levé ou atténué les trois oppositions qu'il a établies entre le corps et l'esprit!

Mais pourquoi s'arrêter sur cette pente rapide et vertigineuse des rapprochements par identification? Après avoir identifié l'étendu et l'inétendu, la quantité homogène et la qualité hétérogène, la nécessité et la liberté — où l'on ne veut plus voir que des degrés ou des états plus ou moins «dilués», — n'est-il pas plus simple et plus logique d'aller jusqu'au fond de l'abîme, en identifiant la matière et l'esprit, le corps et l'âme? C'était même logiquement la première antinomie à laquelle il fallait s'attaquer.

S'il avait commencé par là, M. Bergson nous aurait du moins évité un très long et très pénible détour à travers la pénombre profonde de subtilités vraiment inextricables, et nous serions allés droit au but du monisme universel.

Avec un peu de patience, voici que nous y arrivons quand même, et quoique l'auteur — par une réserve qu'il ne gardera pas toujours — se soit contenté de nous laisser entrevoir sa pensée, elle nous paraît suffisamment claire: *Intelligenti pauca*.

Le lecteur va en juger lui-même par quelques citations choisies. Il verra si, après avoir poussé le dualisme de l'âme et du corps jusqu'à l'extrême, ces extrêmes n'ont pas fini de se rejoindre et s'identifier:

«Que toute réalité ait une parenté, une analogie, un rapport enfin avec la conscience, c'est ce que nous concédions à l'idéalisme, par cela même que nous appelions les choses des «images». — «*L'univers matériel*, défini comme la totalité des images, *est une espèce de conscience*, une conscience où tout se compense et se neutralise, une conscience dont toutes les parties éventuelles, s'équilibrant les unes les autres par des réactions toujours égales aux actions, s'empêchent réciproquement de faire saillie.» — «La matière étendue, envisagée dans son ensemble, est comme une conscience où tout s'équilibre, se compense et se neutralise.» «Nous disions que cette nature pouvait être considérée comme une conscience neutralisée et par conséquent latente, une conscience dont les manifestations éventuelles se tiendraient réciproquement en échec et s'annuleraient au moment précis où elles veulent paraître. Les premières lueurs qu'y vient jeter une conscience individuelle ne l'éclairent donc pas d'une *lumière inattendue*.» — «On conçoit une infinité de degrés entre la matière et l'esprit pleinement développé. Ainsi, entre la matière brute et l'esprit le plus capable de réflexion, il y a toutes les intensités possibles de la mémoire, ou, ce qui revient au même, tous les degrés de la liberté.» Nous pourrions multiplier les passages où cette théorie est insinuée ou sous-entendue. Ceux-ci sont assez nets pour n'en pouvoir plus douter: La matière et l'esprit sont bien au fond de la même nature, ou, selon une formule célèbre que nous rencontrerons plus tard: *le physique n'est que du psychique inverti*.

Pour l'apprécier comme il convient, il nous suffira de nous demander si cette hypothèse finale est vraiment une solution du fameux problème, pris des mains de Descartes, sur l'union de la matière et de l'esprit, du corps et de l'âme. Il est clair que non. Ce n'est pas une solution, mais au contraire une négation du problème qu'on s'était proposé de résoudre. Si le corps et l'âme sont une même nature à des degrés divers, leur «point de jonction» ou leur «point de contact» n'est pas à rechercher. Le problème de leur union ne se pose même plus: il n'est qu'un *pseudo-problème*. C'est bien là la fin de non-recevoir commune à toutes les philosophies incapables de lui trouver une solution. C'est donc un aveu déguisé d'impuissance.

Or, cet échec provient d'une obstination aveugle dans une fausse méthode, issue de ce préjugé qu'on ne peut unir deux termes sans les identifier, alors que la plus élémentaire observation démontre le contraire.

Eh! pourquoi le même sujet ne serait-il pas à la fois doué de qualité et de quantité, de liberté et de nécessité, à des points de vue différents? Un corps, quoique passif et inerte, ne peut-il pas contenir de grandes énergies? La même personne n'est-elle pas nécessitée dans ses actes irréfléchis ou automatiques et libre dans ses actes réfléchis?

En vérité, c'est une opposition bien factice qu'on imagine entre des termes qui s'unissent si naturellement dans la nature, parce qu'ils se complètent grâce à leur diversité même, et la prétention «d'exaspérer» ainsi comme à plaisir la difficulté de l'union pour la mieux résoudre est purement illusoire.

Reste l'opposition classique entre l'étendu et l'inétendu. Mais, là non plus, il n'est pas nécessaire d'identifier les termes pour les unir. En approfondissant la notion d'étendue concrète, il est facile de découvrir, après Aristote et saint Thomas, que les parties multiples de l'étendue ne peuvent coexister sans un lien qui les unisse. Tout être est un, dit saint Thomas, et ne participe à l'être que dans une proportion même où il participe a l'unité. Il faut donc que l'un réunisse le *multiple*, que l'inétendu centralise et enveloppe l'étendu. Et c'est précisément ce que nous constatons dans la nature où nous ne rencontrons jamais de matière sans une force animant ou unifiant cette matière. Du reste, que vaudrait la passivité et l'inertie de la matière sans un principe d'action surajouté? Etre, c'est pouvoir agir, et ce qui ne peut agir n'est pas un être complet. Or, un principe d'action, c'est encore un principe d'unité, qui vient compléter la matière, bien loin de s'opposer à elle comme incompatible.

De là est issue la célèbre théorie de la dualité de l'être matériel composé de *matière* et de *forme*, d'un principe extensif et passif et d'un coprincipe inextensif et actif. Elle unit les contraires sans avoir besoin de les identifier, comme on unit l'endroit et l'envers, l'actif et le passif, l'acte et la puissance sans avoir besoin de recourir à des identifications contradictoires et déraisonnables. Elle concilie ainsi, sans leur faire la moindre violence, les données de la raison avec celles de l'expérience, soit vulgaire, soit scientifique, comme nous l'avons montré ailleurs surabondamment. Tandis que l'identité des contraires fait à la fois violence au bon sens et aux faits.

Cette théorie fameuse, qui pendant plus de vingt siècles a eu les faveurs des plus grands génies de l'humanité, d'Aristote jusqu'à Leibnitz, méritait bien au moins quelque mention dans un volume consacré à l'union de l'âme et du corps. Nous avons le regret de n'y voir mentionnés que des essais modernes, comme si l'esprit humain n'avait commencé à penser que depuis deux ou trois siècles, et nous avons constaté que ces nouveautés rajeunissaient, sans s'en douter, de très vieilles erreurs cent fois réfutées, telles que l'identité des contraires. Bien loin de les identifier, l'esprit humain n'a jamais réussi qu'à se dissimuler leur opposition; aussi a-t-on pu très justement définir le monisme: «un dualisme déguisé, où l'un des deux combattants est laissé dans l'ombre».

Le problème de l'union de l'âme et du corps, loin d'être résolu par la philosophie nouvelle, en reste donc au même point, et ce nouvel échec, après tant d'autres, nous montre la stérilité des spéculations qui ont rompu de parti pris avec les traditions séculaires de l'esprit humain.

IV

LA PHILOSOPHIE DU DEVENIR PUR

Paulo majora canamus! Le moment est venu d'appliquer aux prétentions de la Philosophie nouvelle l'orgueilleux vers du poète:

Magnas ab integro sœclorum nascitur ordo.

Jusqu'ici, la nouvelle notion du Temps ou de la Durée n'a encore enfanté que des hors d'œuvre et pas une œuvre maîtresse. Ses essais, pour raffermir sur ses bases la Liberté humaine ou pour expliquer l'union de rame et du corps, nous ont paru comme des constructions accessoires et bien fragiles, de véritables jeux d'esprit — et aussi de patience, — qu'il faut admirer de loin, en évitant de les toucher du bout de l'index pour ne pas leur faire perdre leur équilibre instable.

Or, voici que — par une espèce d'évolution brusque et imprévue — elle va enfanter tout un monde nouveau, bien différent et même au rebours de celui où nous avions coutume de vivre et de penser. Du coup, M. Bergson va se poser en adversaire, non seulement de Kant, mais de tous les penseurs de génie depuis le siècle de Périclès jusqu'à nos jours.

Ce monde nouveau, que la nouvelle notion portait en germe dans ses flancs ténébreux, semblait pourtant insoupçonné jusqu'ici, soit du lecteur, soit de l'auteur lui-même, qui a dû être surpris en lui donnant le jour. En effet, dans ses premiers ouvrages, M. Bergson parlait habituellement comme un partisan de la Philosophie de l'être et un défenseur de la raison à laquelle il fait sans cesse appel; et voici qu'il va devenir le fondateur de la Philosophie du non-être et de l'antiintellectualisme contemporains.

Comment a pu se produire un revirement si brusque? N'était-il qu'apparent? Nous ne le rechercherons pas. Aussi bien l'auteur lui-même semble-t-il nous l'interdire lorsqu'il soutient — sans doute, pour en avoir fait l'expérience — que les mouvements de la vie et de la pensée sont absolument «imprévisibles»: thèse curieuse que nous retrouverons en son lieu.

Il nous faut donc pénétrer, à sa suite, dans ce monde si inconnu du Devenir pur et de l'Antiintellectualisme pour en examiner au moins les lignes maîtresses et apprécier leur valeur.

Commençons par *exposer* le problème et les diverses solutions qui ont été proposées; nous ferons ensuite la *critique* de la solution bergsonienne, soit en elle-même, soit dans ses conséquences ruineuses.

Toute philosophie, qui se respecte assez pour vouloir s'appuyer sur les données de l'observation et ne pas être une vaine construction *a priori* bâtie sur les nuages, doit partir du fait universel qui domine la nature entière: le mouvement. «La nature, disait Aristote, c'est l'ensemble des choses qui se meuvent; c'est le principe du mouvement ou du changement.... Ignorer ce qu'il est, ce serait ignorer la nature entière.»

C'est la vraie méthode, croyons-nous; la seule qui puisse enfin faire «descendre du ciel sur la terre» les théories des philosophes. M. Bergson l'a très bien vu, lorsqu'il écrit: «C'est du mouvement que la spéculation devrait partir.» Nous devons aussi lui rendre cette justice qu'il a très bien compris que le mouvement dont il s'agit ici n'est pas seulement le mouvement de *translation* d'un lieu à un autre: mouvement «superficiel», dit-il fort justement, mais encore le mouvement *de transformation* «qui se produit en profondeur» et affecte la qualité même de l'être, tandis que le premier ne change que son lieu. Le mouvement dont il s'agit ici n'est donc pas un phénomène purement local et restreint, mais un phénomène universel que toute observation, soit extérieure, soit intérieure et consciente, ne cesse de constater, celui du *changement*, soit dans le lieu, soit dans la qualité, soit dans la quantité, soit même dans la substance des choses qui se meuvent. Dans le sens large de ce mot, le mouvement signifiera désormais le *devenir*.

Mais il ne suffit pas au philosophe d'admettre ou de constater ce grand fait du mouvement, il faut surtout qu'il en trouve l'explication, qu'il nous en propose une théorie raisonnable.

Or, depuis que l'esprit humain s'y exerce, il n'a pu trouver que trois solutions possibles:

La première — celle de l'école d'Elée, dont le sophiste Zénon fut un des plus brillants interprètes — consiste à traiter ce fait d'impossible et d'illusoire, et à nier la réalité objective du mouvement. De tout temps, en effet, l'illusion a été, pour certains philosophes, l'explication commode des faits qu'ils ne parvenaient pas à comprendre. Mais cette explication paresseuse, cette fin de non-recevoir peu sincère se heurte ensuite à des difficultés autrement insolubles lorsqu'il leur faut expliquer l'illusion elle-même. Au lieu d'une énigme, alors ils en ont deux, et loin que la lumière ait commencé à poindre, ils n'ont réussi qu'à doubler les ténèbres en expliquant un mystère par un autre encore plus profond: *obscurum per obscurius.*

Après avoir pris la peine d'exposer très longuement les quatre fameux arguments de Zénon contre la possibilité du mouvement et en avoir démontré victorieusement l'inanité sophistique, Aristote s'est surtout élevé avec force contre le procédé et la méthode *a priori* qui les avait inspirés. Il n'hésite pas à traiter de «raisonneurs insensés» ceux qui osent nier les faits les mieux constatés, sous prétexte qu'on ne peut les comprendre et qu'ils sont obscurs pour la raison. Ne se fier qu'au raisonnement, ajoute-t-il, et mépriser l'évidence des sens, loin d'être la marque d'un esprit fort, est le signe certain d'une faiblesse d'esprit, *infirmitas quædam cogitationis est*: ἀρρωστία τίς ἐστι διανοίας.

A ce trait, il est aisé de reconnaître l'adversaire irréductible des théories purement spéculatives et le fondateur de la méthode d'observation qui caractérise la philosophie péripatéticienne et scolastique.

La *seconde* solution, qui se pince aux antipodes de la première, est celle d'Héraclite. Tandis que Zénon nie la réalité du mouvement, celui-ci soutient qu'il est la *seule* réalité, *toute* la réalité. Zénon niait le témoignage des sens pour mieux rehausser celui de la raison; il niait le mouvant qui est un non-être en train de devenir, pour mieux affirmer ce qui est, l'être qui demeure sous le tourbillon des phénomènes qui passent. Héraclite suit la marche diamétralement opposée. Cet ancêtre de l'antiintellectualisme suspecte déjà le témoignage de la raison pour ne se fier qu'à l'observation positive des sens; il nie l'être qui demeure pour ne reconnaître que le mouvant qui passe. Pour lui, l'être n'est pas; le mouvement, le devenir — qui est un non-être en train de se faire et ne sera jamais fait — est la seule existence perpétuellement changeante et insaisissable. C'est la philosophie du non-être.

Entre ces deux solutions extrêmes, se place celle d'Aristote, qui vient les concilier dans une opinion moyenne. Pourquoi ne se fier qu'aux sens ou à la raison seulement au lieu de se fier aux deux à la fois, puisque la nature nous a également pourvus de ces deux instruments de connaissance? Pourquoi ne pas admettre en même temps le *mouvement* et l'*être* en mouvement?

Bien loin de s'exclure, les deux notions s'appellent et s'exigent mutuellement parce qu'elles se complètent. Une action sans un agent serait inintelligible, de même qu'une passion sans un patient, un mouvement sans un mobile, un changement sans un objet qui change, un attribut sans sujet, une manière d'être sans être. Le phénomène n'est donc que la manifestation de l'être; le dynamique ou le mouvant n'est que le rayonnement du statique et du stable; l'effet qui passe un produit de la cause qui subsiste.

L'être est donc conçu par Aristote dans deux états différents, soit dans son épanouissement dynamique, *en acte*, ἐντελέχεια, soit dans sa concentration en germe ou *en puissance*, δύναμις, et le passage de la puissance à l'acte s'appelle le mouvement ou changement, κίνησις: c'est le *devenir en marche*.

L'explication du mouvement est ainsi complète, puisqu'aucun des deux éléments du problème n'est omis. L'être qui se meut ou qui est mû était nié par Héraclite; son mouvement lui-même était nié par Zénon. Ici, les deux données sont également reconnues et réunies dans une raisonnable synthèse.

C'est le progrès où l'épanouissement de la puissance en acte, du germe en végétal ou animal, par exemple, qui constitue le mouvement évolutif; et ce fait n'est pas illusoire mais très réel, car il y a sans cesse du nouveau en ce monde, et non pas seulement des combinaisons nouvelles de parties anciennes; c'est un progrès véritable dans le développement de l'être que nous constatons.

Or, de ces trois solutions, quelle sera la préférée de M. Bergson? Ce n'est pas la première, assurément, celle de Zénon et des mécanistes cartésiens, pour lesquels «tout est donné» dès le commencement, du monde, puisqu'à leurs yeux il ne se produit rien de nouveau dans l'être, mais seulement des combinaisons nouvelles d'êtres entre eux.

On ne saurait trop féliciter M. Bergson de l'énergie—je dirai presque de l'acharnement—qu'il met à tout propos pour combattre, sous toutes ses formes, une erreur si contraire à l'observation la plus élémentaire. Cette réfutation du mécanisme et des théories atomistiques sera sûrement la meilleure partie de ses travaux.

Ce n'est pas davantage la troisième solution qu'il accepte, celle d'Aristote, qu'il semble connaître bien peu, car il défigure; les notions d'acte et de puissance au point de les rendre grotesques. En cela, je ne parle pas seulement de l'*Acte pur* d'Aristote que M. Bergson compare faussement aux Idées platoniciennes «ramassées en boule», mais encore de la Puissance qu'il confond avec la *matière*. La matière, l'ὕλη des Péripatéticiens, ne désigne nullement le Devenir; ni le *Devenir latent* ou puissance, δύναμις; ni le *Devenir en marche* ou mouvement, κίνησις. Elle n'est que le sujet passif du Devenir, tandis que la forme en est le sujet actif. Nous avons déjà relevé chez d'autres auteurs contemporains la même confusion qui, pour être répétée de confiance, n'en est pas moins une confusion regrettable.

A cette première méprise, M. Bergson en ajoute une seconde encore plus grave en imaginant que «la matière aristotélicienne est un *zéro métaphysique* qui, accolé à l'Idée comme le zéro arithmétique à l'unité, la multiplie dans l'espace et le temps.... C'est donc, dit-il, du négatif, ou tout au plus du zéro, qu'il faudra ajouter aux Idées pour obtenir le changement».

Certes, cette explication du changement ou mouvement est grotesque et absurde, mais ce n'est ni celle de l'Ecole ni la nôtre. Et le passage de la puissance à l'acte, du germe à la plante, de l'œuf au poussin, ne ressemble en rien à la prétendue addition d'un zéro à une idée.

Si mal comprise, il n'est plus étonnant que la troisième solution n'ait pas eu les faveurs de M. Bergson. On ne peut préférer ce que l'on ignore: *ignoti nulla cupido*. S'il n'a pas trouvé l'occasion d'exposer ni de discuter, même brièvement, la grande théorie aristotélicienne du changement ou de l'évolution dans un gros volume tout consacré à l'évolution, nous ne pouvons l'attribuer à un oubli, encore moins à un dédain méprisant, mais à une simple lacune de son érudition philosophique.

Il ne restait donc plus au choix de M. Bergson que la deuxième solution, celle d'Héraclite, qui tient une si petite place dans l'histoire de la pensée humaine, puisqu'elle semblait éclipsée et disparue, sans aucun représentant notoire, depuis le siècle de Périclès jusqu'au jour où Hegel essaya, sans grand succès d'ailleurs, de la reprendre et de la restaurer. L'école bergsonienne sera-t-elle plus heureuse dans cette restauration? Le lecteur en jugera après l'exposé très succinct que nous allons lui faire des difficultés—disons même des impossibilités—où elle doit venir se heurter fatalement.

D'abord, que telle soit bien la pensée de M. Bergson et qu'il se soit rallié a la philosophie héraclitienne du devenir pur, cela ne saurait faire aucun doute. Tout son système est fondé sur la négation de la catégorie de *chose* ou d'être stable et permanent, qu'il remplace par un flux perpétuel et un devenir incessant.

«Matière ou esprit, écrit-il, la réalité nous est apparue comme un perpétuel devenir. Elle se fait ou elle se défait, mais elle n'est jamais quelque chose de fait. Telle est l'intuition que nous avons de l'esprit quand nous écartons le voile qui s'interpose entre notre conscience et nous. Voilà aussi ce que l'intelligence et les sens eux-mêmes nous montreraient de la matière, s'ils en obtenaient une représentation immédiate et désintéressée.»

Dès les premières pages de l'*Evolution créatrice*, l'auteur avait posé sa thèse encore plus nettement en se demandant «quel est le sens précis du mot *exister*». Il y répond qu'exister, c'est changer et changer sans cesse, en sorte que, par exemple, «si un état d'âme cessait de varier, sa durée cesserait de couler». — «La vérité, ajoute-t-il, est qu'on change sans cesse et que l'état lui-même est déjà du changement.» De là ces expressions que l'on rencontre à chaque instant dans tout le cours de cet ouvrage: «la masse fluide de notre existence»; — «le flux perpétuel des choses»; — «la réalité est fluide»; — «elle se résout en un simple flux, une continuité d'écoulement, un devenir»; — «elle est une croissance perpétuelle, une création qui se poursuit sans fin»; — «elle est un flux plutôt qu'une chose»; — «elle est un lieu de passage»; — «elle est un mouvement»; — «il n'y a pas de *chose*, il n'y a que des actions».

La thèse de M. Bergson est donc bien celle d'Héraclite: *tout s'écoule et rien ne demeure*, πάντα ῾ρεῖ και μένει ούδεν. C'est celle que les modernistes lui ont empruntée dans leur très irrévérencieuse *Risposta* à l'Encyclique *Pascendi*, où ils professent explicitement que «l'existence est mouvement».

Les uns et les autres doivent admettre, par conséquent, l'exemple fameux du sophiste grec: on ne se baigne pas deux fois dans le même fleuve—ni même une seule fois,—puisque rien ne demeure dans ce perpétuel devenir et que tout change à chaque instant, soit dans le fleuve, soit dans le baigneur.

Si telle est bien la thèse de M. Bergson, le lecteur ne s'étonnera pas que nous en relevions l'exagération manifeste. Sans doute, tout est en mouvement, en ce sens que dans l'être en mouvement une partie change tandis que l'autre partie demeure. Et la partie qui change est, pour l'ordinaire, la plus accidentelle et la plus superficielle de l'être, bien loin d'être la plus profonde et la plus importante: par exemple, lorsqu'il ne fait que changer de figure ou de position dans l'espace. Mais dire que l'être *tout entier* change à la fois n'a plus de sens. Ce serait renouveler la merveille du fameux couteau à Jeannot, dont on avait changé la lame et puis le manche, tout en prétendant qu'il restait le même couteau. Ou bien ce serait remplacer la *permanence* des êtres par leur *répétition*. Leur durée, si rien en eux ne demeure identique, ne serait qu'un fantôme qui disparaîtrait en naissant pour renaître à l'instant suivant. Or, ces renaissances successives constitueraient des séries d'êtres nouveaux et nullement la durée ou la permanence des êtres anciens.

La dualité de l'être est donc la première condition pour que le changement soit intelligible; de là la célèbre théorie aristotélicienne de la *matière* et de la *forme*, sans laquelle nous croyons bien impossible d'expliquer le changement.

M. Barthélémy Saint-Hilaire, d'abord si étranger à cette théorie, avait fini par la comprendre et en proclamer la vérité: «Oui, sans doute, écrivait-il, si l'être est un, il ne peut avoir de mouvement: mais s'il a une partie qui change, et si à la matière s'ajoute la forme, dès lors le mouvement est possible, car la forme change puisqu'elle peut passer d'un contraire à l'autre.... L'unité de l'être est incompatible avec sa mobilité; mais du moment que l'être est multiple, il est susceptible de mouvement.»

Mais laissons de côté, pour le moment, cette controverse, pour attaquer directement la thèse bergsonienne que tout s'écoule et que rien ne demeure. Nous soutenons, au contraire, que, sous l'écoulement, il y a quelque chose qui demeure, et ce quelque chose qui demeure, nous l'appelons l'*être* lui-même, par opposition à ses modalités ou à ses accidents qui changent.

Pour cette démonstration, nous ferons appel, soit à la *raison*, soit à l'*expérience* des faits les plus universels.

D'abord, aux yeux de la raison, la mobilité pure est une conception inintelligible et contradictoire. Le mouvement est une relation de passage entre des termes fixes, en sorte que supprimer ces termes serait supprimer le mouvement. Et quels sont ces termes ou éléments fixes? Il y en a au moins trois: un *point de départ,* un *point d'arrivée* et *les principes ou les lois* fixes qui président au passage de l'un à l'autre.

Tout ce qui devient n'est pas encore ce qu'il sera, sans doute, mais il est déjà ce qu'il est actuellement. Voilà le *point de départ*, l'être, qui n'est pas encore le mouvement. Par exemple, il est déjà un germe ou un œuf avant de devenir une plante ou un oiseau; il est déjà une puissance et va passer à l'acte. S'il n'était rien du tout, il ne pourrait pas se mouvoir; car le néant ne se meut pas et ne peut être mû. Donc, la conception de M. Bergson d'un mouvement sans rien qui se meut, d'une durée sans rien qui dure, est vide de sens.

Le *point d'arrivée* ou le but n'est pas moins indispensable. On ne se meut pas uniquement pour se mouvoir, mais pour arriver à quelque chose, pour aboutir. Changer uniquement pour changer serait inintelligible. L'être, en paraissant agir et faire quelque chose, ne ferait rien du tout. Son activité serait donc inaction et son travail un repos. Et telle est bien la conception bergsonienne du devenir pur où il n'y a jamais *rien de fait*, ni au point de départ ni au point d'arrivée, où tout s'efforce d'être sans jamais pouvoir être. Un tel devenir n'est même pas la montagne enfantant une souris, puisqu'elle n'enfante rien du tout. Que si elle accouchait d'un être quelconque, l'être serait au terme du devenir, comme à son point de départ, et le rêve du devenir pur se serait évanoui. Le devenir n'est donc intelligible que par l'être qui peut devenir et qui devient. Il est le *devenir-être*, car le *devenir-rien* est un non-sens. Tout n'est donc pas devenir, il y a du *devenu*; il y a de l'être et pas seulement une fuite éperdue à travers l'infini d'apparences perpétuellement naissantes et évanescentes. Bien plus, le mouvement n'est qu'un *moyen* pour produire l'être nouveau; il n'est donc pas l'essentiel ni le principal: *l'être prime le non-être du devenir.*

A ces deux termes extrêmes, le point de départ et le point d'arrivée du mouvement, qui ne sont pas du mouvement, mais des points de repère et des conditions essentielles du mouvement, nous avons ajouté des termes moyens qui le gouvernent ou le règlent.

Le mouvement, qui se distingue du hasard, n'est rien sans règle; mais la règle est fixe, et c'est ici ce qui nous importe. Or, la première règle du mouvement est d'avoir une *direction.*

Un mouvement qui n'aurait aucune direction n'aurait aucun sens. Plus de progrès concevable sans elle: impossible de dire où l'on va et même si l'on y va.

D'autre part, une direction est essentiellement quelque chose de fixe, au moins pendant un temps donné, jusqu'à ce que le but soit atteint. En sorte qu'une direction perpétuellement changeante ne serait plus une direction. L'introduction d'une direction quelconque dans le mobilisme universel serait donc une contradiction flagrante. Je sais bien que M. Bergson a tenté cependant ce tour de force de l'introduire sous le nom de *tendance*, qu'il définit: *un changement de direction à l'état naissant*; mais c'est là jouer sur les mots: un changement perpétuel de direction, même a l'état perpétuellement naissant, n'est plus une direction.

Nous retenons d'ailleurs cet essai de correction au mobilisme pur comme un aveu que, le mouvement seul ne se suffit pas. Il lui faut encore une *direction* fixe.

Il lui faut en outre des *raisons* d'être et des *lois*. Or, ces nouveaux termes sont encore fixes. Par exemple, les rapports mécaniques de deux ou plusieurs mouvements ne peuvent pas plus changer que les rapports géométriques ou algébriques dont ils sont la conséquence. Mon compas, en tournant sur une pointe, ne peut pas ne pas décrire un cercle, puisque tous les points de la circonférence qu'il trace sont a égale distance du centre et que telle est précisément la raison d'être du cercle. Donc les raisons d'être sont fixes.

Quant aux lois contingentes qui régissent les mouvements physico-chimiques ou biologiques, ne dites pas qu'elles sont variables et «à la merci d'un fait nouveau». C'est notre science humaine qui est à la merci d'un fait nouveau et qui partant est provisoire. Notre formulation des lois de la nature est toujours incomplète et provisoire, mais la loi elle-même ne l'est pas. Si elle semble parfois fléchir, c'est pour rentrer dans une loi plus haute où nous retrouverons encore la fixité. Comme l'a très bien dit M. Fouillée: «Tout serait-il mouvant sur cette terre, notre pensée s'élèverait au-dessus de l'écoulement universel, tâcherait de découvrir les lois et le rythme qui poussent les flots contre les flots, et au-dessus de ces lois fixes mais contingentes, elle atteindrait jusqu'aux principes éternels et nécessaires qui la dominent et la régissent.»

Aux *raisons d'être* et aux *lois* physiques du mouvement, nous devrions enfin ajouter des *causes*. Le mouvement ou changement est, en effet, une absence d'identité dans le même être, ce qui ne peut s'expliquer sans l'intervention d'une cause étrangère, si l'on ne veut pas se laisser acculer à l'identité des contradictoires. M. Le Roy en fait l'aveu lorsqu'il écrit: «Qu'est-ce que le Devenir, sinon une fuite perpétuelle de contradictoires qui se fondent?» Il faut donc au mouvement une cause motrice et, au-dessus de toutes les causes secondes et mobiles, un premier moteur immobile, c'est-à-dire mouvant tout sans être mû lui-même, parce que le mouvement suppose l'immuable, comme le contingent suppose le nécessaire, et le devenir imparfait suppose le parfait, l'Acte pur.

Mais c'est là une ascension que nous ne pouvons entreprendre en ce moment. Nous l'indiquons cependant, pour mettre en lumière la synthèse grandiose de notre doctrine: le mouvement s'appuie sur l'immobile comme sur le point d'appui qui le rend possible et fait toute sa force. Le mobilisme pur est donc un corps sans âme, un mécanisme sans ressort et sans contrepoids, un système métaphysique mort-né, sans raison d'être.

Telle est la réponse de la raison pure qu'il nous faut maintenant soumettre au contrôle de l'expérience et des faits.

D'abord, l'*observation sensible* à laquelle M. Bergson nous renvoie nous paraît avoir été faite bien incomplètement par ce philosophe. Parti du point de vue exclusivement psychologique, il a cru observer qu'au dedans de notre conscience tout change incessamment sans que rien y demeure—conclusion que nous examinerons bientôt,—et cette conclusion, il commence par la généraliser en l'étendant à la nature entière.

Or, dès ce premier pas, nous refusons de le suivre dans son affirmation que «l'existence est mouvement». Le monde de la matière ou des corps bruts, qui est beaucoup plus considérable que l'autre — car la vie serait plutôt une exception, — et qui d'ailleurs s'offre le premier à nos regards et à notre observation, nous donne, au contraire, un spectacle diamétralement opposé à celui d'un flux perpétuel. C'est le monde de la solidité, de la stabilité, de la permanence perpétuelle. Tout y est inerte, incapable par lui-même de changer, à ce point que la loi de l'inertie est devenue le principe fondamental de la mécanique, de l'astronomie et de toutes les sciences physiques. Pour changer, soit de figure, soit de qualité, soit même de position, toute masse, toute molécule doit attendre un choc et une impulsion extérieure. Son être est donc stable par lui-même et ne change qu'accidentellement.

Et non seulement l'être matériel nous apparaît ainsi comme de nature stable et permanente, mais les *lois* qui gouvernent ses changements accidentels et qui sont étudiées par la mécanique, la physique, la chimie, la cristallographie, etc., sont parfaitement fixes et stables, et, en ce sens, nécessaires, au témoignage unanime de tous les savants.

Parmi ces lois, il en est de fondamentales et de caractéristiques, telles que la loi de la conservation de l'énergie, la loi de la permanence des poids ou de la conservation de la matière à travers tous les changements physico-chimiques, qui nous montrent avec évidence qu'il y a du fixe et de l'immobile jusqu'au sein du mobile et du changement, et que sous le flux des changements on découvre un fonds stable et permanent.

Il est donc faux ou contraire à l'observation la plus élémentaire d'identifier l'existence avec le mouvement, l'être stable avec son mouvement passager. Prendre ainsi la partie pour le tout est une métaphore de rhétorique qui doit être exclue de la science positive et de la philosophie fondée sur la science.

En présence de ce spectacle du monde matériel qui dément si ouvertement la thèse bergsonienne que toute existence est du mouvement, on doit pressentir l'embarras de son auteur.

Il ne s'en tire qu'en fermant les yeux et en déclarant que tout ce spectacle de la nature n'est qu'une illusion. L'illusion, nous l'avons déjà vu, est la réponse commode, paresseuse, qui esquive les difficultés qu'on ne peut résoudre.

«En résumé, écrit-il, les qualités (prétendues stables) de la matière sont autant de vues stables que nous prenons sur son instabilité.... Le corps change de forme à tout instant. Ou plutôt il n'y a pas de forme, puisque la forme est de l'immobile et que la réalité est mouvement. Ce qui est réel, c'est le changement continuel de forme: *la forme n'est qu'un instantané pris sur une transition.* Donc, ici encore, notre perception s'arrange pour solidifier en images discontinues la continuité fluide du réel. Quand les images successives ne diffèrent pas trop les unes des autres, nous les considérons toutes comme l'accroissement et la diminution d'une seule image *moyenne*, ou comme la déformation de cette, image dans des sens différents. Et c'est à celle moyenne que nous pensons quand nous parlons de l'*essence* d'une chose ou de la chose même.»

La stabilité constatée par les savants, comme par le vulgaire, dans les propriétés des métaux, par exemple, de l'or, de l'argent, du cuivre, etc., qui nous permet de décrire à l'avance les phénomènes physico-chimiques qu'ils produiront dans un cas donné, n'est donc qu'une illusion de nos sens qui «s'arrangent pour solidifier leur continuité fluide».

En vérité, cet «arrangement» produit par nos sens est le fait d'une habileté merveilleuse, d'autant plus merveilleuse qu'elle produit toujours et partout les mêmes «arrangements».

Demandez à tous les chimistes du monde entier quelles sont les propriétés connues de tels ou tels corps, solide, liquide ou gazeux, métal ou métalloïde, acide ou base, et de leurs composés chimiques, ils vous feront des réponses invariables, au fond identiques, et si vous êtes incrédules, ils vous en feront faire la vérification expérimentale.

Demandez à tous les physiciens les lois de la pesanteur, de l'optique, de l'acoustique..... ils vous indiqueront toujours les mêmes et répéteront cent fois sous vos yeux des expériences identiques. Mais cette adaptation permanente et universelle de tous les sens et de tous les esprits chez tous les hommes, pour produire toujours et partout les mêmes merveilleuses illusions de constance et de stabilité dans les êtres et les lois de la nature, n'est-elle pas elle-même un élément de fixité et de stabilité?... En sorte que le statique chassé — comme le naturel — nous revient au galop!...

Cependant, quel artifice invraisemblable de vouloir mettre seulement dans l'esprit ce statique que nous découvrons si clairement dans la matière elle-même et dans les lois naturelles qui la régissent! Un exercice d'équilibre sur cette pointe d'aiguille ne peut durer longtemps, et M. Bergson y renoncera bientôt en appelant la matière du «psychique inverti» ou «congelé, cristallisé».

Le physique est-il du psychique, la matière est-elle de l'esprit déchu? — Nous l'examinerons plus tard. Pour le moment, nous prenons acte que c'est bien du «congelé», du «cristallisé» et partant du statique et de l'inerte. Ce n'est donc pas l'observation ingénue et loyale de la nature matérielle qui a pu suggérer le contraire à M. Bergson, c'est seulement son préjugé psychologique qui lui a fait voir du psychique et du fluent partout, jusqu'au sein de la nature morte et inerte. Ce mirage n'était qu'un rêve et nullement l'intuition d'un fait réel, car il contredirait trop audacieusement toutes les observations vulgaires ou scientifiques.

Du monde de la matière, passons maintenant au monde de l'esprit ou de la conscience pour examiner si, là encore, l'observation psychologique, d'ailleurs si pénétrante, de M. Bergson ne serait pas prise en défaut, comme gravement incomplète.

C'est dans le domaine de la vie, en effet, que le défenseur du devenir pur prend des airs de triomphe et de défi. Il semble être là chez lui, maître de la place, à l'abri de toute attaque sérieuse. Ecoutons sa brillante analyse du «courant de la vie» consciente:

«Sensations, sentiments, volitions, représentations, voilà les modifications entre lesquelles mon existence se partage et qui la colorent tour à tour. Je change donc sans cesse. Mais ce n'est pas assez dire. Le changement est bien plus radical qu'on ne le croirait d'abord. Je parle, en effet, de chacun de mes états comme s'il formait un bloc. Je dis bien que je change, mais le changement m'a l'air de résider dans le passage d'un état à l'état suivant: de chaque état, pris à part, j'aime à croire qu'il reste ce qu'il est pendant tout le temps qu'il se produit. Pourtant, un léger effort d'attention me révélerait qu'il n'y a pas d'affection, pas de représentation, pas de volition qui ne se modifie à tout moment; si un état d'âme cessait de varier, sa durée cesserait de couler. Prenons le plus stable des états internes, la perception visuelle d'un objet extérieur immobile. L'objet a beau rester le même, j'ai beau le regarder du même côté, sous le même angle, au même jour: la vision que j'en ai n'en diffère pas moins de celle que je viens d'avoir, quand ce ne serait que parce qu'elle a vieilli d'un instant.... La vérité est qu'on change sans cesse et que l'état lui-même est déjà du changement.... Où il n'y a qu'une pente douce, nous croyons apercevoir, en suivant la ligne brisée de nos actes d'attention, les marches d'un escalier. Il est vrai que notre vie psychologique est pleine d'imprévu.... ce sont des coups de cymbales qui éclatent de loin en loin dans la symphonie. Notre attention se fixe sur eux parce qu'ils l'intéressent davantage, mais chacun d'eux est porté par la masse fluide de notre existence psychologique tout entière. Chacun d'eux n'est que le point le mieux éclairé d'une zone mouvante, etc.»

A cette description psychologique si fine et si nuancée, nous allons reprocher de manquer de nuance et de finesse. Lorsque le peintre fixe attentivement son modèle pendant plusieurs secondes, direz-vous que ce regard n'est plus le même de la première à la troisième seconde, uniquement parce qu'il a vieilli ou que le modèle lui-même a vieilli? Lorsque je fais un jugement en accouplant un second terme à un premier, ou bien un raisonnement en unissant trois propositions: majeure, mineure et conclusion, direz-vous que le jugement a changé parce que j'ai vieilli en passant d'un premier terme à un second, ou que mon raisonnement n'est plus le même arrivé à la conclusion, parce que je suis plus vieux qu'au moment où je posais les prémisses?

En vérité, ce n'est pas seulement le bon sens que choqueraient de pareilles subtilités, mais l'analyse psychologique elle-même. Une chose est toujours la même lorsqu'elle ne change qu'accidentellement, surtout lorsque ce changement accidentel est insensible ou infinitésimal. Est-ce que je change de personne parce que je marche ou que je me promène?

Il faut donc savoir distinguer, soit dans un être, soit même dans une manière d'être, ce qui est l'essence ou ce qui n'est qu'accidentel. Et c'est cette distinction — si élémentaire pourtant — que M. Bergson, malgré toute sa finesse, a oublié de faire.

Nous en concluons que sensations, sentiments, volitions, représentations peuvent se prolonger en demeurant les mêmes, lorsqu'ils ne subissent que des variations accidentelles, surtout des variations imperceptibles. Soutenir le contraire, soutenir que la moindre durée les change au point qu'ils ne sont plus les mêmes, ce serait rendre leur existence même impossible, car toute sensation exige un *minima* de temps, c'est-à-dire une certaine épaisseur de durée, une sensation absolument instantanée étant impossible, comme tous les psychologues en conviennent unanimement, sans en excepter M. Bergson.

Au demeurant, soyons plus généreux, et accordons que tous nos phénomènes de conscience, variant sans cesse, sont dans un perpétuel écoulement. Nous n'avons encore là qu'une moitié de l'observation psychologique. Oublier l'autre moitié serait une omission des plus graves. Nous sommes à la fois changeants et identiques à nous-mêmes: tel est le témoignage essentiel de nos consciences.

Oui, l'homme «passe», mais sans passer tout entier; et ce qui passe en nous n'est sûrement ni l'essentiel ni le plus important de nous-mêmes. D'abord, il y a une *orientation* stable de la vie qui ne passe pas. La tendance à l'être, au bien-être, au plus-être, au rayonnement et à la multiplication de l'être, est une loi universelle, et la biologie nous montre partout, à tous les degrés de la vie, la fixité invariable de cette loi.

Mais descendons au plus profond de nos consciences, nous y découvrirons la permanence de notre *identité personnelle*, à travers tous les âges et toutes les vicissitudes de notre vie. C'est là la contre-partie nécessaire du flux perpétuel des phénomènes. Le changement n'était qu'à la surface, le fond est demeuré le même.

Une analyse plus minutieuse de ce fait nous montre que dans la série des sentiments, pensées ou vouloirs, qui composent le «courant de la conscience», chaque partie est attachée aux autres parties par un élément commun à toutes, car toutes sont *à moi* et viennent *de moi*. Or, cet élément, puisqu'il est commun à tous les termes successifs de la série, est quelque chose de stable et de permanent. Nous l'appelons le moi-agent, dont l'unité produit à la fois l'unité et la multiplicité des opérations de nos consciences. Que si vous supprimez cette source permanente de multiplicité et d'unité, les parties de la série se désagrègent, retombent en poussière atomique, et le fait qu'elles se connaissent mutuellement, comme passées, présentes ou à venir, devient un paradoxe incompréhensible.

M. Bergson nous réplique que le passé, le présent et le futur se tiennent comme un tout indivisible, comparable à une mélodie; et il revient dans tous ses ouvrages sur cette comparaison.

Mais cette métaphore est trompeuse. Jamais il n'y aurait unité de phrase musicale sans l'unité et la permanence de l'esprit qui la compose ou qui l'écoute, sans la mémoire qui en retient les notes et en fait la synthèse. La mélodie suppose donc la permanence et l'identité du moi-agent, bien loin de les remplacer.

Il y a donc sous les phénomènes passagers un noumène stable, sous le mouvant, un élément fixe et immobile, ce que les Grecs avaient appelé τὸ ὑποκείμενον, et les Latins *sub-stantia, substance,* qui est l'être proprement dit, parce qu'il *est* tandis que le phénomène devient, il dure tandis que tout le reste passe.

Or, M. Bergson rejette la substance; il est phénoméniste pur, et c'est sur ce point que son analyse psychologique nous paraît autrement, défectueuse et incomplète. La gravité même de cette lacune va nous demander une étude critique plus attentive. Jusqu'ici nous avons montré que, sous le mouvant, il y a un élément stable; il nous faut expliquer maintenant la nature et le rôle de cet élément foncier de l'être, qui est l'être lui-même, les phénomènes n'en étant que la manifestation et le rayonnement.

Ceux qui nient la substance — il s'en trouve même parmi les philosophes chrétiens — la nient parce qu'ils ne la comprennent pas. Aussi émettent-ils à son sujet les idées les plus fausses, parfois les plus grotesques. Avant de les réfuter, nous croyons utile de rappeler brièvement au lecteur la vraie notion classique de la substance, si oubliée de nos contemporains. Elle préparera utilement les voies à notre discussion, en écartant tous les malentendus qu'on accumule à son sujet.

Nous pourrions définir la substance: *l'être ou la réalité qui soutient ses manières d'être et les produit.* De là une double fonction de cet être par rapport à ses manières d'être: fonction *statique* et *dynamique.*

Dans le *premier rôle*, la substance est le sujet d'inhérence, le substratum, τὸ ὑποκείμενον, des phénomènes ou accidents. Ainsi, la blancheur est inhérente à cette feuille de papier qui joue le rôle de substratum par rapport à la blancheur. Cette qualité, en effet, ne peut demeurer en l'air sans être soutenue par rien; elle a besoin d'un sujet d'inhérence, tandis que le papier subsiste sans aucun sujet d'inhérence. Tel est le sens de la formule classique: la substance subsiste en elle-même et non dans un autre; l'accident ne subsiste que dans un autre et non en lui-même, aussi est-il bien moins un être qu'une manière d'être, un être dérivé *ens-entis*.

Et ce que nous disons de la blancheur par rapport au papier se dit de tous les autres attributs par rapport à leur sujet, par exemple, de tous les états psychologiques par rapport au moi conscient.

Le *second rôle* de la substance, le plus important est d'être la source des accidents ou le principe producteur des phénomènes qui en émanent comme de leur cause efficiente. De l'aveu unanime de tous les péripatéticiens et scolastiques, les qualités d'un objet ne sont que le rayonnement et la manifestation de son être. Le mode d'être vient de la nature de l'être, et celui-ci agit comme il est. Et c'est précisément ce rôle dynamique de la substance par rapport à ses phénomènes qui nous explique sa fonction statique.

Pourquoi, en effet, la substance doit-elle demeurer sous les phénomènes? Parce qu'elle les produit—d'une manière ou d'une autre,—et qu'il est bien impossible de ne pas supposer un agent sous l'action produite, une cause derrière l'effet qui en émane, un noumène sous sa manifestation phénoménale, en un mot, une source de chaleur ou de lumière sous leur rayonnement.

En outre, qu'est-ce qui fait le *lien* ou l'unité des multiples phénomènes dans le même être? C'est l'unité même de celle source profonde ou de cette cause essentielle d'où ils émanent dans chacun des êtres individuels. Sans l'unité et la permanence de cet agent qui subsiste en moi, par exemple, et qui n'est autre que moi-même, l'unité et la continuité de mon propre devenir seraient brisées. Je ne trouverais plus en ma conscience qu'une poussière de phénomènes disparates et sans lien: l'unité même de ma conscience se serait évanouie.

M. Bergson et tous les autres phénoménistes font donc preuve de réflexion insuffisante, lorsqu'ils traitent de vide ou d'inintelligible la notion de substance. Son rôle à l'égard de ses phénomènes est clairement indiqué dans le rapport de la cause à l'effet ou de la puissance à l'acte. C'est donc défigurer entièrement noire pensée de dire que la substance serait pour nous un fil artificiel par lequel nous unirions les phénomènes comme on enfile les perles d'un collier. L'inintelligence est ici complète et le facile triomphe contre des chimères ainsi forgées de toutes pièces, bien peu glorieux.

Au surplus, ce n'est pas seulement la notion de substance que nous devons mettre en lumière, mais encore sa réalité et son existence. Nous avons dû sans doute l'expérimenter, d'une manière consciente ou inconsciente, puisque nous en avons l'idée, toutes nos idées venant par abstraction de l'expérience concrète. Or, celle expérience, soit interne, soit externe, il nous est facile de la reconstituer.

En effet, au dedans de nous-mêmes, il est facile de saisir très clairement la réalité du *moi*, c'est-à-dire d'une réalité jouissant, par rapport aux phénomènes, de la double fonction des substances, statique et dynamique.

a) Le moi conscient se perçoit d'abord lui-même comme un *sujet* un et permanent sous le flux continuel de ses pensées, de ses sentiments, de ses volitions. Il lui suffit pour cela de comparer les souvenirs qu'il conserve de ces faits multiples et transitoires avec ce principe d'unité et de permanence qu'il sent au dedans de lui-même. En effet, je ne coule pas avec mes pensées; sans m'en isoler, je me distingue d'elles; en les produisant, je ne me perds pas en elles. Elles sont des attributs passagers dont je suis le sujet permanent.

b) Le moi se perçoit en même temps comme le principe *producteur* de ces phénomènes, notamment lorsqu'il fait un effort d'attention ou de volonté libre. Et jamais il n'a conscience d'une pensée ou d'un acte de volonté séparé de l'agent qui pense ou qui veut en nous.

Prenons un exemple: Je suis déjà vieux, mais je me souviens fort bien d'avoir été petit enfant, jeune homme et homme fait. Or, sous ces trois groupes de changements, qui en résument une multitude, je sens et je comprends que je suis resté au fond le même individu, le même être ou la même personne, c'est-à-dire le même *principe subsistant* d'actions ou de passions auquel je rapporte tous les mérites et démérites, tous les événements actifs et passifs de ma vie entière.

Nier l'identité ou la persévérance inaltérable de notre *moi* dans sa source profonde nous conduirait d'ailleurs à l'absurde.

Comment, en effet, me souviendrai-je du passé, si le *moi* qui en fut l'acteur ou le témoin, au lieu de rester identique à lui-même pendant toute une vie, changeait d'être à chaque instant? D'où le dilemme suivant: ou mon être que j'appelle *moi* subsiste depuis ma naissance, ou je ne me souviens de rien!

Cependant, ce n'est pas seulement par des raisonnements, c'est par une intuition immédiate que nous saisissons, sous les phénomènes qui passent, le moi, l'être qui agit en nous et qui demeure *un* et le *même* sous tous les changements de surface.

Quoi qu'en disent nos contemporains, ce n'est pas seulement des phénomènes de *vie* et des sensations vitales que nous saisissons dans nos consciences, mais encore et surtout *le vivant*, le sujet qui pense et qui vit en nous. La cénestésie, ou le sens de la vie, n'épuise pas la conscience qui atteint jusqu'au sujet agissant et vivant.

En effet, par la conscience, je me saisis moi-même avec mon action, car l'action est inséparable de l'agent. Je me sens agir, penser, vouloir. Et c'est pour cela que je dis: *ma* pensée, *mon* action, au lieu de dire: *votre* pensée, *votre* action, ou bien encore, sous une forme impersonnelle: *une* pensée, *une* action. Voilà le fait de conscience. Aussitôt, dans ce fait sensible, mon intelligence a perçu l'être, mon être, ce principe qui, dans le sentiment de l'effort personnel, déploie si clairement son opération en passant de la puissance à l'acte.

Ainsi, du premier coup, ma conscience a pris contact avec l'être réel que je suis, avec le principe ou la cause vivante qui sent, pense et veut en moi.

Supposez, au contraire, qu'au lieu d'atteindre l'agent à travers son action, je ne puisse saisir que l'action elle-même sans comprendre la source d'où elle émane; supposez que je ne puisse atteindre que le phénomène de la pensée séparé de celui qui pense ou qui agit en moi. Désormais, je ne puis conclure avec Descartes: je pense, donc je suis un être: *cogito ergo sum*; je dois dire seulement: donc, *je suis une pensée*. Encore cette conclusion serait-elle excessive. Ne saisissant qu'une pensée sans voir la relation, désormais inconnue, avec l'agent qui produit la pensée, je ne puis plus dire JE pense, mais seulement ON pense, comme on dit impersonnellement: IL pleut ou IL neige! En sorte qu'il n'y aurait plus personne en moi!

Pour éviter une conclusion si absurde, il faut donc reconnaître que nous saisissons par la conscience, non seulement nos propres opérations, mais encore l'agent qui les produit et qui dit *moi*! C'est ce principe permanent que nous avons appelé la substance, notre âme, quelle qu'en soit d'ailleurs la nature, matérielle ou spirituelle, que nous n'avons pas à étudier ici.

Ne pouvant nier directement le témoignage si clair de leur conscience ni étouffer sa voix, nos adversaires s'appliquent à contester sa valeur. Taine, par exemple, n'en parle qu'avec dédain et le traite *d'illusion métaphysique.*

«Le moi, écrit-il, n'est qu'une entité verbale et un fantôme métaphysique. Ce quelque chose d'intime ... on le voit s'évanouir et rentrer dans la région des mots.... Il ne reste de nous que nos événements, nos mots.... Il ne reste de nous que nos événements, sensations, images, souvenirs, idées: ce sont eux qui constituent notre être.» Et il appelle notre moi «*la* FILE de nos événements» de conscience.

Voici la partie la plus célèbre de son argumentation. L'illusion de l'esprit, d'après M. Taine, «serait semblable à celle d'un homme qui, pour mieux connaître une longue planche, l'aurait divisée en triangles, en losanges, en carrés, tous marqués à la craie, et qui dirait en parcourant tour à tour les divisions de sa planche: cette planche est ici un carré, tout à l'heure elle éluit un losange, là-bas elle sera un triangle; j'ai beau avancer, reculer, me rappeler le passé, prévoir l'avenir, je trouve toujours la planche invariable, identique, unique, pendant que ses divisions varient; donc elle en diffère, elle est un être distinct et subsistant, c'est-à-dire une substance indépendante, dont les losanges, les triangles et les carrés ne sont que les états successifs. Par une illusion d'optique, cet homme crée une substance vide qui est la *planche en soi.* Par une illusion d'optique semblable, nous créons une substance vide qui est le *moi* pris en lui-même. De même que la planche n'est que la série continue de ses divisions successives, de même le moi n'est que la trame continue de ses événements successifs».

Le lecteur un peu exercé n'aura pas de peine à découvrir le sophisme qui se cache sous ces images. La planche et ses divisions sont entre elles dans le rapport du tout à ses parties, tandis que le moi et ses opérations sont dans le rapport de cause à effets. S'il est clair que la collection des parties de la planche ne soit pas distincte du tout, il n'est pas moins évident que la collection des effets est distincte de leur cause.

La confusion de Taine est donc manifeste; son erreur est de vouloir faire des effets une partie de la cause, des opérations une partie de l'agent qui opère. Non, l'âme n'est pas la collection ou la file des phénomènes de conscience, mais la cause qui les produit en nous. Comme nous l'avons déjà dit, les phénomènes passent et leur cause demeure identique à elle-même; on ne saurait donc les confondre.

Cette confusion, du reste, nous conduirait aux conclusions les plus absurdes. Non seulement notre identité personnelle serait détruite à chaque instant, puisque à chaque instant nos pensées, nos sensations, nos volitions se succèdent et passent; non seulement notre mémoire — nous l'avons vu — serait rendue impossible, puisque le témoin du passé s'évanouirait à chaque instant; mais la *file* elle-même de nos événements s'arrêterait. En effet, supposons trois idées qui devraient se suivre dans la proposition suivante: *l'homme est mortel*. Ce n'est pas la première idée, *homme*, qui peut produire la seconde, *est*, ni la seconde qui peut produire la troisième, *mortel*; la file sera donc arrêtée si vous avez supprimé le moteur central de la pensée, l'âme. De même, supposez trois sentiments hétérogènes et successifs: *amour, haine, espérance*. Ce n'est pas l'amour qui produit la haine ni la haine qui peut produire l'espérance. Il faut donc rétablir le moteur central, l'âme, qui nous fera passer par ces trois phases du sentiment, si vous ne voulez pas que leur *file* soit rendue impossible.

Que diriez-vous d'un observateur assez superficiel pour définir une montre ou une horloge: la *file* des mouvements ou des tours d'aiguilles sur un cadran, sans faire aucune mention du ressort invisible qui les fait tourner? ou qui croirait naïvement que c'est le premier tour d'aiguille qui cause le second, le second qui cause le troisième, ainsi de suite, en sorte que la causalité d'un ressort intérieur serait à ses yeux «une hypothèse superflue»? Eh bien! ce rêveur ne serait pas plus aveugle ni plus systématique que nos phénoménistes ne voulant voir dans la conscience que la file des événements dont elle est le théâtre, et négligeant l'agent qui les produit.

Cet agent, nous l'appelons l'âme ou le moi. Le fait de son existence et de son opération incessante en nous est d'une évidence tellement primordiale que, pour ne pas vouloir le constater, il faudrait avoir bu à longs traits dans la coupe des utopies idéalistes et délirantes de la Germanie. Du fond de nos consciences s'élèvera toujours le cri du bon sens et de l'évidence: JE suis, JE pense, J'agis! Toutes les subtilités du phénoménisme s'évanouissent comme une ombre devant la splendeur de cette simple affirmation.

Il ne faut donc pas croire ceux qui répètent, après Kant, que l'être ou le noumène, comme ils disent, est situé en dehors et au delà du monde phénoménal. Il lui est présent, au contraire, et c'est dans le phénomène même que nous le découvrons, parce que l'action, toujours inséparable de l'agent, nous le manifeste, bien loin de nous le cacher. Si le phénomène est essentiellement ce qui *apparaît*, il faut bien que l'agent apparaisse avec son action, en elle et par elle: impossible de saisir l'un sans l'autre. Du reste, l'idée de moi-agent n'est pas innée; donc elle est expérimentale.

Voilà pourquoi les Docteurs de l'Ecole sont unanimes à faire de l'être concret et substantiel l'objet véritable du sens *intime*, quoique ce soit, *per accidens*, puisqu'il n'est saisi qu'à travers son action et par son action. Seule, la *nature* de l'être n'est découverte que par le raisonnement; mais son existence est objet d'une simple perception.

L'être concret est aussi l'objet de l'*intelligence*. Objet direct pour Scot et Suarez; objet indirect pour saint Thomas, d'après lequel l'intelligence saisirait d'abord l'abstrait et puis seulement le concret par un retour ou une réflexion sur la chose abstraite. Mais, dans les deux hypothèses, l'être concret est bien un objet d'intuition, soit pour les sens, soit pour l'intelligence, et non pas objet d'une foi aveugle, comme certains le répètent faussement.

Tel est l'exposé succinct de la doctrine traditionnelle sur la *substance*. Il sera curieux et instructif de mettre en parallèle celle de M. Bergson: espérons que du contraste jaillira la lumière.

D'abord, il n'hésite point à affirmer cette thèse inintelligible qu'il y a des actions sans agent, des mouvements sans chose mue, des attributs sans sujet, des manières d'être sans être. «En vain, dit-il, on cherche ici, sous le changement, la chose qui change: c'est toujours provisoirement, et pour *satisfaire notre imagination*, que nous attachons le mouvement à un mobile. Le mobile fuit sans cesse sous le regard de la science, celle-ci n'a jamais affaire qu'à la mobilité.» Et il répète à satiété dans tout son ouvrage: «Il n'y a pas de choses, il n'y a que des actions.»

Quelle preuve donne-t-il d'une assertion si renversante pour le sens commun? Il n'en donne aucune. Il lui suffit d'un geste de mépris pour «ces choses *énormes* qui s'appellent la Substance, l'Attribut et le Mode» Il faut donc le croire sur parole. Puisqu'il a posé en principe, avec Héraclite, que «tout s'écoule et que rien ne demeure», il faut bien conclure, malgré l'évidence contraire, que la substance qui demeure n'est qu'illusion, forgée pour «satisfaire notre imagination», alors que nous l'admettons, soit pour satisfaire aux exigences de notre raison qui se refuse obstinément à comprendre une action sans agent, soit aussi pour satisfaire au témoignage de notre conscience qui affirme si énergiquement l'identité et la permanence de notre moi agissant, sous le flot mobile de ses actions ou de ses passions.

Ce principe héraclitien du devenir pur ou de l'écoulement perpétuel de toute chose doit conduire encore plus loin M. Bergson: ce n'est pas seulement la substance qu'il doit nier, mais jusqu'à la permanence de ses qualités ou de ses états. Qualités d'états ne seront pour lui que des vues instantanées prises sur le changement perpétuel, et que nous «solidifions» faussement en leur prêtant une durée quelconque.

«En réalité, le corps change de forme à tout instant — de même pour l'esprit; — ou plutôt il n'y a pas de forme, puisque la forme est de l'immobile et que la réalité est mouvement. Ce qui est réel, c'est le changement continuel de forme: *la forme n'est qu'un instantané pris sur une transition*. Donc, ici encore, notre perception s'arrange (?) pour solidifier en images discontinues la continuité fluide du réel. Quand les images successives ne diffèrent pas trop les unes des autres, nous les considérons toutes comme l'accroissement ou la diminution d'une seule image *moyenne* ou comme la déformation de cette image dans des sens différents. Et c'est à cette image *moyenne* que nous pensons quand nous parlons de l'essence d'une chose ou de la chose elle-même.»

Mais une *image moyenne* peut-elle nous tenir lieu de la substance et la remplacer? Nullement, puisqu'elle ne saurait jouer le double rôle, statique et dynamique, de la substance.

Une image moyenne, en effet, n'est qu'une vue de l'esprit qui est bien incapable de servir de support ou de substrat aux autres images, je veux dire aux autres qualités ou états fluides dont nous prendrions des vues instantanées.

Encore moins peut-elle jouer le rôle d'agent relativement a ces diverses images. Elle est un effet produit, et nullement une cause productrice, une source d'où les phénomènes émaneraient.

En sorte que l'explication par une *image moyenne* n'explique rien puisqu'elle laisse toujours les attributs sans sujet et les actions sans agent.

Un exemple va faire saisir clairement notre pensée. Lorsque je dis que «tel enfant devient un homme», il est clair que je n'attribue nullement le qualificatif «homme» au sujet «enfant». Et l'absurdité ne serait nullement diminuée en attribuant «l'image moyenne» de l'homme à «l'image moyenne» de l'enfant. Ma phrase est donc elliptique: elle sous-entend le véritable sujet: tel *être humain*, Pierre, qui était enfant, devient un homme. Or, cet être humain, qui a revêtu successivement deux figures, tout en demeurant au fond identique et le même, est précisément ce que nous avons appelé une *substance* ou un *être* dans la plénitude de ce mot: un *être subsistant*.

M. Bergson est allé au-devant de l'objection et dissimule mal l'embarras qu'elle lui cause. «Quand nous disons que «l'enfant devient homme», écrit-il, gardons-nous de trop approfondir le sens littéral de l'expression. Nous trouverions que, lorsque nous posons le sujet «enfant», l'attribut «homme» ne lui convient pas encore, et que, lorsque nous énonçons l'attribut «homme», il ne s'applique déjà plus au sujet «enfant». La réalité, qui est la *transition* de l'enfance à l'âge mûr, nous a glissé entre les doigts.... La vérité est que, si le langage se moulait ici sur le réel, nous ne dirions pas: «l'enfant devient homme», mais «*il y a devenir* de l'enfant à l'homme.... «devenir» est un sujet. Il passe au premier plan. Il est la réalité même....»

En vérité, voilà une explication originale, dont l'esprit humain ne s'était point encore avisé. Ce n'est plus «monsieur Pierre» qui d'enfant devient homme, mais «monsieur Devenir», puisqu'il est le sujet et la seule réalité. Et comme le «devenir» est impersonnel, n'appartenant à personne — ce que M. Bergson exprime fort bien en disant: «IL Y A devenir», comme on dit: IL pleut ou IL neige, — concluons que *personne,* dans ledit changement, n'a passé de l'enfance à l'âge mûr.

Conclusion si contraire à ce sens commun — auquel M. Bergson est le premier à rendre hommage — qu'elle suffit a réfuter une explication si excentrique.

Aussi bien ce philosopha lui-même va-t-il faire appel à une théorie beaucoup plus subtile et profonde, âme de toute la philosophie bergsonienne, la théorie du Temps ou de la Durée, pour tenter d'expliquer autrement ce grand fait psychologique de la permanence et de l'identité personnelle, que notre conscience pose si fermement comme une barrière infranchissable à tout phénoménisme négateur de la substance.

Nous avons déjà longuement décrit la notion bergsonienne du temps. Il nous suffit de rappeler ici au lecteur qu'après avoir confondu le temps — longueur ou mesure de durée — avec la conscience qui dure, c'est-à-dire confondu le contenant avec son contenu, et la mesure avec la chose mesurée, il avait été conduit à donner à cette chose elle-même, à la conscience qui dure, une définition tout à fait nouvelle.

Pour M. Bergson, la durée consciente fait «boule de neige». Le passé, loin d'être passé, est toujours présent. Et c'est ce grossissement perpétuel du présent par le passé, augmentant sans cesse en avançant dans l'avenir, qui va permettre au phénomène de faire fonction de substance, à la conscience présente de jouer le rôle de personne toujours identique à elle-même.

Ecoutons l'exposition de ce système par son inventeur lui-même. «La durée est l'étoffe même de la réalité ... la substance même des choses ... l'étoffe même de notre vie.» «Mon état d'âme, en avançant sur la route du temps, s'enfle continuellement de la durée qu'il ramasse (?); il fait pour ainsi dire boule de neige avec lui-même.... Notre durée n'est pas un instant qui remplace un instant: il n'y aurait alors jamais que du présent, pas de prolongement du passé dans l'actuel, pas d'évolution, pas de durée concrète. La durée est le progrès continu du passé qui ronge l'avenir et qui gonfle en avançant.... En réalité, le passé se conserve de lui-même automatiquement. Tout entier, sans doute, il nous suit à tout instant: ce que nous avons senti, pensé, voulu depuis notre première enfance est là, penché sur le présent qui va s'y joindre, pressant contre la porte de la conscience qui voudrait le laisser dehors.»

«Son passé (de chaque être) se prolonge tout entier dans son présent, y demeure actuel et agissant. Comprendrait-on autrement qu'il traversât des phases bien réglées, qu'il changeât d'âge, enfin qu'il eût une histoire?»

«Nous traînons derrière nous, sans nous en apercevoir, la totalité de notre passé; mais la mémoire ne verse dans le présent que les deux ou trois souvenirs qui compléteront par quelque côté notre situation actuelle.... C'est dans la durée pure que nous nous replongeons, une durée où le passé, toujours en marche, se grossit sans cesse d'un présent absolument nouveau.... Que l'action grossisse en avançant, qu'elle crée au fur et à mesure de son progrès, c'est ce que chacun de nous constate quand il se regarde agir.»

Inutile de prolonger encore ces citations. Elles suffisent à montrer que nous n'avons pas trahi la pensée de l'auteur. Et puisqu'il vient de fuire appel à notre expérience, c'est sur ce terrain de l'observation que nous porterons le débat.

Certes, tout n'est pas faux dans les descriptions précédentes. Il est bien vrai, par exemple, que notre durée n'est pas un instant qui remplace un autre instant. Nous ne sommes pas à chaque instant anéantis et de nouveau créés, car notre identité personnelle, loin d'être détruite et remplacée à chaque instant, demeure la même de notre naissance à notre mort, comme l'observation consciente la plus élémentaire nous l'atteste avec pleine évidence. Mais ce fait prouve précisément notre thèse: qu'il y a sous nos actions passagères un agent qui subsiste toujours identique à lui-même; un être subsistant sous nos manières d'être multiples et fugitives.

La deuxième observation portera sur un point de la plus haute importance dans la thèse bergsonienne et non moins facile à vérifier. Le passé, dit-on, se conserve. — Oui, métaphoriquement, mais sous quelle forme? Toute la question est là. Hier, j'ai visité Rome et admiré la basilique de Saint-Pierre. Aujourd'hui, loin de Rome, cette vision si émouvante demeure bien vive en mon esprit, mais sous une forme toute nouvelle. Ce n'est plus du réel que mes yeux contemplent, mais une image mentale gravée dans mon esprit et dans mon cœur que je perçois. En un mot, ce n'est plus une intuition, mais le souvenir d'une intuition disparue. Or, cette image mentale, quoiqu'elle rappelle le passé, est vraiment actuelle et présente. C'est donc du présent, et non du passé, qui s'ajoute au présent.

Autre exemple: ma jeunesse s'est donc, elle aussi, conservée? dira le vieillard. Mais quelle amère ironie, alors qu'il ne peut même plus découvrir en lui l'ombre de sa jeunesse!

Ce qui se conserve n'est donc pas le passé, mais un souvenir du passé. Cependant, le passé peut laisser des effets qui demeurent plus ou moins de temps, par exemple, une empreinte, ou encore une accumulation de matériaux. Ainsi l'animal, en grandissant, conserve plus ou moins la figure qu'il a reçue et les réserves de matière qui sont un legs du passé. Nouvelle preuve que tout ne passe pas et qu'il y a aussi du stable sous le mouvant. Mais un héritage du passé n'est pas le passé lui-même. Après avoir longtemps grandi et grossi, l'animal finit avec l'âge par diminuer de poids et de taille: il maigrit, il se rabougrit, l'homme «redevient en enfance». Après avoir longtemps enroulé son fil et grossi son peloton, voici que le peloton se déroule. Direz-vous que c'est le Temps qui revient sur ses pas et remonte à son point de départ? Il est clair que non, le Temps étant irréversible. Donc, le «peloton» ou la «boule de neige», ce n'était pas du temps accumulé, du passé mis en conserve, c'était tout autre chose: un legs matériel du passé.

Le passé, comme tel, n'est donc plus — quoique ses effets puissent demeurer matériellement et son souvenir être toujours conservé présent à mon esprit ou à mon cœur, — et partant, le passé qui n'est plus est incapable de s'ajouter, au présent, de gonfler le présent ou de faire avec lui boule de neige, pour jouer le rôle de substance. Ce sont là des métaphores créées pour l'équivoque, des bulles de savon brillantes et qu'un simple coup d'épingle suffit à dégonfler.

Ce coup d'épingle — nous l'avons déjà vu — a été donné d'une manière spirituelle et décisive par M. Fouillée: «Ce sera, dit-il, l'originalité des bergsoniens d'avoir inventé un nouveau *sophisme du chauve*. Les cheveux de l'homme chauve existent encore, puisqu'il en a l'idée et que cette idée *opère* pour l'inciter à faire sur son crâne des lotions régénératrices; donc, le chauve n'est pas chauve.»

Sous prétexte qu'il y a continuation du passé au présent, on confond le passé avec le présent. Mais alors le principe de continuité universelle nous permettrait de tout confondre.

M. Bergson ajoute—et ce sera l'objet de notre troisième observation— que, non seulement le passé se conserve, mais qu'il se conserve *tout entier, automatiquement*. Certes, ce n'est pas l'expérience qui a pu lui inspirer cette théorie. Nous ne saisissons qu'un trop grand nombre de lacunes et d'oublis dans la trame de notre passé, surtout le plus lointain; et l'effort si pénible qui nous est imposé pour retenir ou apprendre par cœur ce que nous avons lu ou entendu est tout l'opposé d'une facilité spontanée ou automatique.

Ces deux traits sont d'une invraisemblance manifeste, mais l'auteur en a besoin pour compléter sa notion *a priori*. Si le passé se conserve dans le présent, en faisant boule de neige, aucune parcelle de ce passé ne saurait être exceptée, puisqu'il lui suffit d'avoir été pour être encore. D'autre part, puisque la mémoire n'est plus une faculté ni un effort de nos puissances, l'enregistrement du passé dans le présent ne peut se faire *qu'automatiquement* et sans que notre liberté s'en mêle. Nous devrions retenir, comme nous devenons vieux, par le seul écoulement du temps, et malgré nous.

Mais ce n'est pas seulement les faits d'expérience les mieux établis que contredit la théorie bergsonienne; elle se contredit elle-même. D'une part, en effet, elle a posé en thèse fondamentale, avec Héraclite, que *tout passe et rien ne demeure*; d'autre part, par sa théorie du temps «boule de neige», elle soutient que *tout demeure et que rien ne passe*, puisque le passé demeure et qu'il s'accroît même sans cesse.

Il faudrait pourtant choisir entre ces deux conceptions opposées et contradictoires. Que si M. Bergson refuse de choisir et d'en sacrifier aucune, c'est un aveu manifeste qu'il est indispensable d'ajouter à l'élément phénoménal qui passe un élément statique qui demeure, si l'on veut expliquer à la fois la mobilité des phénomènes de conscience et l'identité permanente du sujet conscient. C'est le triomphe de notre thèse.

Pour nous, l'élément stable est la source causale d'où rayonnent tous l'os phénomènes, et l'accord des deux éléments ont ainsi compris comme un simple rapport de la cause une et permanente à ses effets multiples et passagers.

Pour M. Bergson, au contraire, c'est le passé qui demeure et s'enroule avec le présent, c'est donc le passé qui est présent, le mouvant qui est stable: et la contradiction la plus flagrante est par là même introduite au sein du système.

Pour la dissimuler au regard des lecteurs moins attentifs, il suffira de ne jamais mettre en présence les deux thèses contradictoires, mais de s'en servir tour à tour, suivant les besoins du moment. Veut-on expliquer la mémoire et la permanence du moi toujours identique à lui-même, on fera paraître la «boule de neige» et la prétendue persistance du passé dans le présent. Veut-on expliquer le fond de la réalité elle-même, soit matérielle, soit spirituelle, aussitôt l'on enfourche l'autre grand cheval de bataille: tout est fluide et mouvant.

Janus avait aussi deux faces opposées. Celle que nous montre habituellement le bergsonisme et qui le caractérisera dans l'histoire, c'est la seconde, celle de la fluidité et de la mobilité essentielle et universelle de toute existence: *il n'y a pas de choses, il n'y a que des actions sans agent.* Voyons-en les conséquences à un nouveau point de vue, celui de la critériologie ou de la distinction du vrai et du faux.

Après avoir fait évanouir l'être dans un perpétuel et insaisissable devenir, la philosophie bergsonienne doit, par une conséquence fatale, ruiner par la base toute science de l'être.

Certes, l'intention de l'auteur n'est pas de ruiner la Vérité. Loin de là, il la recherche sincèrement, avidement, et nous l'avons entendu s'écrier: «Et il n'y a pourtant qu'une vérité!» exclamation qui n'est pas d'un sceptique. Mais les bonnes intentions ne suffisent pas à enrayer la logique d'un système. Or, nous croyons qu'un système où le sujet et l'objet de la connaissance sont soumis à un devenir radical, à un changement total et perpétuel, aboutit, bon gré, mal gré, à la ruine de toute science et de toute vérité.

La Vérité, c'est ce qui est; la science est la connaissance de ce qui est. Mais si ce qui est est essentiellement fuyant et insaisissable, fuyante et pareillement insaisissable sera la Vérité. Suivant une comparaison célèbre, «rechercher la vérité ne sera désormais que poursuivre des oiseaux qui s'envolent». C'est la ruine de toute science humaine. Cette conséquence inadmissible avait été dénoncée par les premiers penseurs de la Grèce. Voici en quels termes saisissants Platon faisait déjà dialoguer sur ce sujet Socrate et Cratyle.

«Si l'être passait incessamment, serait-il possible de dire qu'il existe et ce qu'il est? Tandis que nous parlons, ne serait-il pas déjà autre, et n'aurait-il pas perdu sa première forme? — (Cratyle) Nécessairement. — (Socrate) Or, comment une chose pourrait-elle être, qui ne fut jamais de la même manière? Car s'il n'y a un moment où elle demeure semblable à elle-même, il est clair que dans ce moment-là elle ne passe point.... En outre, une pareille chose ne pourrait être connue par personne. Car, tandis qu'on s'approcherait pour la connaître, elle deviendrait autre; de sorte qu'il serait impossible de savoir ce qu'elle est et comment elle est. Il ne saurait y avoir connaissance d'un objet qui n'a pas de manière d'être déterminée..... On ne peut pas même dire qu'il puisse y avoir une connaissance quelconque, si tout change sans cesse et si rien ne subsiste. Car si cette chose même que nous nommons la connaissance ne cesse pas d'être la connaissance, la connaissance subsiste et il y a connaissance. Mais si la forme même de la connaissance vient à changer, elle se change en une autre forme qui n'est pas celle de la connaissance, et il n'y a plus connaissance; et si elle change toujours, il n'y aura jamais de connaissance. Mais si ce qui connaît subsiste, si ce qui est connu subsiste aussi ... cela ne ressemble guère à cette mobilité et à ce flux universel dont nous parlions tout à l'heure.»

Dans le *Sophiste*, Platon revient encore sur cette démonstration capitale pour conclure: «Certes, il faut combattre avec toutes les armes du raisonnement celui qui (par le mobilisme universel), détruisant la science, la pensée, l'intelligence, prétend encore pouvoir affirmer quelque chose de quoi que ce soit.»

C'est donc à la négation de la pensée elle-même que nous conduit la négation de l'être. Et comme la pensée humaine manifeste son savoir principalement de deux manières, par la *définition* et par la *preuve* — la définition qui indique l'essence d'un objet, la preuve qui démontre son existence, — nous allons montrer combien gravement sont atteintes et ruinées ces deux manifestations de la vérité ou de la science.

D'*abord*, comment donner une *définition* de ce qui change sans cesse et qui est le changement par essence? Il est clair que c'est tout à fait impossible. A peine aurez-vous ouvert la bouche pour essayer une définition, vous devriez vous arrêter et vous taire, puisque l'objet à définir aurait déjà changé et ne serait plus le même. En affirmant que le mouvement est la seule réalité ou que tout est mouvement, la philosophie nouvelle a donc rendu toute définition impossible.

Cette conséquence s'impose si clairement que M. Bergson, bien loin de la nier, doit en faire l'aveu. Parlant de la vie, il admet qu'une définition exacte n'en saurait être formulée, et la raison qu'il en donne est celle que nous venons d'alléguer nous-mêmes: «Une définition parfaite ne s'applique qu'à une réalité faite; or, les propriétés vitales ne sont jamais entièrement réalisées, mais toujours en voie de réalisation: ce sont moins des *états* que des *tendances*.» «Ni l'intelligence ni l'instinct ne se prêtent à des définitions rigides; ce sont des tendances et non pas des choses faites.... C'est pourquoi, ajoute-t-il, on ne devra voir dans tout ce qui va suivre qu'un dessin schématique, où les contours respectifs de l'intelligence et de l'instinct seront plus accusés qu'il ne le faut et où nous aurons négligé l'estompage qui vient tout à la fois de l'indécision de chacun d'eux et de leur empiétement réciproque l'un sur l'autre.... Il sera toujours aisé de rendre ensuite les formes plus floues, de corriger ce que le dessin aurait de trop géométrique, enfin de substituer à la raideur d'un schéma la souplesse de la vie.»

Tel est le secret de la préoccupation constante qu'affecte M. Bergson d'atténuer ou d'exténuer toutes ses affirmations ou négations, d'estomper ou de rendre flou tout ce qui aurait le défaut d'être clair et net, surtout en ce qui concerne le monde vivant. On croirait qu'il a adopté la maxime célèbre: «Rien n'est vrai que le vague.» Jamais on ne saura, par exemple, si, à ses yeux, le vivant, même le plus parfait, tel que l'homme, est *un* ou *multiple*. L'un et le multiple, dit-il, sont des catégories qui ne s'appliquent pas aux vivants, ou du moins qu'il s'avoue incapable de leur appliquer.

Mais on aurait grand tort d'en conclure que cette impossibilité de rien définir nettement est propre au monde de la vie. Elle doit s'appliquer aussi à la matière brute, et pour la même raison. Déjà n'avons-nous pas entendu M. Bergson nous dire: «Matière ou esprit, la réalité nous est apparue comme un perpétuel devenir. Elle se fait ou elle se défait, mais elle n'est jamais quelque chose de fait.»

Puisqu'il n'y a en elle jamais rien de fait, mais un perpétuel et insaisissable devenir, il n'y a donc là encore rien de définissable.

Par exemple, la matière est-elle étendue ou inétendue? Elle n'est ni l'un ni l'autre ou les deux à la fois, car «elle s'*étend* dans l'espace sans y être absolument *étendue*». «Elle est l'extra-spatial se dégradant en spatialité.» «Ainsi, quoiqu'elle se déploie dans le sens de l'espace, la matière n'y aboutit pas tout à fait.»

Même réponse pour savoir si la matière est ou n'est pas esprit, si elle est une ou multiple, finie ou infinie, si elle dure ou ne dure pas, etc..

A cette difficulté extrême — disons impossibilité — pour l'intelligence de rien définir s'en ajoute une nouvelle du côté de l'intuition. Cette faculté, dont nous parlerons plus tard, inventée par M. Bergson pour suppléer aux lacunes de l'intelligence, est censée voir le fond même des choses, à l'intérieur desquelles elle peut pénétrer. Elle voit donc des réalités que l'intelligence ne voit pas, mais, ne pouvant les exprimer qu'avec les catégories de l'intelligence qui ne leur sont plus applicables — puisqu'elle «transcende toutes les catégories», — elle reste muette et sans voix, malgré sa clairvoyance. Elle ne peut donc rien définir, au moins en langage intelligible, et son témoignage ne peut qu'ajouter à la nébulosité vague des nouvelles définitions.

Un exemple typique nous est fourni par la fameuse notion bergsonienne du Temps, déjà rencontrée sur notre chemin. A la notion intellectuelle de *Temps-longueur de durée*, comprise de tous, savants et ignorants, M. Bergson oppose celle de *Temps-invention*, que l'intuition, dit-il, lui a révélée et qu'il définit tour à tour, comme une *force active, psychique*, comme une *vie*, un *courant de vie*, un *élan vital*, un *effort*, une *conscience*, une *supra-conscience*, une *liberté*, un *vouloir*, un *choix*, une *intuition*, un *progrès*, une *croissance* perpétuelle, une *continuité de changements*, une *invention* de nouveautés toujours imprévisibles, une *création* incessante, une *exigence* perpétuelle de création; — ou bien encore comme l'*étoffe* dont toute chose est faite,

126

comme la *substance* et la *réalité* même des choses;—enfin, comme un *accroissement progressif de l'Absolu*, une *mémoire*, une *prolongation* du passé dans le présent, etc., etc..

Il est clair que cet amoncellement de notions incompatibles, soit entre elles, soit avec ce que tout le monde appelle le Temps, transcende complètement toutes nos catégories intellectuelles; c'est de l'inintelligible et partant du verbalisme pur: *verba et voces*! Molière eût appelé cela, très irrévérencieusement, un triple galimatias, ou l'eût comparé au chapeau d'Arlequin, susceptible des formes les plus variées et les plus étranges.

Après ces explications, nous ne mettrons plus en doute que la philosophie du non-être ou du devenir pur a ruiné toute possibilité de rien définir. Il est même impossible de définir ce devenir par sa *direction*—comme M. Bergson le suppose,—car s'il n'y a plus rien de fixe et de stable, on ne saurait plus parler, sans se contredire, de direction fixe et définissable. Tout au plus pourrait-on parler d'une *direction de la direction elle-même*, et l'on pressent dans quelle imprécision vague et désespérante nous retombons. C'est la dissolution de toute netteté dans la pensée, et de la pensée elle-même qui ne vit que de précision et de clarté.

Si les hommes, disait Leibnitz, s'entendaient pour définir avec précision ce dont ils parlent, presque toutes leurs discussions cesseraient.

Aux antipodes de cette maxime si profonde se place une philosophie qui, par principe, déclare ne pouvoir rien définir exactement et ne se mouvoir que dans le vague et l'équivoque. Dès lors, dans la bataille des idées, on ne sait même plus pour qui ni pourquoi l'on se bat; et ce serait pourtant si nécessaire de le savoir!

A la ruine de la *définition* va s'ajouter celle de la *preuve*. Toute preuve ou démonstration rationnelle, en effet, s'appuie sur des *principes* nécessaires. Ainsi, par exemple, je démontre un théorème de géométrie par ce principe que *deux quantités égales à une troisième sont égales entre elles*. Eh bien! voyons ce que deviennent dans la philosophie nouvelle ces éléments fondamentaux de la démonstration: les premiers principes.

Tout d'abord, les principes nécessaires et absolus d'*identité*, de *contradiction*, de *causalité* s'évanouissent fatalement dans un système où rien n'est fixe et permanent, où, au contraire, tout est changement perpétuel et fluidité insaisissable.

«Y a-t-il des vérités éternelles et nécessaires? On en peut douter», écrivait un des plus brillants disciples de la nouvelle école; et il ajoutait: «Axiomes et catégories, formes de l'entendement ou de la sensibilité, tout cela devient, tout cela évolue, l'esprit humain est plastique et peut changer ses plus intimes désirs.»

Sans doute, ces messieurs daignent encore retenir pour leur usage les principes les plus pratiques, tels que 2 + 2 = 4, mais uniquement comme des formules *commodes*, sans aucune valeur intellectuelle. Comme si le principe 2 + 2 = 4 pouvait avoir une valeur pratique pour régler avec mon créancier, sans aucune valeur théorique, alors que toute son utilité vient de sa vérité!

Reconnaissons volontiers que nous n'avons pas encore rencontré sous la plume de M. Bergson lui-même des assertions si audacieuses et d'une crudité si révoltante. Nous avons déjà vu le soin qu'il prenait à «estomper» et à «rendre flou». Ajoutons même que, dans ses précédents ouvragées, il avait nettement maintenu le caractère absolu du principe d'identité ou de contradiction. «Le principe d'identité est la loi absolue de notre conscience, écrivait-il; il affirme que ce qui est pensé est pensé au moment où on le pense; et ce qui fait l'absolue nécessité de ce principe, c'est qu'il ne lie pas l'avenir au présent, mais seulement le présent au présent: il exprime la confiance inébranlable que la conscience se sent en elle-même, tant que, fidèle à son rôle, elle se borne à constater l'état actuel apparent de l'âme.»

Mais ces lignes étaient écrites il y a plus de vingt-deux ans, vers 1889, et longtemps avant l'apparition de la philosophie du devenir. Leur auteur les écrirait-il de nouveau aujourd'hui sans les «estomper» et les «neutraliser»? Nous ne le croyons pas. Son monisme le lui interdit. Quoi qu'il en soit, elles ne cadrent plus avec cette philosophie nouvelle où tout s'écoule et où rien ne peut demeurer fixe et le même.

Si l'être existe, il est nécessairement identique à lui-même: A = A. C'est la première vérité qui saute aux yeux de celui qui, après avoir saisi l'être, le compare avec lui-même. Partant, il ne peut être identique à la négation de lui-même. L'être ne peut, être identique au non-être.

C'est le principe de contradiction: *Idem non potest esse et non esse.* Impossible d'affirmer et de nier en même temps, car aucun homme sincère ne saurait croire à l'identité de l'affirmation et de la négation.

Que si, au contraire, l'être n'est plus qu'une illusion, s'il n'y a jamais rien de fait ni de saisissable dans le réel, vous ne pouvez plus le dire identique à lui-même. Dans la même phrase, vous ne pouvez plus unir un sujet à un attribut, puisque entre ces deux instants du devenir le sujet a déjà changé nécessairement et par définition.

Bien plus, dans le même instant, s'il n'y a plus d'être stable sous le changement, s'il n'y a que du changement pur, vous ne pouvez plus l'arrêter au passage, le fixer, le «congeler» pour dire ce qu'il est, car toute son essence est de changer et de n'être jamais identique à lui-même.

M. Le Roy nous accorderait toutefois que si le principe de contradiction n'est plus la loi du réel, il demeure «la loi suprême du discours». Mais cette concession nous paraît bien vaine. Toute la valeur du discours étant dans sa conformité avec le réel, on ne peut plus exclure la contradiction dans le discours après l'avoir admise dans le réel. S' «il y a de la contradiction dans le monde», comme l'affirme M. Le Roy, il faut bien admettre qu'il y en ait aussi dans le discours et la pensée qui doivent représenter ce réel.

En brisant le principe d'identité ou de contradiction, on brise donc les ressorts essentiels de la raison humaine, on identifie les contraires et l'on verse dans tous les délires du monisme panthéistique.

Aristote avait bien saisi toute la gravité de ces conséquences logiques du principe héraclitien et les avait déjà vigoureusement dénoncées.

«Si les contradictoires étaient également vraies, relativement à la même chose, écrivait-il, dès lors tout serait confondu avec tout. Ce serait une seule et même chose qu'une *galère*, un *mur* et un *homme*, si l'on peut indifféremment tout affirmer ou tout nier.... Un homme n'est évidemment pas une galère, mais il l'est ainsi dans le panthéisme d'Anaxagore, pour lequel *toutes choses sont confondues les unes avec les autres*, et par là même il n'y a plus rien qui soit réellement existant.... Car s'il est vrai que tel être soit homme et en même temps non-homme, indifféremment, il n'y a plus réellement ni homme ni non-homme.»

Cette réfutation par l'absurde du monisme d'Héraclite et d'Anaxagore n'est pas moins décisive contre celui de M. Bergson. Celui-ci ne fait que rajeunir l'exemple de la *galère*, du *mur* et de l'*homme* lorsqu'il nous répète avec une insistance inquiétante que, pour lui, «un verre d'eau, l'eau, le sucre et le processus de dissolution du sucre dans l'eau sont sans doute des abstractions». Pour le monisme contemporain, en effet, comme pour le monisme antique, toute distinction réelle des êtres est une illusion, le fond de leur être étant le même.

Voilà où nous conduit l'identité des contraires. Et, comme la contradiction systématique finit par se détruire elle-même, voici la dernière conséquence également dénoncée par Aristote.

«Prétendre que l'être et le non-être sont identiques, c'est admettre l'éternel repos des choses et non leur éternel devenir. Il n'y a rien, en effet, dans ce système en quoi puissent se transformer les êtres, puisque tout est identique à tout» Si tout est identique, assurément, changer serait demeurer identique, et le changement lui-même n'a plus de sens.

Voici donc qu'en soutenant que le mouvement seul existe, on a rendu impossible le mouvement lui-même, justifiant ainsi la critique finale d'Aristote: «Le malheur commun de toutes ces belles théories, c'est, comme on l'a répété cent fois, de se réfuter elles-mêmes.»

Elles détruisent en même temps toute science philosophique. La vérité devenant insaisissable et inaccessible à l'esprit humain, on ne peut plus prétendre à la poursuivre sérieusement. La philosophie cesse d'être une science pour devenir un art. Son objet n'est plus la recherche de ce *qui est*, mais de *ce qui plaît*. Tel est le nouveau critère. Un tableau du système du monde tracé *a priori*, enlevé de chic, revêtu de couleurs étranges, originales et séduisantes—qu'il soit ou non conforme, au monde réel,—s'il peut plaire, sera tenu pour vrai, d'autant plus vrai qu'il plaira davantage par sa hardiesse surtout et sa nouveauté.

Un exemple des plus remarquables va nous en être offert par M. Bergson lui-même. Il va dérouler sous nos yeux, comme dans une vision fantastique, toute la préhistoire et la généalogie des êtres animés et inanimés qui ont peuplé tous les mondes. Après avoir plaisanté l'Ontologie des anciens avec son ambition insensée de connaître les essences des choses, lui-même va les dépasser d'audace en nous découvrant les secrets préhistoriques de la genèse des corps et des esprits et de l'intelligence elle-même: «*Le moment est venu, paraît-il, de tenter une genèse de l'intelligence en même temps qu'une genèse des corps.*»

V

L'ÉVOLUTION DES MONDES

1. *Exposé.* — La réfutation de tous les systèmes évolutionnistes tentés jusqu'à ce jour est une des parties les plus intéressantes et les plus solides de *l'Evolution créatrice*, dont nous entreprenons l'analyse et la critique. M. Bergson s'y montre juste, mais impitoyable pour ses prédécesseurs.

Herbert Spencer est assez malmené. Dès les premières pages de sa préface, l'auteur se hâte de s'attaquer «au faux évolutionnisme de Spencer, qui consiste à découper la réalité actuelle, déjà évoluée, en petits morceaux non moins évolués, puis à la recomposer avec ces fragments et à se donner ainsi, par avance, tout ce qu'il s'agit d'expliquer». Plus tard, il comparera ironiquement sa méthode au jeu de cet enfant qui colle une image toute faite sur un carton, le découpe en petits morceaux, juxtapose ensuite ces fragments et finit par croire que l'image totale ainsi obtenue a été produite par lui, comme s'il en avait produit le dessin et la couleur. L'évolution vraie des choses ne peut donc ressembler en rien à la juxtaposition, si habile qu'elle soit, des fragments de l'évolué.

La théorie de Fichte, quoique un peu moins «dénuée de sens philosophique» que celle de Spencer, ne le conduit guère plus loin. Celui-ci était parti de l'inorganique et prétendait, en le compliquant avec lui-même, reconstituer la vie et la pensée. Celui-là, par un *decrescendo* habilement ménagé, part de l'intelligence et de la vie pour redescendre peu à peu jusqu'à la matière brute. L'un compose et complique avec des éléments donnés, l'autre décompose et dégrade, mais toujours avec des éléments donnés dont on n'indique pas la genèse, alors que l'évolution a précisément pour but de l'expliquer. Le grand tort des uns et des autres est aussi de ne pas voir «la coupure» entre l'inorganisé et l'organisé et de prétendre les tirer l'un de l'autre.

Cette illusion fondamentale étant commune à tous les systèmes d'évolution par simple mécanisme, M. Bergson ne cesse à tout propos de la démasquer et de la confondre.

Le darwinisme n'y échappe point. N'a-t-il pas, lui aussi, la prétention d'expliquer l'évolution par de simples causes accidentelles et extérieures? L'adaptation aux milieux ambiants, la lutte pour la vie, la sélection par le hasard des batailles, la transmission héréditaire des caractères acquis fortuitement ... tout cela sent encore trop le mécanisme, puisque la cause intérieure de l'évolution, l'élan vital originel et sa direction privilégiée en sont rigoureusement exclus.

Le néo-darwinisme est un peu plus heureux quand il recourt, pour expliquer les variations, à des différences inhérentes au germe dont l'individu est porteur, et non pas aux démarches accidentelles de cet individu au cours de sa carrière. Mais ce que M. Bergson ne peut admettre, c'est que ces différences inhérentes au germe soient purement accidentelles et individuelles, alors que tout concourt à prouver qu'elles sont le développement d'une impulsion générale et originelle qui passe de germe en germe à travers les individus et leur imprime sa marque, soit dans la même ligne, soit dans des branches latérales si divergentes que nous sommes tout surpris d'y voir réapparaître certains traits originels que l'on croyait disparus. Ainsi, par exemple, nous retrouvons de grandes similitude dans la structure de l'œil chez des espèces très éloignées et qui n'ont pas du tout la même histoire. Les vertébrés et tel mollusque, l'homme et le Peigne, ont une même rétine. C'est donc là une empreinte d'une même tendance originelle.

D'ailleurs, la théorie nouvelle des *mutations brusques* de M. de Vries est venue modifier profondément le darwinisme sur ce point. La tendance à changer brusquement au bout de certaines périodes ne peut plus être dite accidentelle et individuelle. Malheureusement, cette théorie est encore trop jeune pour qu'elle soit vérifiée. M. de Vries n'apporte qu'un seul fait, d'ailleurs contestable, dans le règne végétal et aucun dans le règne animal.

Lamarck et les néo-lamarckiens sont mieux inspirés lorsqu'ils reconnaissent pour cause essentielle des changements une force, un effort intérieur, ou encore un besoin, puisque leur maxime est que le *besoin crée l'organe*. Mais ils ont grand tort de considérer cet effort comme individuel. L'effort par lequel une espèce modifie ses organes ou ses instincts doit être une chose bien plus profonde et qui ne dépend pas uniquement des circonstances ni des individus, quoique les individus y collaborent, et il n'est pas purement accidentel, quoique l'accident y tienne une large place.

A ces critiques générales des divers systèmes évolutionnistes, M. Bergson en ajoute de particulières, dont nous relèverons les deux plus intéressantes sur l'insuffisance de l'*adaptation* aux milieux ambiants et l'insuffisance de l'*hérédité*.

Voici la première: «Il est bien évident qu'une espèce disparaît quand elle ne se plie pas aux conditions d'existence qui lui sont faites. Mais autre chose est de reconnaître que les circonstances extérieures sont des forces avec lesquelles l'évolution doit compter, autre chose soutenir qu'elles sont les causes directrices de l'évolution. Cette dernière thèse est celle du mécanisme. Elle exclut absolument l'hypothèse d'un élan originel, je veux dire d'une poussée intérieure qui porterait la vie, par des formes de plus en plus complexes, à des destinées de plus en plus hautes. Cet élan est pourtant visible.... La vérité est que l'adaptation explique les sinuosités du mouvement évolutif, mais non pas les directions générales du mouvement, encore moins le mouvement lui même. La route qui mène à la ville, est bien obliger de monter les côtes et de descendre les pentes, clic s'*adapte* aux accidents du terrain; mais les accidents de terrain ne sont pas cause de la route et ne lui ont pas non plus imprimé sa direction.»

L'on ne saurait mieux dire; c'est décisif. La seconde critique ne l'est pas moins.

D'abord les faits nous montrent, d'une manière irréfragable, que la transmission héréditaire des caractères acquis est l'exception et non la règle. Cette simple remarque suffirait à renverser tous les systèmes déjà critiqués. Mais il y a plus, l'exception même devient inexplicable:

«Comment attendre d'elle (de l'hérédité) qu'elle développe (peu à peu) un organe tel que l'œil? Quand on pense au nombre énorme de variations, toutes dirigées dans le même sens, qu'il faut supposer accumulées les unes sur les autres pour passer de la tache pigmentaire de l'Infusoire à l'œil du Mollusque ou du Vertébré, on se demande comment l'hérédité, telle que nous l'observons, aurait jamais déterminé cet amoncellement de différences, à supposer que des efforts individuels eussent pu produire chacune d'elles en particulier.»

Des efforts accidentels et individuels ne suffisent donc pas à expliquer cette «marche à la vision» vers le plus parfait des organes visuels, tel que l'œil du vertébré. Au-dessus des individus, incapables de se concerter entre eux pour un tel but, au-dessus des circonstances accidentelles et fortuites, il faut placer une force supérieure qui les domine et les dirige. Elle seule peut empêcher l'évolution d'être un écoulement aveugle et chaotique, comme l'eau qui déborde, tantôt bienfaisante et tantôt destructrice. Il faut une direction. C'est dire qu'aucun des systèmes évolutionnistes imaginés jusqu'à ce jour n'est capable de résoudre le problème de l'évolution.

Voilà une critique, à nos yeux péremptoire, de l'évolutionnisme, et—quoiqu'il ne l'ait point inventée—nous devons savoir gré à M. Bergson de nous l'avoir si bien exposée. Reste à examiner ce qu'il va nous proposer de mettre à la place, car il ne suffit pas de détruire, il faut encore et surtout remplacer.

D'abord—et ce procédé par antithèse n'est plus pour nous surprendre, —M. Bergson maintient quand même, et malgré tous ses échecs successifs, le principe de l'*évolution universelle*, s'étendant à tous les êtres sans exception. Principe dont nous avons montré ailleurs l'étendue exagérée, car si les faits peuvent nous suggérer d'admettre des évolutions partielles d'une multitude de types primitifs, animaux et végétaux, aucun fait n'autorise la négation de ces types primitifs, aucun ne favorise l'hypothèse de l'évolution universelle s'étendant de la molécule inorganique jusqu'à l'homme et à l'intelligence humaine. Bien loin de là, tous les faits scientifiques, non moins que les impossibilités rationnelles qu'elle implique, la contredisent ouvertement.

Cependant, M. Bergson s'obstine à retenir le principe, et la raison de cette obstination, commune à un si grand nombre de penseurs contemporains, nous la trouvons clairement formulée dans cet aveu d'un de ses collègues en Sorbonne, professeur d'anatomie comparée, et qui n'est nullement suspect d'attaches religieuses: «Je suis absolument convaincu, écrivait-il, qu'on est ou qu'on n'est pas transformiste, non pour des raisons tirées de l'histoire naturelle, mais en raison de ses opinions philosophiques. S'il existait une hypothèse scientifique autre que le transformisme pour expliquer l'origine des espèces (sans recourir à Dieu), nombre de transformistes actuels abandonneraient leur opinion actuelle comme insuffisamment démontrée.»

L'hypothèse de l'évolution universelle et absolue est donc comme la «carte forcée» pour tous ceux qui veulent masquer leur prétention irrationnelle de se passer de Dieu, et cela nous explique la vraie portée des paroles suivantes:

«En soumettant ainsi les diverses formes actuelles de l'évolutionnisme à une commune épreuve, en montrant qu'elles viennent toutes se heurter à une même insurmontable difficulté, nous n'avons nullement l'intention de les renvoyer dos à dos....», mais seulement de les transformer et de les remplacer par une hypothèse nouvelle qui évitera les écueils où toutes les autres sont venues se heurter et se briser.

Le premier de ces écueils, c'était, nous semble-t-il, le souci de faire concorder la théorie avec les faits. Or, ce but est impossible à atteindre, attendu que «les documents nous manquent pour reconstituer cette histoire de l'évolution». Il vaut donc bien mieux, d'après M. Bergson, s'en tenir à des généralités, d'autant que la philosophie «n'est pas tenue aux mêmes précisions que les sciences». La philosophie, que l'on avait fait descendre du ciel sur la terre, va donc remonter un instant dans les nuages pour s'y mouvoir plus à son aise.

Le deuxième écueil était la préoccupation constante d'accorder la théorie avec les premiers principes de la raison, notamment avec le principe de causalité. On supposait toujours qu'en évoluant un être ne pouvait produire que ce qu'il contenait déjà en puissance. Tout était donc donné, à l'origine de l'évolution, au moins à l'état virtuel ou de puissance. Ainsi, par exemple, deux espèces voisines, comme le singe et l'homme, étaient supposées descendre d'un ancêtre commun, à caractères encore indécis, ni homme ni singe, mais pouvant évoluer dans l'un ou l'autre sens, le genre contenant virtuellement les espèces.

C'était encore là un but chimérique, impossible à atteindre, au moins dans l'état actuel de la science. Aussi «les généalogies qu'on nous propose pour les diverses espèces sont le plus souvent problématiques. Elles varient avec les auteurs, avec les vues théoriques dont elles s'inspirent, et soulèvent des débats que l'état actuel de la science ne permet pas de trancher».

Il est donc beaucoup plus simple de s'en passer et de supposer que l'évolution, au lieu de dérouler peu à peu les germes qu'elle portait dans ses flancs, a créé de toute pièce tout ce qu'elle a produit. L'évolution ne sera plus une simple évolution novatrice, mais une création qui se poursuit sans fin en vertu d'un mouvement initial. De là le nom assez contradictoire, mais significatif d'*Evolution créatrice*. Dès lors, plus n'est besoin de trouver des ancêtres communs, des types génériques d'où sortiraient des espèces: *tout peut sortir de tout*, grâce à l'hypothèse d'une création perpétuelle.

Débarrassé de la sorte de tous ces vains scrupules, d'accord avec les premiers principes de la raison ou de concordance avec les faits, on devine combien notre auteur va se mouvoir à son aise dans la description qu'il va nous faire de l'évolution des êtres organisés ou inorganisés, soit sur notre terre, soit «sur d'autres planètes, dans d'autres systèmes solaires». Et c'est l'intuition grandiose de ce poète ou de ce voyant que nous avons hâte d'analyser, après avoir prié le lecteur de vouloir bien se rappeler la fameuse notion bergsonienne du Temps, véritable inspiratrice des théories nouvelles.

Au commencement était le Temps, et le Temps était un principe *psychique*, doué d'*activité*, car «un temps dépourvu d'efficace, du moment qu'il ne fait rien, n'est rien». Comment le définir? C'est bien impossible, car, étant un produit de l'intuition, il ne rentre dans aucune des catégories de l'intelligence. Cependant, «faute d'un meilleur mot», nous avons déjà vu qu'il l'appelle *conscience* ou *superconscience*, mais plus souvent *vie, élan vital, courant de vie, création incessante*, ou *exigence de création, invention, choix, liberté, intuition, vouloir, progrès*, etc.

Cette puissance cosmique n'est pourtant pas infinie, mais strictement limitée et imparfaite, car «il ne faut pas oublier, dit-il, que la force qui évolue à travers le monde organisé est une force limitée qui toujours cherche à se dépasser elle-même et toujours reste inadéquate à l'œuvre qu'elle tend à poursuivie». Or, voici comment l'évolution de cette force originelle s'est tout à coup produite sans aucune cause assignable. «A un certain moment, en certains points de l'espace, un courant bien visible a pris naissance: ce courant de vie, traversant les corps qu'il a organisés tour à tour, passant de génération en génération, s'est divisé entre les espèces et éparpillé entre les individus, sans rien perdre de sa force, s'intensifiant plutôt à mesure qu'il avançait.»

Toutefois, cette marche de l'évolution n'est pas chose si simple, car, au lieu de ne prendre qu'une seule direction et de décrire une trajectoire unique, comme celle d'un boulet de canon, elle s'est fragmentée en un nombre considérable de directions. «Nous avons affaire ici à un obus qui a tout de suite éclaté en fragments, lesquels, étant eux-mêmes des espèces d'obus, ont éclaté à leur tour en fragments destinés à éclater encore, et ainsi de suite pendant fort longtemps....

Quand l'obus éclate, sa fragmentation particulière s'explique tout à la fois par la force explosive de la poudre qu'il renferme et par la résistance que le métal y oppose. Ainsi pour la fragmentation de la vie en individus et en espèces. Elle tient, croyons-nous, à deux séries de causes: la résistance que la vie éprouve de la part de la matière brute, et la force explosive—due à un équilibre instable de tendances—que la vie porte en elle.»

«La résistance de la matière brute est l'obstacle qu'il fallut tourner d'abord. La vie semble y avoir réussi à force d'humilité (!) en se faisant très petite et très insinuante, biaisant avec les forces physiques et chimiques, consentant même à faire avec elles une partie du chemin, comme l'aiguille de la voie ferrée quand elle adopte pendant quelque temps la direction du rail dont elle veut se détacher.» Voilà pourquoi les premières formes de la vie furent d'une simplicité extrême, se distinguant à peine des formes inorganiques. Elles devaient être comparables à celles de nos Amibes, mais avec, en plus, «la formidable poussée intérieure qui devait les hausser jusqu'aux formes supérieures de la vie».

«Mais les causes vraies et profondes de division étaient celles que la vie portait en elle. Car la vie est une tendance, et l'essence d'une tendance est de se développer en forme de gerbe, créant, par le seul fait de sa croissance, des directions divergentes entre lesquelles se partagera son clan.»

138

L'histoire de l'évolution consistera donc à démêler le nombre de ces directions divergentes, à en apprécier l'importance relative, à en faire le dosage pour mettre en relief les directions principales. Or, l'on voit, du premier coup d'œil, que les «bifurcations, au cours du trajet, ont été nombreuses, mais il y a eu beaucoup d'impasses à côté de deux ou trois grandes routes; et de ces routes elles-mêmes, une seule, celle qui monte le long des vertébrés jusqu'à l'homme, a été assez large pour laisser passer librement le grand souffle de la vie.»

D'abord, l'élan originel, quoique simple et unique, s'est partagé entre deux grandes lignes d'évolution divergentes: le végétal d l'animal. La preuve que c'est bien le même élan vital qui s'est ainsi divisé, c'est que quelque chose du tout subsiste encore dans les parties, comme une empreinte originelle. Ainsi nous retrouvons dans les organismes les plus différents des organes semblables ou analogues, «comme des camarades séparés depuis longtemps gardent les mêmes souvenirs d'enfance». C'est donc bien le même élan primitif qui se continue dans les voies les plus diverses.

Comme exemple de ces «analogies profondes», M. Bergson cite «la génération sexuée: elle n'est peut-être qu'un luxe pour la plante, mais il fallait que l'animal y vînt, et la plante a dû y être portée par le même élan qui y poussait l'animal, élan primitif, originel, antérieur au dédoublement des deux règnes. Nous en dirons autant de la tendance du végétal à une complexité croissante. Cette tendance est essentielle au règne animal, que travaille le besoin d'une action de plus en plus étendue, de plus en plus efficace. Mais les végétaux, qui se sont condamnés (!) à l'insensibilité et à l'immobilité, ne présentent la même tendance que parce qu'ils ont reçu au début la même impulsion».

Quoi qu'il en soit de la force ou de la faiblesse de tels arguments, examinons la division prétendue de l'élan vital originel entre les deux règnes, *végétal* et *animal*.

Pour la comprendre, il faudrait tout d'abord connaître les ressemblances et surtout les différences caractéristiques de la plante avec l'animal. Malheureusement, aux yeux de M. Bergson, aucun caractère précis ne les distingue, et toute définition, jusqu'à ce jour, a échoué. Tout au plus pourra-t-on les distinguer par leur *tendance* à accentuer trois caractères plus remarquables.

1° Leur *mode d'alimentation*. Les végétaux tirent leur nourriture, en particulier le carbone et l'azote, directement des substances minérales; l'animal, des substances végétales et déjà élaborées par la vie. Mais cette loi souffre des exceptions: ainsi les champignons s'alimentent comme les animaux, et l'on connaît des plantes insectivores, telles que le Droséra, la Dionée, la Pinguicula, etc. Il n'en est pas moins vrai que les végétaux se distinguent des animaux, pris en bloc, par leur pouvoir de créer de la matière organique aux dépens de l'inorganique.

2° La tendance des végétaux à l'*immobilité* et des animaux à la *mobilité* est une conséquence de leur mode d'alimentation. La plante n'a pas besoin de se déranger pour se nourrir. Trouvant tout ce qu'il lui faut autour d'elle dans la terre imbibée de sucs, elle y reste fixée. L'animal, au contraire, est obligé de chercher sa nourriture, et partant de se mouvoir pour la trouver. Voilà pourquoi la cellule végétale s'entoure d'une membrane de cellulose qui la condamne à l'immobilité, tandis que les animaux supérieurs ont des organes sensoriels pour reconnaître leur proie, des organes locomoteurs pour la saisir, et les animaux inférieurs, tels que les Amibes, ont au moins des pseudopodes qu'ils lancent de divers côtés pour saisir les matières organiques éparses dans une goutte d'eau. Les exceptions à cette seconde loi, pas plus qu'à la première, n'empêchent leur généralité caractéristique.

Mais ces tendances à la fixité ou à la mobilité ne sont encore que des signes superficiels d'une autre tendance encore plus profonde, la tendance au réveil ou à l'atrophie de la conscience.

3° Entre la mobilité et la *conscience,* en effet, il y a un rapport évident. La conscience est-elle cause ou effet de la mobilité? L'un et l'autre sont vrais. C'est la conscience qui fait mouvoir, mais le mouvement, à son tour, stimule et développe la conscience, comme l'absence de mouvement tend à l'atrophier. De ce point de vue, dit M. Bergson, «nous définirons l'animal par la sensibilité et la conscience éveillée, le végétal par la conscience endormie et l'insensibilité».

Et que l'on n'objecte pas que la sensibilité et la mobilité ont pour condition nécessaire un système nerveux. Autant vaudrait dire qu'un être vivant qui n'a pas d'estomac est incapable de se nourrir. La vérité est que le système nerveux est né, comme les autres systèmes, d'une division du travail. Il ne crée pas la fonction, il la développe seulement en la portant à son maximum d'intensité et de précision. «C'est dire que le plus humble organisme est conscient dans la mesure où il se meut *librement*.» Et voilà pourquoi la plante, qui s'est fixée au sol, n'a pu se développer dans le sens de l'activité consciente. Mais sa conscience n'est pas nulle pour cela, elle est seulement endormie. Et, de même qu'elle peut se réveiller chez certains végétaux qui ont reconquis leur mobilité et leur liberté — tels que les zoospores des Algues, — ainsi elle peut s'atrophier et s'endormir chez des animaux dégénérés en parasites immobiles. Conscience et inconscience n'en marquent pas moins les deux directions générales et opposées de l'animal et du végétal.

— Inutile d'interrompre ici cette analyse de l'hypothèse bergsonienne pour en montrer au lecteur le caractère tout *a priori*. Attribuer aux plantes une conscience — inconsciente — dont elles n'ont jamais donné aucun signe, ce n'est pas s'appuyer sur des faits, mais sur un système en l'air et sans aucune base expérimentale. Quant aux prétendus végétaux mobiles et conscients, il n'y a aucune raison sérieuse de ne pas les classer parmi les animaux. Aristote a créé pour eux le nom caractéristique de *zoophytes*, qui leur est resté.

Après cette parenthèse, poursuivons notre exposé de l'évolution bergsonienne.

L'élan vital s'est donc partagé en un double courant: l'un évolue dans le sens de l'activité locomotrice et par conséquent d'une conscience de plus en plus intense, laissant l'autre courant suivre la marche inverse. Celui-ci crée le monde des plantes; celui-là le monde animal. Mais la raison de ce partage? Pourquoi cette division en plusieurs règnes, et même cette division en une multitude d'individus dans chaque règne?

M. Bergson ne peut répondre par l'utilité, la beauté et la grandeur de ce plan de la création, puisqu'il n'admet pas de plan prévu et voulu. Sa réponse n'en sera que plus curieuse et plus instructive.

«A la rigueur, dit-il, rien n'empêcherait d'imaginer un individu unique en lequel, par suite de transformations réparties sur des milliers de siècles, se serait effectuée l'évolution de la vie. Ou encore, à défaut d'un individu unique, on pourrait supposer une pluralité d'individus se succédant en une série unilinéaire.» Pourquoi donc l'évolution s'est-elle faite sur des lignes divergentes et par l'intermédiaire de millions d'individus?—C'est que l'élan originel a acquis peu à peu une multitude de tendances diverses qui ne pouvaient croître sans devenir incompatibles entre elles et tendre à se séparer en des voies différentes. Or, parmi ces tendances, il y en avait deux fondamentales et opposées: l'une vers l'activité, l'autre vers le repos; l'une vers le «travail», l'autre vers la «paresse». La première a produit le monde animal, la seconde, le monde végétal.

«Les deux tendances, qui s'impliquaient réciproquement sous une forme rudimentaire, se sont dissociées en grandissant. De là, le monde des plantes avec sa fixité et son insensibilité; de là, les animaux avec leur mobilité et leur conscience. Point n'est besoin, d'ailleurs, pour expliquer ce dédoublement, de faire intervenir une force mystérieuse. Il suffit de remarquer que l'être vivant appuie naturellement *vers ce qui lui est le plus commode*, et que végétaux et animaux *ont opté* (?), chacun de leur côté, pour deux genres différents de commodité dans la manière de se procurer le carbone et l'azote dont ils avaient besoin.... Ce sont deux manières différentes de comprendre le *travail*, ou, si l'on aime mieux, la *paresse*.... Le même élan qui a porté l'animal à se donner des nerfs et des centres nerveux a dû aboutir, dans la plante, à la fonction chlorophyllienne.»

Que cette explication soit ingénieuse, je le veux bien. Mais qu'elle soit vraiment satisfaisante pour l'esprit, j'en doute fort. Nous dire que les végétaux et animaux *ont opté, chacun de leur côté*, pour les formes les plus commodes, c'est les supposer déjà existants au lieu de nous expliquer leur genèse. Ajouter que la forme animale est *plus commode* aux besoins de l'animal, et la forme végétale aux besoins du végétal, c'est contradictoire à l'hypothèse où il n'y a encore ni animal ni végétal, et où les besoins sont les mêmes dans l'Elan vital originel.

Que si l'on veut parler de leurs besoins *futurs*, lorsqu'ils seront devenus plantes ou animaux, cette prévision du futur et cette merveilleuse adaptation des organes à des besoins futurs prouvent au contraire la conception d'un plan et la réalisation de ce plan, dont M. Bergson ne voudrait à aucun prix, et qui pourtant s'impose à celui qui analyse ce fait d'une évolution sagement prévoyante et adaptant à l'avance les organismes à leurs besoins futurs.

Allons plus loin, et disons que ces deux tendances à l'action et au repos s'allient fort bien dans le même être et ne sont pas une cause suffisante de dédoublement et de divorce. Ce sont deux moitiés du même programme tour à tour applicables. Et «l'oubli, par chaque règne — animal et végétal, — d'une des deux moitiés du programme» — que M. Bergson, sans l'adopter, ne juge pas impossible, — nous paraît au contraire absolument invraisemblable. Tous les êtres vivants de la nature agissent et sommeillent tour à tour, et le sommeil des plantes elles-mêmes, surtout dans leurs périodes d'hibernation, sont des faits élémentaires. L'explication proposée est donc beaucoup trop raffinée, car elle devient purement verbale: *verba et voces*.

Il est tellement arbitraire de vouloir caractériser l'animalité par la tendance à une mobilité de plus en plus haute, et la vie végétative par une tendance contraire à une fixité et une somnolence de plus en plus grandes, que les faits et les lois biologiques se montrent réfractaires à une telle explication. Nous constatons, par exemple, que chaque espèce bien caractérisée, soit animale, soit végétale, a une tendance invincible à se conserver, et nullement à varier sans cesse. Si la main de l'homme leur fait violence par des accouplements contre nature, elles sont infécondes ou leurs produits hybrides font bien vite retour au type primitif. Cette loi fondamentale du «retour» révèle bien leur tendance à la fixité plutôt qu'au perpétuel changement.

Les changements eux-mêmes, lorsqu'ils se produisent accidentellement, tels que les adaptations au milieu ambiant, ne démontrent pas moins leur tendance à se conserver les mêmes au prix de quelques légères concessions de détail. S'ils changent un peu leur forme, c'est pour conserver leur être et assurer leur durée.

Ce contraste entre la permanence ou la fixité des types et la prétendue mobilité perpétuelle de l'élan vital qui les porte est difficilement expliqué par M. Bergson. «On pourrait dire, réplique-t-il, que la vie tend à agir le plus possible, mais que chaque espèce préfère (?) donner la plus petite somme possible d'effort.... La vie est une action toujours grandissante. Mais chacune des espèces à travers lesquelles la vie passe ne vise qu'à sa commodité. Elle va à ce qui demande le moins de peine. S'absorbant dans la forme qu'elle va prendre, elle entre dans un demi-sommeil, où elle ignore à peu près tout le reste de la vie.... Ce sont deux mouvements différents et souvent antagonistes. Le premier se prolonge dans le second, mais il ne peut s'y prolonger sans *se distraire* (?) de sa direction, comme il arriverait à un sauteur, qui, pour franchir l'obstacle, serait obligé d'en détourner les yeux et de se regarder lui-même.» Ainsi la *vie* tend au changement, et le *vivant* tend à la permanence; cependant, la seconde tendance n'est qu'un prolongement de la première, qui n'a pu ainsi se prolonger *sans se distraire*, et cette «distraction» l'a changée en tendance contraire. Comprenne qui pourra!... Pour nous, nous conclurons qu'il y a contradiction flagrante, non pas au sein de la nature, mais au sein de l'hypothèse bergsonienne. Et ce n'est pas l'image du «sauteur» et de sa «distraction» qui nous convaincra du contraire.

Pour cadrer avec les faits biologiques ou ne pas les heurter trop ouvertement, ce n'est pas seulement des «distractions» accidentelles que M. Bergson va attribuer à son Elan vital, mais encore des accidents plus fâcheux, tels que des cas de paralysie, d'hypnose, de maladresse, d'aliénation, etc. Ecoutons-le: «De bas en haut du monde organisé, c'est toujours un seul grand effort; mais, le plus souvent, cet effort *tourne court*, tantôt *paralysé* par des forces contraires (?), tantôt *distrait* de ce qu'il doit faire par ce qu'il fait, *absorbé* par la forme qu'il est occupé à prendre, *hypnotisé* sur elle comme sur un miroir. Jusque dans ses œuvres les plus parfaites, alors qu'il paraît avoir triomphé des résistances extérieures (?) et aussi de la sienne propre (?), il est à la merci de la matérialité qu'il a dû se donner.»

En vérité, toute cette «imagerie» nous laisse rêveur, sans nous éclairer même un peu. On se demande quelles sont ces «résistances extérieures» qui ont pu occasionner tant d'accidents à l'Elan vital, puisqu'il est *seul* au monde; comment il peut se dédoubler lui-même pour avoir à lutter contre sa «résistance propre», comment il peut «se donner une matérialité» hostile pour se combattre ainsi lui-même. Autant d'affirmations, autant de mystères!

Nous cherchons avec avidité quelque lumière à la page suivante, et nous y lisons que tout s'explique facilement par une «différence de rythme». Voici le procédé:

«La cause profonde de ces dissonances gît dans une irrémédiable différence de rythme. La vie en général est la mobilité même; les manifestations particulières de la vie n'acceptent cette mobilité *qu'à regret* et *retardent* constamment sur elle. Celle-là va toujours de *l'avant*, celles-ci voudraient *piétiner sur place*. L'évolution en général se ferait autant que possible en ligne droite; chaque évolution spéciale est un processus circulaire. Comme des tourbillons de poussière soulevés par le vent qui passe, les vivants tournent sur eux-mêmes, suspendus au grand souffle de la vie. Ils sont donc relativement stables et contrefont si bien l'immobilité que nous les traitons comme des *choses* plutôt que comme des *progrès*, oubliant que la permanence même de leurs formes n'est que le dessin d'un mouvement.»

C'est donc toujours ici lu même «imagerie». La lanterne magique y remplace le raisonnement. Encore n'est-elle pas très bien éclairée.

La vie «en général» et la vie «individuelle et concrète» sont entre elles comme l'ombre et la réalité. Or, on ne comprend pas que l'ombre ne suive plus la réalité et puisse avancer ou retarder sur elle. C'est là une «différence de rythme» invraisemblable. Quant à opposer la vie «abstraite» et la vie «concrète» pour se donner le spectacle de les voir aux prises, luttant ensemble, comme deux athlètes différents, c'est réaliser des abstractions à un degré où l'abus des «entités scolastiques» n'avait jamais encore atteint.

Quoi qu'il en soit de ces subtilités vertigineuses, il semble que l'Elan vital, ne luttant que contre lui-même, aurait dû être toujours vainqueur, comme ces joueurs timorés qui ne jouent ou ne parient qu'avec eux-mêmes et ne peuvent ainsi jamais perdre. Mais il n'en est rien.

«Chacune des espèces successives que décrivent la paléontologie et la zoologie fut un *succès* remporté par la vie.» Et ces succès furent rares: «L'insuccès apparaît comme la règle, le succès comme exceptionnel et toujours imparfait. Nous allons voir que des quatre grandes directions où s'est engagée la vie animale, deux ont conduit à des impasses.»

En effet, dès que végétaux et animaux se furent séparés de leur souche commune, le végétal s'endormant dans l'immobilité, l'animal, au contraire, s'éveillant dans une mobilité de plus en plus parfaite, et pour cela *marchant à la conquête d'un système nerveux*, le premier effort du règne animal dut sans doute aboutir à créer des organismes très simples, semblables à certains de nos vers, et qui furent la souche commune des Echinodermes, des Mollusques, des Arthropodes et des Vertébrés.

Mais un danger les guettait, un obstacle faillit arrêter l'essor de toute la vie animale. Ces premières espèces s'emprisonnèrent dans une enveloppe plus ou moins dure qui gênait ou paralysait leurs mouvements. Les Mollusques s'enfermèrent dans une coquille, les

Echinodermes dans une peau dure et calcaire, les Arthropodes dans une carapace; certains poissons dans une enveloppe osseuse, et cela dans un but de défense pour se rendre indévorables. Mais cette cuirasse, derrière laquelle l'animal se mettait à l'abri, le gênait dans ses mouvements et parfois l'immobilisait, le condamnant pour ainsi dire à un demi-sommeil. C'est dans cette torpeur que vivent encore nos Mollusques et nos Echinodermes. Heureusement que les Arthropodes et les Vertébrés ont su échapper à ce péril, grâce à une «circonstance heureuse» que M. Bergson ne nous indique pas. C'est à cette «circonstance heureuse» que tient l'épanouissement actuel des formes les plus hautes de la vie.

Dans ces deux directions, en effet, nous voyons la poussée de la vie vers le mouvement reprendre le dessus. Les Poissons échangent leur cuirasse ganoïde pour des écailles qui permettent leur mobilité. Les insectes se débarrassent de la cuirasse, qui protégeait leurs ancêtres. C'est leur agilité même qui leur permettra aujourd'hui d'échapper à leurs ennemis et, au besoin, de prendre l'offensive et d'attaquer pour se mieux défendre.

Mais l'intérêt particulier ou la plus grande commodité n'est encore qu'une explication superficielle de la transformation des espèces. La cause profonde est l'impulsion qui lança la vie dans le monde, et qui, dans le monde animal menacé de s'assoupir, obtint, sur quelques points tout au moins, qu'on se réveillât et qu'on allât de l'avant.

Sur les deux voies où s'élevaient les Vertébrés et les Arthropodes, le développement a consisté dans le progrès du système nerveux sensori-moteur, qui facilite de plus en plus la variété des mouvements. Mais cette *marche à la conquête d'un système nerveux* s'est faite dans deux directions divergentes. Il suffit d'un coup d'œil jeté sur le système nerveux des Arthropodes et celui des Vertébrés pour s'en convaincre.

Malgré cette dualité de plan, le progrès consistera toujours à compliquer les mécanismes du système nerveux, c'est-à-dire à multiplier les carrefours où s'entre-croisent les voies sensorielles et les voies motrices pour augmenter avec le nombre des directions possibles du mouvement la latitude de choix de l'animal; en un mot, à accroître sa mobilité pour accroître parallèlement son degré de conscience.

En effet, «l'être vivant est un centre d'action», et sa perfection ne peut consister que dans la perfection de son activité motrice, soit automatique, soit volontaire, à laquelle toutes les autres facultés sont subordonnées. Voilà pourquoi «l'indépendance des mouvements devient complète chez l'homme, dont la main peut exécuter n'importe quel travail».

Mais ce n'est pas là tout le progrès. Derrière le développement organique et visible de cette activité motrice on devine, un développement parallèle des deux puissances invisibles d'abord confondues au sein de l'Elan vital: *l'instinct* et *l'intelligence*.

Comment définir ces deux nouvelles puissances? M. Bergson nous a déjà annoncé que toute définition en était impossible. Pour y suppléer, il va s'appliquer à nous décrire le sens de leur *direction*.

Il semble bien que l'une et l'autre soient des modes de connaissance, mais tellement opposées qu'elles sont deux natures irréductibles, bien loin d'être des degrés, supérieur ou inférieur, de la même connaissance.

«L'évolution du règne animal s'est accomplie sur deux voies divergentes dont l'une allait à l'instinct et l'autre à l'intelligence.... La différence entre elles n'est pas une différence d'intensité ni plus généralement de degré, mais de nature.»

Ici, nous sommes heureux de nous trouver d'accord avec M. Bergson et lui savons gré d'avoir insisté sur ce point capital, malgré toutes les réserves que nous aurions à faire sur les développements qu'il va nous donner de sa thèse fondamentale.

Si tant de philosophes ont été tentés de voir dans l'intelligence et l'instinct des activités de même ordre dont la première serait d'un degré supérieur à la seconde, alors que ce sont des natures différentes, c'est que les deux activités, après s'être entre-pénétrées dans l'Elan vital originel, se retrouvent l'une et l'autre, à la fois, quoique à des degrés divers, chez tous les animaux. De même qu'on retrouve quelques degrés bien diminués d'instinct chez l'homme intelligent, on retrouve aussi quelques faibles degrés d'intelligence dans la brute. Seule, la proportion diffère.

— Inutile d'ouvrir ici une parenthèse pour montrer l'équivoque de ce mot intelligence appliqué à la brute. Nous l'avons expliqué ailleurs et démontré assez longuement. Le lecteur est édifié. Poursuivons notre analyse:

Il n'y a pas d'intelligence où l'on ne découvre, à côté, des traces d'instinct; pas d'instinct qui ne soit entouré d'une *frange* d'intelligence. Et c'est cette frange d'intelligence ou d'instinct qui a causé tant de méprises. De leur union, on a conclu faussement à leur identité. En réalité, ils ne s'accompagnent que parce qu'ils se complètent; et ils ne se complètent que parce qu'ils sont différents.

La vie étant un effort pour obtenir certaines choses de la matière brute, on ne peut s'étonner que l'instinct et l'intelligence soient deux méthodes variées et même opposées pour agir sur la matière inerte. Ce sont deux méthodes de *fabrication*. L'intelligence *est la faculté de fabriquer des objets artificiels* (inorganiques), *en particulier des outils à faire des outils et d'en varier indéfiniment la fabrication.* — Au contraire, l'instinct est une *faculté d'utiliser et même de construire des instruments organisés.* Voici les avantages et les inconvénients de ces deux modes d'activité. L'instinct, trouvant à sa portée des instruments organiques merveilleux qui se fabriquent et se réparent eux-mêmes, fait tout de suite, sans apprentissage, avec une perfection souvent admirable, ce qu'il est appelé à faire. En revanche, il est nécessairement spécialisé et limité à un objet déterminé.

Au contraire, l'intelligence n'emploie que des instruments imparfaits et fabriqués par elle au prix d'un grand effort, mais le champ de son action est illimité, grâce aux formes infiniment variées qu'elle sait donner à ses instruments. Chacune de ses inventions crée un besoin nouveau; en sorte qu'au lieu de fermer, comme l'instinct, le cercle d'action où il se meut automatiquement, elle élargit de plus en plus ce cercle et étend de plus en plus loin sa sphère d'activité.

Mais cette supériorité de l'intelligence sur l'instinct n'apparaît que tard, lorsqu'elle fabrique des machines à fabriquer.

Au début, les avantages et les inconvénients se balancent si bien qu'il est difficile de dire lequel des deux assurera à l'être vivant un plus grand empire sur la nature. L'intelligence a encore plus besoin de l'instinct que l'instinct de l'intelligence. Celle-ci ne devient maîtresse et indépendante que chez l'homme; c'est alors le congé définitif que l'instinct reçoit de l'intelligence. Il n'en est pas moins vrai que la nature a dû hésiter entre ces deux modes d'activité: l'un assuré du succès, mais limité dans ses effets; l'autre aléatoire, mais indéfini dans ses conquêtes. De son côté était le plus gros risque, mais aussi les plus grands succès.

En résumé: *instinct et intelligence représentent deux solutions divergentes, également élégantes, d'un seul et même problème.*

Toutefois, l'activité qui fabrique a besoin pour s'exercer d'une direction. Si elle est intelligente et consciente, elle se dirigera elle-même; mais si elle est inconsciente et automatique, son mécanisme psychique aura dû être préalablement agencé et monté par un constructeur intelligent. Telle est du moins notre conclusion et celle de tous les philosophes spiritualistes jusqu'à ce jour, pour lesquels l'instinct est une espèce de mémoire ou de sentiment innés provoquant et dirigeant les opérations de l'animal.

M. Bergson ne contredira point complètement cette théorie; il l'étendra même à l'excès jusqu'aux plantes et aux fonctions de la vie végétative. Il dira sans hésiter: «la plante a des instincts: il est douteux, ajoute-t-il, que ces instincts s'accompagnent chez elle de sentiments». Mais l'opinion lui paraît au moins probable puisqu'il nous parle de l' «amour maternel, si frappant, si touchant, chez la plupart des animaux et observable jusque dans la sollicitude de la plante pour sa graine», et se plaît à nous décrire «chaque génération penchée sur celle qui suivra».

Quoi qu'il en soit de cette poétique prosopopée, il tient à nous bien montrer que la prétendue inconscience de l'instinct n'est pas encore une inconscience véritable. Ce n'est pas une conscience *nulle*, dit-il, mais seulement *annulée* passagèrement par le travail qu'elle commande et dirige: *la représentation est alors bouchée par l'action*. Mais c'est bien la représentation inconsciente qui a déclanché toute la série des mouvements automatiques de l'instinct.

De là on peut conclure que l'instinct sera orienté vers l'inconscience et l'intelligence vers la conscience. La représentation sera plutôt *jouée* et inconsciente dans le cas de l'instinct, plutôt *pensée* et consciente dans le cas de l'intelligence.

Les exemples remarquables d'instinct que M. Bergson développe avec une certaine complaisance sont bien connus du lecteur. C'est l'Œstre du cheval qui dépose ses œufs sur les jambes ou les épaules de l'animal, comme s'il savait que sa larve doit, se développer dans l'estomac du cheval et que celui ci, en se léchant, l'y transportera sûrement. C'est le Sphex paralyseur qui sait frapper sa victime à l'endroit précis des centres nerveux de manière à l'immobiliser sans la tuer, et à conserver ainsi une nourriture toujours fraîche, etc.

Ce qui est moins connu du lecteur, c'est l'explication monistique que notre auteur a essayé de nous en donner. Ne pouvant attribuer au Sphex la science d'un entomologiste consommé ni l'art du plus habile chirurgien; d'autre part, ne voulant pas recourir à la Science suprême et à l'art infini de Celui qui a organisé le Sphex, il aime mieux supposer entre le Sphex et sa victime une *sympathie* (au sens étymologique du mot), comme on l'observe entre deux organes du même individu, qui leur permettrait de communiquer par le fond de leur être, de se saisir mutuellement *par le dedans* et non plus seulement du dehors par les sens internes, et d'avoir une *intuition* mutuelle (*vécue* plutôt que *représentée*) de ce qui les intéresse l'un l'autre. C'est ce que M. Bergson a nommé une *sympathie divinatrice*.

Il est vrai qu'une telle explication — outre son caractère monistique — a deux autres graves défauts. Elle n'a rien de scientifique, puisqu'elle n'est fondée sur aucun fait, mais seulement sur des *a priori*. De plus, elle n'est pas intelligible. Et M. Bergson a beau nous répliquer: «Pourquoi l'instinct se résoudrait-il en éléments intelligents? Pourquoi même en termes tout à fait intelligibles?» nous répondrons qu'aux yeux de ce sens commun, si souvent invoqué, une explication qui n'est pas intelligible est purement verbale: *verba et voces*.

Nous devons ajouter que cette explication se détruit elle-même. Car si tous les êtres ne font qu'un, leur intime compénétration ne devrait pas leur donner seulement une connaissance mutuelle de quelques rares détails — comme pour le Sphex qui ne devine que la vulnérabilité de certains ganglions de la Chenille, — mais la connaissance totale de tout leur être. D'autre part, la Chenille, à son tour, aurait l'intuition des intentions hostiles du Sphex, et la science égale des deux adversaires les neutraliserait. Ainsi l'hypothèse, par son propre excès, se rend insoutenable.

L'évolution bergsonienne n'explique donc pas l'instinct animal pris en général, encore moins la diversité merveilleuse des instincts propres à chaque espèce d'animaux; examinons si elle explique mieux l'intelligence et l'apparition de l'homme sur notre terre.

Il faut rendre cette justice à M. Bergson qu'il a profondément senti la différence radicale, le hiatus infranchissable qui sépare l'homme de la bête. Je dis «senti» plutôt que démontré avec exactitude: ce n'en est pas moins très louable.

Il oppose d'abord le cerveau de l'homme à celui du singe le plus perfectionné. Après avoir rappelé que «la conscience ne jaillit pas du cerveau», mais lui est seulement associée, il ajoute que le cerveau humain est fait—comme tout cerveau—pour monter des mécanismes moteurs, mais qu'il diffère des autres en ce que le nombre des mécanismes qu'il peut monter et, par conséquent, le nombre des déclics entre lesquels il nous donne le choix est indéfini, tandis que les autres sont strictement limités. Or, du limité à l'illimité, il y a, dit-il, toute la distance du *fermé* à l'*ouvert*. Ce qui n'est pas une différence de degré, mais de nature.

Radicale aussi, par conséquent, est la différence entre la connaissance de l'animal et l'intelligence de l'homme. Encore la distance du fini à l'infini. Voilà pourquoi «l'invention chez l'animal n'est jamais qu'une variation sur le thème de la routine. Les portes de sa prison se referment aussitôt ouvertes; en tirant sur sa chaîne, il ne réussit qu'à l'allonger. Avec l'homme, au contraire, la conscience libre brise sa chaîne. Chez l'homme, et chez l'homme seulement, elle se libère».

Toute l'histoire de la vie, jusque-là, se résumait dans un grand effort de la conscience pour soulever la matière, suivi d'un écrasement plus ou moins complet de la conscience par la matière qui retombait sur elle. L'entreprise de se libérer était paradoxale. Mais l'homme était le mieux armé, par la supériorité de son cerveau, par la puissance de la parole et celle de la vie sociale. Ces trois pouvoirs «disent, chacun à sa manière, le succès unique, exceptionnel, que la vie a remporté à un moment donné de son évolution. Ils traduisent la différence de nature, et non pas seulement de degré, qui sépare l'homme du reste de l'animalité. Ils nous laissent deviner que si, au bout du large tremplin sur lequel la vie avait pris son élan, tous les autres sont descendus, trouvant la corde tendue trop haute, l'homme seul a sauté l'obstacle».

Ce beau mouvement oratoire — que nous avons tenu à reproduire — vient fort à propos masquer ou couvrir de fleurs un raisonnement qui nous paraît un peu faible. Sans doute, si nous supposons l'homme déjà façonné complètement et armé de pied en cap de ces trois puissances: un cerveau humain, la parole humaine, la vie sociale, on conçoit sans peine qu'il ait pu «sauter la corde» et conquérir la liberté. Nous aurions été beaucoup plus curieux de savoir comment l'évolution avait pu orner l'homme de tous ces dons qui impliquent déjà la liberté. Les supposer déjà donnés — on ne sait comment, — c'est une pétition de principes; c'est esquiver le problème au lieu de le résoudre, car il reste toujours à nous expliquer comment l'animalité a pu se transformer en humanité. Après avoir admis entre l'homme et la bête un «hiatus infranchissable», on se demande avec plus d'angoisse que jamais comment il a pu être franchi. Le silence de M. Bergson sur un point si important n'en est que plus significatif. Le lecteur ne l'oubliera pas: c'est un aveu d'impuissance.

Hâtons-nous de passer à la formation de l'intelligence humaine — dont on nous a encore si peu parlé, — sans doute parce qu'elle n'est qu'un accessoire aux yeux de nos philosophes antiintellectualistes.

Quel que soit, en effet, le rôle de l'action et de la liberté dans la vie humaine, si important qu'on le suppose, il faut bien finir par constater le fait de l'intelligence et nous expliquer son apparition.

L'explication n'en sera pas très lumineuse. Avertissons-en d'avance nos lecteurs. Elle se résumera à peu près dans cette formule si souvent répétée: L'*intelligence a été déposée en cours de route par l'évolution*. Et, sans doute, déposée en cours de route, avec un certain dédain, au moment où elle commençait à décliner.

L'intelligence n'est nullement un instinct perfectionné, mais une connaissance de nature bien différente. Tandis que l'instinct «reste intérieur à lui-même» et connaît les choses par leur intérieur — d'une manière, il est vrai, plus ou moins inconsciente, — l'intelligence «s'extériorise» et les connaît par l'extérieur, d'une manière consciente. Cette tendance à s'extérioriser explique pourquoi «elle s'absorbe dans la connaissance et l'utilisation de la matière brute». Elle est tournée vers l'inorganique et le solide, tandis que l'instinct est tourné vers le mouvant et la vie. «Elle répugne au fluent et solidifie tout ce qu'elle louche.»

Malgré cette opposition de nature, M. Bergson en fait «deux développements divergents du même principe», de l'Elan vital, et considère l'intelligence comme un «rétrécissement par condensation d'une puissance plus vaste». Cette condensation a fait de l'intelligence comme un «noyau lumineux» qui se détache sur «la frange indécise et floue» de l'instinct «qui va se perdre dans la nuit».

Le lecteur va s'écrier sans doute que cette explication n'est pas très claire.... Mais M. Bergson est le premier à en convenir. Il reconnaît que cette puissance plus vaste d'où émane l'intelligence paraît alors «insaisissable.». Mais il prétend qu'on n'a pas le droit de s'en étonner, que «ce qu'il y a d'essentiel dans l'instinct ne saurait s'exprimer en termes intellectuels ni par conséquent s'analyser». N'en demandez pas davantage.

Il nous suffit de savoir que l'intelligence — bien loin d'avoir pour objet les formes abstraites de la matière, c'est-à-dire l'être, le vrai, le bien, le beau, etc., comme le soutiennent unanimement tous les spiritualistes — a, au contraire, pour objet la matière, le solide géométrique, et que l'intellectualité et matérialité se sont constituées, dans le détail, par une adaptation réciproque, l'une et l'autre dérivant d'une forme d'existence plus vaste et plus haute». Mais, en se détachant de cette réalité plus vaste, elle n'a produit aucune coupure nette entre les deux, comme en témoigne la *frange* indistincte qui en rappelle l'origine.

Et c'est ainsi que l'intelligence a été «déposée en cours de route par l'évolution», comme une simple annexe de la faculté d'agir, et que l'homme a conquis la liberté, but suprême de l'Elan originel.

«En résumé, conclut noire auteur, si l'on voulait s'exprimer en termes de finalité, il faudrait dire que la conscience (l'Elan vital), après avoir été obligée, pour se libérer elle-même, de scinder l'organisme en deux parties complémentaires, végétaux, d'une part, et animaux, de l'autre, a cherché une issue dans la double direction de l'instinct et de l'intelligence: elle ne l'a pas trouvée avec l'instinct, et elle ne l'a obtenue du côté de l'intelligence que par un saut brusque de l'animal à l'homme. De sorte que, en dernière analyse, l'homme serait la raison d'être de l'organisation entière de la vie sur notre planète. Mais ce ne serait là qu'une manière de parler. Il n'y a en réalité qu'un certain courant d'existence et le courant antagoniste (sans aucun plan préconçu); de là, toute l'évolution de la vie.»

Le lecteur imaginera peut-être que l'exposé de l'Evolution créatrice se termine ici. Mais il n'en est rien. Le double courant auquel nous avons abouti: courant de vie, d'une part; courant antagoniste de matière, d'autre part, nous laisse dans un dualisme inexpliqué, et qu'un moniste opiniâtre comme M. Bergson va faire la gageure de ramener à l'unité.

Pour cela, il ne supprimera — au moins en apparence — aucun des deux termes opposés: ni l'objectivité de la matière, comme l'ont essayé les idéalistes, ni la réalité de l'esprit, comme les matérialistes de tous les temps l'ont déjà fait. Mais il les identifiera résolument, tout en les distinguant, grâce à une souplesse et une subtilité d'esprit peu commune. Le physique ne sera que du «psychique inverti».

Avant d'exposer cette thèse paradoxale, avertissons le lecteur que le chef de la nouvelle école n'a pas su convaincre tous ses disciples; les plus enthousiastes eux-mêmes ont refusé, croyons-nous, de le suivre jusqu'à ces excès de brillante sophistique.

Au moment de nous engager dans ces voies nouvelles, lui-même nous avertit loyalement que, «par là, nous pénétrons aussi dans les plus obscures régions de la métaphysique». Tenons-nous donc sur nos guides, car les demi-clartés de la nuit sont favorables aux surprises.

Il s'agit de serrer de plus près l'opposition des deux courants antagonistes: celui de la vie, celui de la matière, et de leur découvrir une source commune. En voici la description que nous emprunterons mot à mot à l'inventeur, car elle défie toute analyse. Nous nous permettrons seulement de souligner quelques mots essentiels à l'intelligence du texte.

«L'esprit peut marcher dans deux sens opposés. Tantôt il suit sa direction naturelle (instinct et intelligence): c'est alors le progrès sous forme de *tension*, la création continue, l'activité libre. Tantôt il l'invertit, et cette inversion, poussée jusqu'au bout, mènerait à *l'extension*, a la détermination réciproque nécessaire des éléments extériorisés les uns par rapport aux autres, enfin au mécanisme géométrique.»

«Cette puissance de création une fois posée (et elle existe, puisque nous en prenons conscience en nous, tout au moins quand nous agissons librement), elle n'a qu'à se *distraire* (?) d'elle-même pour se détendre, à se *détendre* pour s'*étendre*, à s'étendre pour que l'ordre mathématique qui préside à la disposition des éléments ainsi distingués, et le déterminisme inflexible qui les lie, manifestent l'interruption de l'acte créateur; ils ne font qu'un, d'ailleurs, avec cette interruption même.... La matière est un relâchement de l'inextensif en extensif, et, par là, de la liberté en nécessité.»

Ainsi, d'après M. Bergson, l'esprit n'a qu'à se *détendre* pour s'étendre et devenir matière!... Et pour que le lecteur ne soit pas tenté de ne voir là qu'un jeu de mots, un calembour échappé à un moment d'humour—alors que c'est le fond même du système bergsonien,—nous allons prolonger nos citations. Il verra que si *distraction* il y a, elle ne nous est pas imputable.

«Cette longue analyse (des idées d'ordre et de désordre) était nécessaire pour montrer combien le réel pourrait passer de la *tension* à l'*extension* et de la liberté à la nécessité mécanique *par voie d'inversion....* Quel est donc le principe qui n'a qu'à se *détendre* pour s'*étendre*, l'interruption de la cause équivalant ici à un renversement de l'effet? Faute d'un meilleur mot, nous l'avons appelé *conscience*. Mais il ne s'agit pas de cette conscience diminuée qui fonctionne en chacun de nous. Notre conscience à nous est la conscience d'un certain être vivant, placé en un certain point de l'espace; et, si elle va bien dans la même direction que son principe (la conscience universelle?), elle est sans cesse tirée en sens inverse, obligée, quoiqu'elle marche en avant, de regarder en arrière.»

Un peu plus loin, le même auteur, après avoir déclaré que, contrairement à l'opinion des sciences physiques, il fallait chercher l'origine de la matière «dans un processus extra-spatial», ajoute encore plus clairement:

«Considère-t-on in *abstracto* l'étendue en général? L'*extension* apparaît seulement comme une *tension* qui s'interrompt. S'attache-t-on à la réalité concrète qui remplit cette étendue? L'ordre qui y règne, et qui se manifeste par les lois de la nature, est un ordre *qui doit naître de lui-même* quand l'ordre inverse est supprimé: une détente du vouloir produirait précisément cette suppression. Enfin, voici que le sens où marche cette réalité nous suggère maintenant l'idée d'une *chose qui se défait*; là est, sans aucun doute, un des traits essentiels de la matérialité. Que conclure de là, sinon que le processus par lequel cette chose se *fait* est dirigé en sens contraire des processus physiques et qu'il est dès lors, par définition même, *immatériel?* Notre vision du monde matériel est celle d'un poids qui retombe; aucune image tirée de la matière proprement dite ne nous donnera une idée du poids qui s'élève.... La vie est un effort pour remonter la pente que la matière descend. Par là, elle nous laisse entrevoir la possibilité, la nécessité même d'un processus inverse de la matérialité, *créateur de la matière* par sa seule interruption.»

D'où les conclusions monistiques que M. Bergson répète à profusion: «Un processus identique a dû tailler en même temps matière et intelligence dans *une étoffe* qui les contenait toutes deux.» — «Les deux termes sont de même essence ... et le physique est simplement du psychique inverti.» — «Intellectualité et matérialité, étant de même nature, se produisent de la même manière.» — C'est «la progression ou plutôt la régression de l'extra-spatial se dégradant en spatialité». — «La matière est définie par une espèce de descente, cette descente par une interruption de montée», mais ces deux sens dans le mouvement n'empêchent pas «l'unité de l'élan» originel, de l'Elan vital, du Flux universel.

Le monisme bergsonien a donc relié ensemble — ou plutôt confondu — toutes les parties de la création: l'esprit et la matière, l'organique et l'inorganique, l'homme et l'animal, grâce à un savant dosage de contradictions, diluées jusqu'à leur donner quelque apparence lointaine de continuité. Désormais, il peut prendre des airs de triomphe et emboucher la trompette. Ecoutez plutôt: «Une telle doctrine ne facilite pas seulement la *spéculation* (?). Elle nous donne aussi plus de *force* (?) pour agir et pour vivre. Car, avec elle, nous ne nous sentons plus isolés (!) dans l'humanité, l'humanité ne nous semble pas non plus isolée dans la nature qu'elle domine. Comme le plus petit grain de poussière est solidaire de notre système solaire tout entier, entraîné avec lui dans ce mouvement indivisé de descente qui est la matérialité même, ainsi tous les êtres organisés, du plus humble au plus élevé, depuis les premières origines de la vie jusqu'au temps où nous sommes, et dans tous les lieux comme dans tous les temps, ne font que rendre sensible aux yeux une impulsion unique, inverse du mouvement de la matière, et, en elle-même, indivisible. Tous les vivants se tiennent, et tous cèdent à la même formidable poussée. L'animal prend son point, d'appui sur la plante, l'homme chevauche sur l'animalité, et l'humanité entière, dans l'espace et dans le temps, est une immense armée qui galope à côté de chacun de nous,

156

en avant et en arrière de nous, dans une charge entraînante, capable de culbuter toutes les résistances et de franchir bien des obstacles, même peut-être la mort!»

Après un si beau mouvement d'éloquence, nous aurions quelque scrupule d'atténuer l'admiration du lecteur par certaines réserves. Aussi bien les croyons nous inutiles. Nous nous contenterons de poser une ou deux questions, peut-être indiscrètes, dont les réponses mettraient singulièrement au jour les points obscurs d'un système qui ne brille pas par ses lumières.

La *première* est celle-ci. Puisque l'esprit et la matière sont deux mouvements «antagonistes», en «sens inverse», comment peuvent-ils provenir d'une seule et même impulsion originelle? Comment le second peut-il «naître de lui-même» du premier; la «régression» naître spontanément de la «progression»; comment l'ascension et la descente peuvent-elles n'avoir qu'une seule et même cause? —On ne le comprend pas.

La *deuxième* question est encore plus importante. La descente étant postérieure à la montée, la création de la matière doit donc être postérieure à celle de l'esprit et de la vie. Or, la vie est impossible sans une matière préexistante. Voilà pourquoi M. Bergson nous a dépeint l'esprit et la vie comme «un courant lancé à travers la matière», comme une force qui élève sans cesse «un poids qui retombe», comme un «effort pour remonter la pente que la matière descend», etc. Il faut donc supposer données ou engendrées à la fois la matière et la vie au lieu de les faire dériver l'une de l'autre, et le physique ne peut être du «psychique inverti», puisque le psychique ne peut exister sans le physique.

Il y a donc, au fond de l'opinion qui essaye d'identifier l'esprit et la matière en faisant de celle-ci un «relâchement» ou une chute de celui-là, une contradiction foncière qui a besoin de se dissimuler dans une obscurité profonde: celle d'un système qui prétend avoir le droit de s'exprimer en notions «peu ou point intelligibles», et transcendantes à toute intelligence humaine.

II. *Critique.*—Jusqu'ici nous n'avons pu examiner et critiquer en passant que des détails secondaires à mesure que l'hypothèse de l'évolution bergsonienne se déroulait sous nos yeux. Il est temps de

157

s'élever à une vue synthétique et d'en faire une critique d'ensemble, autrement importante qu'une critique de parties plus ou moins accessoires.

Or, nous avons vu que le nouveau système était une réaction — d'ailleurs juste et généreuse — contre tous les systèmes antérieurs d'évolution, qui se contentaient, pour expliquer le développement des êtres, d'invoquer les lois des combinaisons mécaniques, dirigées par des rencontres de hasard. Pour eux, «le tout est donné» dès l'origine et ne fait que se dérouler automatiquement. Pour M. Bergson, au contraire, à l'origine, «rien n'est donné» de ce qui sera plus tard. Tout va se créer, matière et forme, au fur et à mesure de l'écoulement du Temps, par des apparitions successives de choses «absolument nouvelles», c'est-à-dire «imprévisibles et irréductibles aux éléments antérieurs». De là l'épithète de *créatrice* donnée à l'évolution nouvelle qui est bien moins une évolution, ou passage à l'acte de ce qui était déjà en puissance, qu'une création perpétuelle à jets continus.

En sorte que l'idée de «création *ex nihilo*», abandonnée et comme périmée, surtout depuis Darwin et Lamarck, va, par un singulier retour des choses ici-bas, être remise en honneur et restaurée par M. Bergson. L'intention est des plus louables, assurément; reste à savoir comment il la réalisera et si les espérances du spiritualisme ne seront pas finalement déçues encore une fois.

Pour le spiritualisme, en effet, aucune évolution des mondes — encore moins une évolution créatrice — n'est concevable sans un principe ou une force motrice qui la mette en branle ni sans une idée qui la dirige; ou, pour employer le langage technique, une *cause motrice* et une cause *finale*, sans lesquelles l'Evolution ne serait plus qu'un mot majestueux et trompeur dissimulant un non-sens.

Examinons comment M. Bergson a répondu à ces deux *desiderata* essentiels de l'esprit humain.

I. D'abord, une cause efficiente ou motrice est indispensable. Par lui-même, un être étant et demeurant identique à lui-même ne peut être ou devenir autre qu'il n'est. Il lui faut donc le concours ou la mise en branle d'un autre être pour devenir autre qu'il n'est, c'est-à-dire pour changer. Tel est le principe d'identité se développant en principe de causalité, comme nous l'avons exposé longuement dans un autre ouvrage.

Or, si tout changement exige une cause, à plus forte raison cette espèce de changement qui constitue un passage du *moins* au *plus*, c'est-à-dire un progrès, une ascension;—à plus forte raison encore si cette ascension est une création de toutes pièces, un passage de la possibilité pure à l'existence.

Or, tel est bien le cas de «l'évolution créatrice».

Dans les autres systèmes d'évolution, pour ramener deux espèces l'une à l'autre par voie de filiation, il fallait découvrir entre elles une certaine identité de nature, permettant de supposer leur fusion dans un genre supérieur d'où elles seraient issues. Il suffisait donc d'une cause *occasionnelle* pour faire dédoubler le genre en ses espèces qu'il contenait déjà virtuellement.

Dans le système bergsonien, la difficulté est autrement grande, puisque les natures les plus disparates—voire même l'esprit et la matière—peuvent être produites par le même antécédent grâce à l'évolution créatrice qui crée de toute pièce des formes «imprévisibles et irréductibles aux éléments antérieurs».

L'hypothèse est plus commode, assurément, au point de vue des généalogies à établir entre les êtres apparus, puisque «tout peut provenir de tout». L'invention de ces arbres généalogiques, si difficiles du reste à imaginer pour les savants les plus audacieux, devient ainsi un effort inutile, un casse-tête chinois à écarter.

Mais, d'autre part, c'est une force *créatrice* qu'il faudra supposer en action perpétuelle, au lieu de causes simplement occasionnelles. Les «heureux accidents» imaginés par Darwin ne seront plus de mise, n'auront plus aucun sens dans le système de l'Evolution créatrice.

Quelle est donc la Force créatrice admise par M. Bergson? Sûrement, ce problème n'a pas échappé à son esprit. Nous sommes même tentés de dire qu'il l'a tourmenté, après avoir lu cette phrase significative échappée à sa plume: «Dans le présent travail ... un Principe de création, *enfin* (!), a été mis au fond des choses.» Encore une fois, quel est donc ce Principe (avec un grand P)?

Serait-ce le Créateur, le Dieu des spiritualistes? En ce cas, bien des difficultés seraient levées, et l'Evolution créatrice devenue toute-puissante pourrait fonctionner.

Mais nous n'osons espérer cette solution, après les critiques dédaigneuses du Dieu de Platon et d'Aristote, qui nous ont d'autant plus étonné qu'elles sont gravement inexactes et peu bienveillantes envers de si grands génies.

Encore moins l'espérons-nous après avoir lu que Dieu, ne saurait être une *chose*, c'est-à-dire une substance, un agent, une cause, mais seulement un «*centre* d'où les mondes jailliraient», c'est-à-dire une convergence de jaillissement se confondant avec le jaillissement lui-même, puisqu'il «n'a rien de tout fait» et progresse avec lui.

C'est d'ailleurs la conclusion fatale d'une théorie qui a supprimé l'*être* pour le remplacer par le *devenir* universel.

Or, tout cela ressemble trop à un monisme panthéistique et n'a rien de commun avec un vrai et sincère théisme, celui des plus grands philosophes dont s'honore l'histoire de la pensée humaine, sans en excepter les créateurs de l'évolutionnisme contemporain: Lamarck et Darwin lui-même, qui, sur ses vieux jours, en fit l'aveu.

Au lieu de Dieu, M. Bergson se contente de mettre «au *fond des choses* la DURÉE et le LIBRE CHOIX», c'est-à-dire ce qu'il a déjà appelé le *Temps* ou le perpétuel *Devenir*. Son Principe sera le *Dieu-Cronos* de la mythologie grecque, rajeuni sans doute et modernisé, et s'il dévore encore ses enfants, ce ne sera plus par jalousie, mais uniquement pour «se gonfler» de leur substance et «faire boule de neige» avec eux dans une identité monistique Universelle. L'ancien Cronos n'était que l'allié de la puissance créatrice; le nouveau sera l'ombre de cette puissance divine, il sera le Devenir dans son perpétuel «jaillissement».

Le lecteur serait fort surpris de nous voir accepter sans protestation une conception si bizarre qui nous ramène à la mythologie et à l'enfance de l'humanité. Cependant, ce n'est ni sa bizarrerie ni son antiquité qui nous la font repousser, mais uniquement son opposition flagrante aux premiers principes de la raison.

Le Temps, la durée, l'élan vital—seraient-ils définis au sens de M. Bergson—ne peuvent être un *principe* de la production des choses, encore moins un principe *premier* et nécessaire.

1° Le Temps n'est ni un être ni un principe actif. En vain M. Bergson nous réplique que le Temps agit réellement, que «sa dent mord sur tous les êtres»: ce sont là des métaphores. Ce qui use ma montre, c'est le frottement des rouages, la poussière, l'humidité, la rouille, ce n'est pas le Temps, qui est parfaitement inactif et indifférent à tous les changements qui se produisent dans le Temps.

A son tour, la *durée* est un effet produit et non une cause productrice; c'est donc une conséquence, non un principe. Si je suis aujourd'hui, ce n'est pas une raison suffisante pour que je sois demain, et si je vis et j'existe depuis cinquante ans, c'est parce que j'ai reçu le jour de mes parents, et qu'après avoir reçu d'eux l'être et la vie, je les ai entretenus constamment par la nourriture, les soins, les remèdes, les précautions contre les accidents ou les maladies, etc. Au contraire, dire que j'*existe parce que je dure*, c'est bien moins qu'une vérité de M. de La Palisse; c'est une pétition de principe et un renversement de l'ordre des facteurs—ὕστερον πρότερον,—car l'effet ne peut être la cause, sa propre cause.

Ce raisonnement va paraître encore plus clair, mais sous une autre forme, si, au lieu de penser à la *durée*, nous pensons à l'*élan vital*, spontané et libre, que M. Bergson emploie si souvent comme synonyme de la durée. L'*élan*, c'est une *action*, et par conséquent l'action d'un *agent*; ce n'est donc pas l'action qui joue le rôle de principe, mais l'agent.

Il est vrai que dans le phénoménisme universel de M. Bergson il n'y a plus d'agent sous l'action, mais des actions toutes pures et sans agent. En conséquence, nous aboutissons à cette conception contradictoire «l'une évolution sans rien qui évolue ou qui fasse évoluer, et d'une perpétuelle création sans aucun créateur. C'est une auto-création se donnant incessamment à elle-même l'existence qu'elle n'a pas.

L'idée de commencement absolu et sans cause—si chère à Renouvier—est ainsi mise partout dans l'Univers: au commencement, au milieu, à la fin et poussée jusqu'à la plus éclatante absurdité! Nous refusons nettement de nous en contenter.

2° Supposerait-on, par impossible, que la durée des choses de ce monde ou leur évolution soit leur principe, il ne saurait être le principe *premier* de ces choses, parce qu'il n'est pas une cause nécessaire, mais contingente. En effet, l'évolution est un *devenir* qui se fait peu à peu; or, avoir besoin de devenir pour être est moins parfait qu'être déjà sans avoir besoin de devenir. L'être est donc plus parfait que le devenir; ou, suivant la formule classique, *l'acte prime la puissance*. Le devenir n'est donc pas un être premier, mais second et dérivé; donc, il est la contingence et l'imperfection même.

Telle est la thèse fondamentale de la *philosophia perennis*.

A son encontre, M. Bergson soutient le primat du devenir, la supériorité de la puissance sur l'acte, du non-être sur l'être, et toute la thèse bergsonienne repose sur cette contre-vérité.

«Il y a *plus*, nous dit-il, dans le mouvement que dans l'immobile; il y a *plus* dans un mouvement que dans les positions successives attribuées au mobile; *plus* dans un devenir que dans les formes traversées tour à tour; *plus* dans l'évolution de la forme que dans les formes réalisées l'une après l'autre.» Donc, le devenir est plus parfait.

Un des plus brillants disciples de la même école dit de même: «Pourquoi le parfait ne serait-il pas une ascension, une croissance, plutôt qu'une plénitude immobile?»

Cette objection, à laquelle il nous faut répondre, renferme un aveu capital qu'il nous plaît d'abord de souligner. Elle reconnaît formellement ce principe premier, si familier à Aristote, que *le parfait prime l'imparfait*, et devant lequel s'inclinent nos penseurs contemporains les plus éminents, tels que M. Boutroux, lorsqu'il concluait: «Il reste donc vrai que l'imparfait n'existe et ne se détermine qu'en vue du plus parfait.» L'imparfait, en effet, ne peut exister et évoluer tout seul vers le parfait, parce qu'il ne peut se donner à lui-même l'être qu'il n'a pas.

Ce principe une fois reconnu par nos adversaires, il nous reste à discuter avec eux si c'est la puissance qui est plus parfaite que l'acte; le devenir-être plus parfait que l'être achevé; le mouvement vers un but plus parfait que le repos et la jouissance dans le but atteint? Mais, par ce simple énoncé, qui ne voit que c'est précisément l'inverse? Si l'on ne se meut pas pour se mouvoir vainement, mais pour arriver, si le mouvement n'est pas une fin mais un moyen, n'est-il pas évident qu'il est plus parfait d'être arrivé au but que de le chercher, meilleur d'en jouir que d'y tendre laborieusement?

Si MM. Bergson et Le Roy ont paru en douter, s'ils ont préféré le mouvant à l'immobile, c'est qu'ils se sont fait une fausse idée de ce que nous appelons avec Aristote l'être immobile ou immuable. Ils ont cru que mettre l'immobilité dans l'être parfait, c'était le rendre inactif et infécond, et partant souverainement imparfait. Mais c'est là pure équivoque.

Autre chose est le mouvement de croissance pour grandir soi-même dans l'être et la perfection; autre chose le mouvement de vie *ad intra* pour jouir de sa béatitude, et celui de fécondité *ad extra* pour communiquer à d'autres de cette plénitude d'être et de perfection. Le premier mouvement, celui de croissance ou d'évolution, nous le nions de l'être souverainement parfait, puisqu'il suppose un besoin, une indigence à satisfaire. Il faut donc qu'il soit immobile sous ce rapport. Mais le second et le troisième, sans le premier, sont le privilège de l'être parfait, puisqu'ils ont pour fin, non d'acquérir ce qui lui manquerait, mais de jouir et de donner de sa plénitude.

Or, ces activités ad *intra* et *ad extra* sont parfaitement compatibles avec l'immobilité de croissance. Elles ne sont pas des *devenir* pour l'Etre parfait, soit qu'il jouisse de sa perfection dans une ineffable béatitude, soit qu'il opère la création d'êtres contingents sans s'appauvrir ni s'enrichir lui-même, soit enfin qu'il produise en eux des changements, sans en éprouver aucun. Ces activités ne sont pas des *devenir*, mais des *actes* et des *actes purs*, sans mélange de potentialité, suivant la formule géniale d'Aristote et de tous les Docteurs chrétiens.

Au contraire, le Devenir bergsonien est un mouvement de croissance, c'est une Puissance en voie de s'actuer, aussi est-il un signe essentiel d'indigence, d'imperfection et de contingence. Le Parfait n'est donc pas ce qui a besoin de devenir et qui devient peu à peu, mois *ce qui est* et qui fait devenir tout le reste. Ce n'est pas la Puissance, mais l'Acte; ce n'est pas le non-être, c'est l'être.

Voilà ce que proclame le bon sens, avec l'unanimité des Docteurs de l'Ecole à travers tous les siècles. En sorte que soutenir avec Renan que «le grand progrès de la critique contemporaine a été de substituer la catégorie du devenir a celle de l'être», ou bien avec Hegel que «le non-être prime l'être», est un flagrant paradoxe et une injure au sens commun.

On voit par là comment notre Dieu est à la fois un Dieu immuable et un Dieu vivant. Immuable parce qu'étant de soi l'être parfait, il n'est nullement «en train de se faire» comme on ose le soutenir dans la Philosophie nouvelle. Vivant aussi, parce qu'il est agissant ad *intra* et *ad extra*, mais d'une vie bien différente de la nôtre.

Noire vie pour durer a besoin du «tourbillon vital», de ce mouvement ininterrompu de va-et-vient entre la mort et la vie, qui nous verse la vie goutte à goutte dans un recommencement perpétuel. Mais bien loin d'être une vie parfaite, ce n'est là qu'une vie misérable, qui s'use et se détruit sans cesse, une perpétuelle «lutte contre la mort», suivant la célèbre définition de Bichat, ou mieux encore «une perpétuelle agonie», suivant l'heureuse expression de saint Grégoire le Grand. Attribuer à la vie parfaite de notre Dieu l'agitation inquiète et l'instabilité de la nôtre ne serait que de l'anthropomorphisme le plus grossier: reproche que nos adversaires nous adressent assez souvent pour qu'ils évitent de le mériter.

La vie parfaite n'est donc pas un perpétuel devenir, mais un *acte pur* sans aucun mélange d'imperfection ni de potentialité. Elle exclut donc tout mouvement, dans le sens imparfait de ce mot, c'est-à-dire tout passage de la puissance à l'acte ou de l'acte à la puissance. Elle est une plénitude indéfectible d'action et de béatitude.

«Mais quoi, s'écriait Platon, nous persuadera-t-on si facilement que, dans la réalité, le mouvement, la vie, l'âme, l'intelligence, ne conviennent pas à l'Etre absolu; que cet Etre ne vit ni ne pense et qu'il demeure immobile, immuable, sans avoir part à l'auguste et sainte intelligence, σεμνόν και άγιον voῦν!» De même, Aristote revendique pour l'Etre en soi la pensée, l'action, la vie, la béatitude, en des termes non moins admirables.

Par là même, nous avons répondu à cette étrange objection de M. Bergson nous reprochant «le dédain de notre métaphysique pour toute réalité qui dure». Ce n'est que la durée successive et reçue goutte à goutte, en un mot, le *devenir*, que nous estimons imparfaite et contingente, incompatible avec l'être nécessaire et parfait.

Mais la vraie durée éternelle et nécessaire du *tota simul* ou de l'*acte pur*, nous en faisons l'essence même de l'Etre parfait en lequel l'essence et l'existence s'identifient. Bien loin de la dédaigner, nous la divinisons, tandis que M. Bergson n'a divinisé que son ombre, pour ne pas dire sa caricature, le Temps, qui se fait et se défait, qui devient et qui passe. Son Cronos n'est même pas un demi-dieu. Il n'est qu'un avatar de la *substance infinie* de Spinosa, de l'*idée absolue* de Hegel ou de la *volonté pure* de Schopenhauer. Loin d'être un progrès, c'est plutôt, à bien des égards, un recul de la conception panthéistique.

II. Décapitée par la suppression de la Cause première, efficiente et motrice, l'Evolution bergsonienne va se trouver désorientée par l'absence de *Cause finale*.

Cependant, ce n'est pas une absence *totale* de cause finale que nous reprocherons à ce système. Un reproche si excessif serait une véritable injustice envers son auteur. S'il est quelqu'un parmi nos contemporains qui ait proclamé plus ouvertement la faillite du mécanisme sous toutes ses formes: cartésienne, spinosienne, leibnitzienne, spencérienne, kantienne, etc., c'est bien assurément M. Bergson. Il a écrit contre le hasard de tous les mécanismes des pages vengeresses qui resteront, car elles sont la meilleure partie de son œuvre.

Toutefois, après avoir vigoureusement rejeté le mécanisme qui voudrait expliquer les merveilles du cosmos par des combinaisons accidentelles et fortuites, il refuse d'adopter le finalisme. Ce ne sont là, dit-il, que «deux vêtements de confection» qui «ne vont ni l'un ni l'autre», et les deux éternels plaideurs vont être, suivant sa coutume, renvoyés par lui dos à dos, lorsqu'il se ravise et semble éprouver quelque regret en faveur de l'un des deux systèmes «qui pourrait, dit-il, être recoupé, recousu, et, sous une forme nouvelle, aller moins mal que l'autre». C'est le finalisme qui va bénéficier de ses indulgentes retouches. Taillé, coupé en deux, il va devenir un demi-finalisme. En voici les traits essentiels.

Nous avons vu que le Dieu ou demi-Dieu Cronos, Elan vital, Courant de vie ... était esprit, et même intelligence, au moins dans un sens très large, puisque l'instinct des animaux et l'intelligence de l'homme en sont issus pareillement. Bien plus — nous l'avons dit, — il est liberté, choix, exigence de création. De tous ces attributs, nous pouvons conclure que son évolution créatrice ne sera pas aveugle ni laissée au hasard. Sa méthode ou son processus seront donc psychiques et nullement mécaniques, libres et nullement asservis à la fatalité. M.

Bergson ira même jusqu'à dire: «La science n'est donc pas une construction humaine. Elle est antérieure à notre intelligence, indépendante d'elle, véritablement génératrice des choses.»

Orientée par de telles prémisses, on devine que l'évolution créatrice se rapprochera beaucoup du finalisme intégral. Nombreuses sont aussi les pages de ce volume qu'un finaliste convaincu n'hésiterait point à signer. Et nous ne parlons pas seulement des pages dirigées contre le mécanisme, où ce système est mis au défi, par exemple, d'expliquer les similitudes d'organes sur des lignes divergentes et depuis longtemps séparées, telles que la similitude complète d'un œil à rétine chez l'homme et chez un mollusque tel que le peigne. Nous parlons aussi des pages qui nous montrent la marche de l'évolution clairement orientée par une direction supérieure aux individus, et partant par la finalité.

Voici d'abord comment l'auteur résume et conclut sa discussion sur révolution par variations lentes ou brusques. «En résumé, dit il, si les variations accidentelles qui déterminent l'évolution sont des variations insensibles, il faudra faire appel à un bon génie — le génie de l'espèce future — pour conserver et additionner ces innombrables variations, car ce n'est pas la sélection qui s'en chargera. Si, d'autre part, les variations accidentelles sont brusques, l'ancienne fonction ne continuera à s'exercer ou une fonction nouvelle ne la remplacera que si tous les changements survenus ensemble se complètent en vue de l'accomplissement d'un même acte: il faudra encore recourir au bon génie, cette fois pour obtenir la *convergence* des changements simultanés, comme tout à l'heure pour assurer la *continuité de direction* des variations successives.... Bon gré, mal gré, c'est à un principe interne de direction qu'il faudra faire appel pour obtenir cette convergence d'effets.»

Ce principe interne de direction, dont tous les mécanismes ont vainement cherché à se passer, M. Bergson l'appelle quelquefois du nom d'*effort*, mais il prend bien soin de nous avertir de la différence profonde qui existe entre ce principe de direction et un effort au sens vulgaire. Celui-ci est personnel et n'aboutit qu'à des variations insignifiantes, par exemple, à développer un muscle; celui-là, au contraire, est au-dessus de l'individu et produit l'évolution des espèces. Il n'y a donc entre les deux sens qu'une analogie lointaine, mais suffisante pour nous faire comprendre comment un même effort, pour tirer parti des mêmes circonstances, peut aboutir aux mêmes résultats, résoudre identiquement les mêmes problèmes, surtout lorsque ces problèmes ne comportent qu'une même solution.

«Un changement héréditaire, écrit notre auteur, et de sens défini, qui va s'accumulant et se composant avec lui-même de manière à construire une machine de plus en plus compliquée, doit sans doute se rapporter à quelque espèce d'effort, mais à un effort autrement profond que l'effort individuel, autrement indépendant des circonstances, commun à la plupart des représentants d'une même espèce, inhérent aux germes qu'ils portent plutôt qu'à leur seule substance, assuré par là de se transmettre à leurs descendants. Nous revenons ainsi à l'idée d'où nous étions partis, celle d'un *élan originel* de la vie.»

Un peu plus loin, revenant sur cette hypothèse d'un élan originel, c'est-à-dire d'une poussée intérieure qui porterait la vie, par des formes de plus en plus complexes, à des destinées de plus en plus hautes, il ajoute: «Cet élan est pourtant visible, et un simple coup d'œil jeté sur les espèces fossiles nous montre que la vie aurait pu se passer d'évoluer, ou n'évoluer que dans des limites très restreintes, si elle avait pris le parti, beaucoup plus commode pour elle, de s'ankyloser dans ses formes primitives. Certains Foraminifères, par exemple, n'ont pas varié depuis l'époque silurienne. Impassibles témoins des révolutions sans nombre qui ont bouleversé notre planète, les Lingules sont aujourd'hui ce qu'elles étaient aux temps les plus reculés de l'ère palézoïque.»

L'existence de cet élan vital originel pour donner le branle et la direction à l'évolution ne nous gêne nullement. Après l'avoir accordé volontiers, nous demeurons encore en plein finalisme, puisque M. Bergson admet comme nous et avec tous les péripatéticiens que l'évolution elle-même ne peut s'expliquer sans une direction, à la fois intérieure et supérieure aux individus.

Jusqu'ici, l'accord est facile, mais voici où la divergence entre nous va commencer.

D'après M. Bergson, la direction de l'évolution se fait sans aucun plan *général* tracé d'avance, mais par la solution, au fur et à mesure qu'ils se présentent, de chaque problème particulier, qui est librement résolu par la création de formes absolument imprévisibles.

«L'évolution n'est pas davantage la réalisation d'un plan. Un plan est donné par avance. Il est représenté, ou tout au moins représentable, avant le détail de sa réalisation. L'exécution en peut être repoussée dans un avenir lointain, reculée même indéfiniment: l'idée n'en est pas moins formulée, dès maintenant, en termes actuellement donnés. Au contraire, si l'évolution est une création sans cesse renouvelée, elle crée au fur et à mesure, non seulement les formes de la vie, mais les idées qui permettraient à une intelligence de la comprendre, les termes qui serviraient à l'exprimer. C'est-à-dire que son avenir déborde son présent et ne pourrait s'y dessiner en une idée. Là est la première erreur du finalisme.»

Cette thèse antifinaliste repose sur deux arguments principaux.

Premier argument. Un plan tracé d'avance assimile trop le travail de la nature au travail de l'ouvrier qui fabrique en assemblant des pièces une à une. La nature, au contraire, construit ses organes vivants, non par des additions successives, mais par division de la cellule-mère qui se dédouble en cellules dérivées, lesquelles se dédoublent à leur tour jusqu'à la construction complète de l'organe.

Nous répondons que l'opposition de ces deux modes de travail n'est pas si absolue. Il est vrai que l'ouvrier n'en a qu'un à son service; mais la nature a les deux, et si la cellule vivante procède par dédoublement, elle procède aussi par addition des éléments de choix qui doivent la nourrir et sans l'assimilation desquels elle ne se dédoublerait jamais. Il lui faut choisir du phosphore pour fabriquer le tissu nerveux, de la silice pour les fibres végétales, de la chaux pour les os, du fer pour enrichir le sang, etc. La nature procède donc par additions aussi bien que par dissociations et dédoublements.

Toutefois, ce n'est là qu'une différence secondaire. L'essentiel est que tous les éléments, associés ou dissociés, obéissent a une même idée qui commande à l'ensemble, et partant à un plan conçu d'avance, car l'idée est un plan, au moins partiel.

Deuxième argument. «Un plan est un terme assigné à un travail; il clôt l'avenir dont il dessine la forme. Devant l'évolution de la vie, au contraire, les portes de l'avenir restent grandes ouvertes. C'est une création (de formes imprévues et imprévisibles) qui se poursuit sans fin en vertu d'un mouvement initial.»

Cet argument est sans valeur. L'avenir n'est nullement clos, parce que le Créateur réaliserait en ce moment un plan, le plan qui est sous nos yeux, et qu'il se réserverait de faire succéder au monde présent d'autres mondes et d'autres plans futurs, et même une série indéfinie de mondes et de plans. Les portes de l'avenir resteraient donc grandes ouvertes.

Elles seraient seulement fermées, pendant la durée d'exécution de tel ou tel plan, à l'intrusion anarchique de plans différents. Ce qui est une protection de l'ordre actuel et non un obstacle aux progrès futurs. Vouloir, au contraire, qu'à chaque instant puissent apparaître des formes nouvelles imprévues et imprévisibles, c'est introduire l'incohérence et le chaos dans l'Univers actuel. La suppression du plan ne serait donc que la suppression de l'ordre.

D'autre part, quelle nécessité voyez-vous à ce que les portes de l'avenir ne soient pas fermées ni son plan dessiné à l'avance? Nous avons beau chercher les raisons de cette prétendue nécessité, nous n'en trouvons aucune.

Loin de là, puisque l'éternité est un éternel présent, rien n'est passé ni futur, rien n'est caché au regard éternel, et, pour lui, l'imprévu ou l'imprévisible sont des non-sens. Autant dire que la volonté toute-puissante du Créateur ne sait plus ce qu'elle veut ni ce qu'elle fait, ni ce qu'elle crée.

Quant à l'hypothèse ajoutée par M. Bergson, que, sans avoir rien prévu, l'impulsion initiale suffit à mettre dans l'Univers un ordre imprévisible, au fur et à mesure des événements, c'est encore un non-sens philosophique, au témoignage, non seulement d'Aristote, mais des modernes eux-mêmes, tels que M. Hamelin, professeur en Sorbonne, qui, dans sa brillante thèse de doctorat, ne craignit pas de soutenir qu'une cause motrice est inintelligible sans une direction, et partant sans une finalité. «Une causalité non téléologique, écrivait-il, demeure frappée d'impuissance, disons d'impossibilité, et cela simplement parce qu'il lui manque une condition encore pour être quelque chose d'entièrement intelligible.»

En d'autres termes: l'impulsion originelle qui doit mettre en branle l'évolution a déjà une direction ou elle n'en a pas. Si elle n'en a pas, elle ne peut rien mouvoir ni se mouvoir elle-même, car il n'y a pas de mouvement sans direction. Si elle a, au contraire, une direction, elle tend vers un but, vers la réalisation d'une idée, d'un plan, et nous revenons, bon gré, mal gré, à la finalité.

Après ces réponses aux deux principaux arguments de M. Bergson, ajoutons une réfutation plus directe de son système de finalité partielle. Démontrons son insuffisance.

C'est, nous dit-on, *au fur et à mesure* des circonstances que l'élan vital choisira ce qu'il doit faire; à chaque problème soulevé, il apportera sa solution, sans avoir besoin de faire à l'avance aucun plan général. De la sorte, on croit pouvoir concilier l'absence de tout plan préconçu avec la réalisation effective d'un plan. Et de même que M. Jourdain faisait de la prose sans le savoir, ainsi l'évolution créatrice déroulera un plan admirable et infiniment compliqué sans l'avoir prévu.

Eh bien! nous n'hésitons pas à déclarer que cette conception est incohérente et qu'elle ne tient pas debout. Pour le montrer, il nous suffira de nous en tenir aux données mêmes de M. Bergson.

En nous décrivant poétiquement la marche de l'évolution cosmique, il nous parle avec insistance de *la marche à la vision*, de *la marche à la réflexion, à l'intelligence, à la liberté, à la vie sociale*, etc.. Prenons la première de ces données et attachons-nous à la comprendre.

Il s'agit de la marche ascensionnelle de l'organe le plus élémentaire et le plus grossier de la vision, tel que la simple tache pigmentaire de l'Infusoire, à l'organe le plus parfait, l'œil rétinien du vertébré, en passant par toutes les formes intermédiaires.

Or, cette marche ne peut se produire que par variations insensibles ou par changements brusques.

Si l'on suppose des variations insensibles, les premières variations ne gêneront pas trop le fonctionnement primitif de l'organe, puisqu'on les suppose insensibles, mais elles ne seront pas davantage utiles à ce fonctionnement, tant que les variations complémentaires ne se seront produites. Dès lors, ne pouvant encore fonctionner, elles s'atrophieront au lieu de se développer et ne se conserveront ni dans l'individu ni dans l'espèce.

Pour avoir une raison de les conserver, l'évolution doit les regarder comme des *pierres d'attente*, posées en vue d'une construction ultérieure, c'est-à-dire en vue d'un plan définitif. Il est évident qu'ici les parties sont commandées par le tout, comme le proclamait Aristote, elles obéissent à un élément futur qui n'existe pas encore; il y a donc un plan, et rien ne peut commencer utilement ou s'accroître qu'en prévision de ce but final.

En d'autres termes, il est impossible à l'Elan vital de résoudre utilement les divers problèmes au fur et à mesure qu'ils se posent le long du chemin de l'évolution, sans avoir déjà prévu le problème final, qui devient par avance l'élément essentiel des problèmes antérieurs. Impossible de construire peu à peu un organe tel que l'œil, surtout l'œil des vertébrés où des milliards d'éléments sont constitués et coordonnés en vue d'une unique fonction, sans avoir prévu à l'avance le plan d'ensemble d'un œil à cristallin.

Ce raisonnement, dans l'hypothèse de l'évolution brusque, sera le même avec un grossissement d'évidence encore plus saisissant. Chaque pas en avant de l'évolution vers la formation d'un œil à rétine acquiert ici une importance encore plus grande. Pour être opportun et ne rien gâter, il doit prévoir tous les pas suivants, être orienté par une «idée directrice», selon l'expression de Claude Bernard, c'est-à-dire orienté par le plan final de l'œil à construire.

Bien plus, comme chaque pas en avant est ici, par hypothèse, un progrès notable d brusque sur un point particulier, il aura son contre-coup sur une multitude d'autres points, car un élément nouveau amène des changements corrélatifs dans tous les éléments anciens. Chaque remaniement partiel exige donc, sous peine de tout gâter, un remaniement complet de l'ensemble. Il est donc impossible à l'Elan vital de donner des solutions partielles à chaque détail infiniment compliqué du problème, sans donner en même temps des solutions d'ensemble, c'est-à-dire s'orienter par un plan final.

Enfin, comme il est impossible de construire utilement un œil à rétine, sans savoir l'endroit du corps animal où il sera placé, et sans l'adapter aux organes voisins, puisqu'il devra collaborer avec eux, — par exemple, avec le second œil, s'il doit y avoir vision binoculaire, avec le système sensori-moteur d'où il tirera la sensibilité et le mouvement, avec les organes de la circulation du sang, de la respiration, de la digestion, de la reproduction, etc., — le plan de l'œil se trouve lui-même dépendant du plan spécifique de l'animal auquel on le destine.

L'animal, à son tour, est une partie d'un plan plus général et doit obéir à ce plan d'ensemble total sous peine de tout gâter.

Ces corrélations des parties avec l'ensemble sont si manifestes que M. Bergson en fait l'aveu en vingt passages. «Chaque pièce nouvelle, écrit-il, exige, sous peine de tout gâter, un remaniement complet de l'ensemble. Comment attendre du hasard un pareil remaniement?... L'addition d'un élément nouveau amène le changement corrélatif de tous les éléments anciens. Personne ne soutiendra que le hasard puisse accomplir un pareil miracle.» — «La machine qu'est l'œil est donc composée d'une infinité de machines, toutes d'une complexité extrême.... La plus légère distraction de la nature dans la construction de la machine infiniment compliquée eût rendu la vision impossible.»

Impossible d'avouer plus clairement que la nature ou l'Elan vital ne peut se distraire un seul instant du but à atteindre et du plan à exécuter. Il y a donc un plan prévu et voulu.

Et cependant M. Bergson revient à sa thèse préférée qu'il n'y a aucun plan. Mais il n'y revient pas sans un certain embarras, trahi par des hésitations et des réserves peu intelligibles. Qu'on en juge par sa réplique.

«Mais en parlant d'une marche à la vision, ne revenons-nous pas à l'ancienne conception de la finalité? Il en serait ainsi, sans aucun doute, si cette marche exigeait la représentation, consciente ou inconsciente, d'un but à atteindre. Mais la vérité est qu'elle s'effectue en vertu de l'élan originel de la vie, qu'elle est impliquée dans ce mouvement même, et que c'est précisément pourquoi on la retrouve sur des lignes d'évolution indépendantes.» — Jusqu'ici nous sommes d'accord avec M. Bergson: «La représentation du but» n'est évidemment pas dans le germe ou l'embryon qui évolue, mais dans «l'élan originel» du Créateur, de même qu'il n'est pas dans le mécanisme de l'horloge qui marque l'heure, mais uniquement dans la pensée de l'horloger qui a monté ce mécanisme.

Mais poursuivons: «Que si maintenant on nous demandait pourquoi et comment elle (la marche à la vision) y est impliquée (dans l'élan originel), nous répondrons que la vie est, avant tout, une tendance à agir sur la matière brute. Le sens de cette action n'est sans doute pas prédéterminé (?): de là l'imprévisible variété des formes que la vie, en évoluant, sème sur son chemin. Mais cette action présente toujours, à un degré plus ou moins élevé, le caractère de la contingence: elle implique tout au moins un rudiment de choix. Or, un choix suppose la représentation anticipée de plusieurs actions possibles. Il faut donc que des possibilités d'action se dessinent, pour l'être vivant, avant l'action même. La perception visuelle n'est pas autre chose: les contours visibles des corps sont le dessein de notre action éventuelle sur eux. La vision se retrouvera donc, à des degrés différents, chez les animaux les plus divers, et elle se manifestera par la complexité de structure partout où elle aura atteint le même degré d'intensité.»

Telle est la réplique intégrale de M. Bergson. Nous avons tenu à la citer en entier, au lieu de l'analyser, pour que ce petit chef-d'œuvre de clair-obscur ne nous fût pas imputable. Au fait, les dieux d'Homère, eux aussi, au plus fort du combat, disparaissaient parfois dans les nuages, et nous aurions mauvaise grâce de reprocher à de simples mortels de suivre un exemple venu de si haut.

Cependant, tout n'est pas insaisissable dans cette page, et nous y découvrons des réserves intéressantes qui atténuent énormément toute négation d'un plan prévu et visé. On nous accorde que *la marche à la vision «implique toujours un rudiment de choix»*—et partant, ajouterons-nous, au moins un rudiment de *but*, car on ne peut choisir sans but. On nous accorde aussi que le choix *suppose la représentation anticipée de plusieurs actions possibles*,—et partant, pour choisir entre ces divers moyens, il faut les comparer au *but* à atteindre, il faut une représentation de ce but.

Après cette grave concession, comment soutenir encore que «la marche à la vision n'exige pas la représentation, consciente ou inconsciente, d'un but à atteindre»?—Il y a là une contradiction flagrante outre ces deux thèses du même paragraphe. Elle nous montre, mieux que tout raisonnement, qu'une demi-finalité est une hypothèse incohérente, se détruisant elle-même.

C'est très bien de répudier le mécanisme et le hasard comme une explication insuffisante de l'évolution; c'est très bien d'admettre qu'elle est poussée en avant par le choix d'une volonté libre; mais cette volonté libre ne peut *pousser par derrière* l'évolution des mondes, et ne peut être une *vis a tergo* comme l'imagine M. Bergson, sans regarder *en avant*, sans avoir un but ou une série de buts successifs; en un mot, elle ne peut être cause motrice sans être cause finale. Si elle poussait sans savoir où clic va, elle pousserait aveuglément et nous reviendrions à ce hasard dont on a si justement proclamé la faillite.

Concluons que l'évolution créatrice sans *créateur* et sans *but* pêche à la fois contre les deux principes premiers de l'esprit humain, le principe de causalité et celui de finalité. Il lui manque les deux ressorts essentiels de tout mouvement, surtout du mouvement vital et libre dont elle se réclame.

Nous l'arrêtons donc à son point de départ, comme on arrête un voyageur qui n'a pas de quoi faire son voyage, comme la nature elle-même arrête un germe ou un embryon monstrueux qui n'est pas né viable. Le Dieu-Cronos n'est qu'un fantôme sans consistance, incapable de nous expliquer l'évolution. Il nous faut un Dieu vivant qui en soit le principe et la fin, qui soit l'*alpha* et l'*oméga* de l'évolution des mondes.

Et maintenant nous pouvons, en terminant, assister au brillant feu d'artifice de métaphores tiré par M. Bergson en l'honneur de l'évolution créatrice, sans aucun risque d'en être éblouis ou déconcertés.

«Imaginons, nous dit-il, un récipient plein de vapeur à une haute tension, et, çà et là, dans les parois du vase, une fissure par où la vapeur s'échappe en jet. La vapeur lancée en l'air se condense presque tout entière en gouttelettes qui retombent.... Ainsi, d'un immense réservoir de vie, doivent s'élancer sans cesse des jets, dont chacun, retombant, est un monde.»

Cependant, «la création d'un monde est un acte libre, et la vie à l'intérieur du monde matériel participe de cette liberté. Pensons donc plutôt à un geste comme celui d'un bras qu'on lève; puis supposons que le bras, abandonné à lui-même, retombe, et que pourtant subsiste en lui, s'efforçant de le relever, quelque chose du vouloir qui l'anima: avec cette image d'un *geste créateur qui se défait*, nous aurons déjà une représentation plus exacte de la matière. Et nous verrons alors, dans l'activité vitale, ce qui subsiste du mouvement direct dans le mouvement inverti, *une réalité qui se fait à travers celle qui se défait*».

«Tout est obscur dans l'idée de création si l'on pense à des *choses* qui seraient créées et à une *chose* qui crée, comme on le fait d'habitude,

174

comme l'entendement ne peut s'empêcher de le faire.... Il n'y a pas de *choses*, il n'y a que des *actions*.... J'exprime simplement cette similitude probable quand je parle d'un *centre* d'où les mondes jailliraient comme des fusées d'un immense bouquet, pourvu toutefois que je ne donne pas ce centre pour une *chose*, mais pour une continuité de jaillissement. Dieu ainsi défini (non comme une cause, mais une continuité de jaillissement sans cause) n'a rien de tout fait: il est vie incessante, action, liberté. La création, ainsi conçue, n'est pas un mystère; nous l'expérimentons en nous dès que nous agissons librement.»

«La vie est un mouvement, la matérialité est le mouvement inverse ... c'est une action qui se fait à travers une action du même genre qui se défait, quelque chose comme le chemin que se fraye la dernière fusée du feu d'artifice parmi les débris qui retombent des fusées éteintes.»

«Essentielle aussi est la marche à la réflexion. Si nos analyses sont exactes, c'est la conscience, ou mieux la supra-conscience qui est à l'origine de la vie; conscience ou supra-conscience est la fusée dont les débris éteints retombent en matière; conscience est encore ce qui subsiste de la fusée même, traversant les débris et les illuminant en organismes.»

Voilà, certes, de brillantes images, dont la flamme produit encore plus de fumée que de lumière. N'importe, ces nuages de vapeur légère plaisent à certains spectateurs qui imaginent découvrir dans ces formes vagues et indécises tout ce qui leur agrée.

Eh bien! malgré tous les écarts possibles d'interprétations les plus fantaisistes, nous mettons tous les hommes de bon sens, sans exception, au défi d'imaginer que les *fusées du bouquet*, s'élevant en gerbe vers le ciel, sont parties toutes seules d'un «centre de jaillissement», d'un centre vide, d'où la main de l'artificier serait absente. Nous les mettons au défi d'imaginer un *bras qui se lève ou qui retombe* sans que ce bras n'appartienne à aucune personne qui le lève ou le baisse. Nous les mettons au défi d'imaginer des *jets de vapeur* sortis d'une chaudière vide où ne bouillonneraient point tumultueusement des litres d'eau surchauffée. Jamais ils n'admettront, pour plaire à M. Bergson, des actions sans agent, des effets sans cause, pas plus que des actions libres sans direction et sans but.

Voilà pourquoi nous répétons avec assurance, malgré tous les trompe-l'œil de ces métaphores, qu'une évolution créatrice sans aucun créateur et sans aucun but n'est pas une conception intelligible, mais qu'elle est un défi à la raison humaine, à moins qu'elle ne soit un simple jeu d'esprit ou une rêverie et un amusement d'artiste. Dans ce cas, nous la comparerions à cette très ingénieuse «maison à l'envers» de l'Exposition universelle qui eut un vrai succès de curiosité, mais qu'aucun homme sensé n'aurait jamais voulu habiter réellement.

VI

THÉORIE DE LA CONNAISSANCE SENSIBLE

Jusqu'ici nous avons étudié l'antiintellectualisme *en action* dans les diverses applications qu'en a faites l'école bergsonienne: il est temps d'en aborder *la théorie* elle-même.

Si quelque lecteur nous reprochait de l'aborder trop tard et de ne pas avoir commencé par exposer la théorie, avant de faire connaître ses applications, notre réponse ne serait point embarrassée.

De fait, cette théorie est née la dernière. Quoiqu'on ait dit et répété que la métaphysique tout entière dépendait de la théorie de la connaissance, c'est plutôt l'inverse qui est vrai: toujours la théorie de la connaissance a dû faire suite à la métaphysique que l'on avait adoptée. On aura beau chercher dans l'histoire de la philosophie, on ne trouvera pas une seule théorie de la connaissance qui ne postule ou ne sous-entende, tout au moins, des données métaphysiques.

La position même du problème de la connaissance en dépend tout entière. Ainsi, par exemple, tous les subjectivistes, qui s'accordent à nier la possibilité même de l'*action* dite *transitive*, le poseront de la sorte: *étant donné que le sujet sentant et l'objet senti sont deux termes extérieurs l'un à l'autre, et partant impénétrables et sans aucune action commune entre eux*, expliquer le mécanisme de la connaissance sensible. Il est clair que le problème ainsi posé ne comporte qu'une solution subjectiviste et plus ou moins idéaliste, écartant *a priori* tout essai de solution réaliste.

Autre exemple: l'école kantiste a supposé donné comme incontestable que «le signe même d'une donnée métaphysique, c'est de ne pouvoir se traduire dans l'esprit humain que par une proposition contradictoire». Ce formidable *a priori* des antinomies inévitables, qui suppose déjà résolus dans un certain sens tous les problèmes de la métaphysique, doit aboutir fatalement aux jugements synthétiques *a priori* et aux formes innées de l'esprit humain, suivant la formule du criticisme kantien.

Le système antiintellectualiste de M. Bergson ne fera pas exception à cette règle générale. La théorie de la connaissance ne sera guère qu'un corollaire de son évolution créatrice. Nous allons le montrer bientôt surabondamment. Ici, un seul trait suffira. Puisque l'intelligence humaine «a été déposée en cours de route par l'évolution», ne peut-elle pas, ne doit-elle pas être dépassée? Puisqu'on cours de route elle a perdu l'instinct et l'intuition, ne peut-elle pas, ne doit-elle pas les recouvrer?... La réponse affirmative à ces deux questions fera le fond de la théorie nouvelle.

Cette interprétation, du reste, nous paraît entièrement conforme à la pensée de M. Bergson. Dès son Introduction, il nous avertit que les deux théories de l'évolution et de la connaissance «sont inséparables l'une de l'autre», et que c'est celle-ci qui doit accompagner et suivre celle-là.

Dans le corps de l'ouvrage, il y revient avec insistance pour nous dire que «le problème de la connaissance ne fait qu'un avec le problème métaphysique», que «chacune de ces recherches conduit à l'autre; elles font cercle, et le cercle ne peut avoir pour centre que l'étude empirique de l'évolution».

Bien plus, il va jusqu'à nous dire que la philosophie elle-même «n'est pas seulement le retour de l'esprit sur lui-même», mais surtout un retour sur le principe d'où il émane, «une prise de contact avec l'effort créateur». Elle est donc suspendue tout entière à la théorie de l'évolution créatrice. Impossible de comprendre la valeur de l'intelligence humaine sans avoir déjà étudié et compris sa genèse.

On trouvera sans doute qu'une telle méthode est bien hardie et bien prétentieuse. L'auteur est le premier à le reconnaître. «La théorie de la connaissance devient ainsi une entreprise infiniment difficile et qui passe les forces de la pure intelligence. Il ne suffit plus, en effet, de déterminer par une analyse conduite avec prudence les catégories de la pensée, *il s'agit de les engendrer*. En ce qui concerne l'espace, il faudrait, par un effort *sui generis* de l'esprit, suivre la progression ou plutôt la régression de l'extra-spatial se dégradant en spatialité. En nous plaçant d'abord aussi haut que possible dans notre conscience, pour nous laisser ensuite peu à peu tomber, etc.»

Nous ne nous sommes donc pas mépris sur le sens et l'exceptionnelle difficulté de la nouvelle méthode où l'auteur va s'engager. Plus l'exercice est difficile et périlleux, plus les spectateurs vont redoubler d'attention et d'effort pour le suivre en toutes ses évolutions, sans le perdre jamais de vue. Nous allons voir comment une intelligence humaine va essayer de se dépasser elle-même!

Pour mettre un peu d'ordre et de clarté dans l'analyse et la critique d'une théorie si difficile et si compliquée, nous étudierons successivement les thèses et hypothèses bergsoniennes sur la connaissance *sensible*, sur la connaissance *intellectuelle*, enfin sur cette nouvelle faculté de connaître qui a pris le nom, désormais célèbre, d'*intuition*. Mais chacune de ces trois recherches—vu son importance—fera l'objet d'un chapitre spécial.

Commençons par la *connaissance sensible*.

Disons de suite que, des trois parties de la théorie, celle-ci est de beaucoup la meilleure. Sans les préoccupations et les sous-entendus monistiques qui la déparent, elle serait pour nous à peu près acceptable, tant elle se rapproche de la conception péripatéticienne et scolastique.

Tout d'abord, M. Bergson prend nettement parti pour la thèse traditionnelle de la perception *immédiate* des sens externes, pour son objectivité foncière, et même pour l'objectivité des qualités sensibles, telles que les sons et les couleurs. On conviendra que cette attitude ne manque ni de netteté ni de courage, au milieu des préjugés tenaces qui règnent dans les esprits contemporains, depuis Descartes et Kant.

Et de même qu'il a réfuté le mécanisme avec une vigueur impitoyable, il va faire un réquisitoire écrasant contre tous les subjectivistes modernes, sans épargner ni Kant ni Taine, le fameux inventeur de «l'hallucination vraie».

Cette attitude de M. Bergson n'est pas récente. C'est, au contraire, croyons-nous, une de ses plus vieilles convictions. Aussi devrons-nous recourir à ses ouvragés antérieurs pour compléter notre tableau.

Dès les premières pages de *Matière et Mémoire*, il tient à protester contre le paradoxe idéaliste qui voudrait faire de ce monde une création subjective de notre cerveau ou de notre esprit. «Pour que ... l'ébranlement cérébral engendrât les images extérieures, écrit-il, il faudrait qu'il les contînt d'une manière ou d'une autre, et que la représentation de l'univers matériel tout entier fût impliquée dans celle de ce mouvement moléculaire. Or, il suffit d'énoncer une pareille proposition pour en découvrir l'absurdité. C'est le cerveau qui fait partie du monde matériel, et non pas le monde matériel qui fait partie du cerveau.» Supprimez le monde matériel, vous anéantissez du même coup le cerveau et son image. Au contraire, supprimez le cerveau et son image, c'est-à-dire un détail insignifiant dans le tableau immense de l'univers, il est clair que le tableau reste et que l'univers subsiste quand même.

A ce premier argument de simple bon sens, il va ajouter des arguments scientifiques et rationnels tirés de l'impossibilité de tous les systèmes idéalistes à expliquer la prétendue illusion d'un monde extérieur, créé de toutes pièces par notre esprit.

Ma croyance à l'existence d'un monde extérieur, dit-il, ne peut venir que de son action sur moi et non de mon action sur un vide extérieur; elle est le produit des actions convergentes venues de la périphérie au centre que j'occupe, et non du centre à la périphérie. «Tout s'obscurcit, en effet, et les problèmes se multiplient, si l'on prétend aller, avec les théoriciens (de l'idéalisme), du centre à la périphérie. D'où vient donc alors cette idée d'un monde extérieur (et étendu) construit artificiellement, pièce à pièce, avec des sensations inextensives dont on ne comprend ni comment elles arriveraient à former une surface étendue, ni comment elles se projetteraient ensuite au dehors de notre corps?... Il y a, dans cette croyance au caractère d'abord inextensif de notre perception extérieure, tant d'illusions réunies, on trouverait dans cette idée que nous projetons hors de nous des états purement internes tant de malentendus, tant de réponses boiteuses à des questions mal posées, que nous ne saurions prétendre à faire la lumière tout d'un coup.»

Ce n'est pas que l'auteur renonce à élucider pleinement un problème qui lui tient tant à cœur. Il le fera, au contraire, à satiété, dans tout le cours de son ouvrage, par des arguments péremptoires, mais qui n'étaient pour nous nullement nouveaux. Celui qu'il semble préférer, tant il lui paraît décisif, est la simple comparaison des deux explications idéaliste et réaliste.

«Dans la première, dit-il, des sensations inextensives de la vue se composeront avec des sensations inextensives du toucher et des autres sens pour donner, par leur synthèse, l'idée d'un objet matériel. Mais d'abord on ne voit pas comment ces sensations acquerront de l'extension ni surtout comment, une fois l'extension acquise en droit, s'expliquera la préférence de telle d'entre elles, en fait, pour tel point de l'espace. Et ensuite on peut se demander par quel heureux accord, en vertu de quelle harmonie préétablie, ces sensations d'espèces différentes vont se coordonner ensemble pour former un objet stable, désormais solidifié, commun à mon expérience et à celle des autres hommes, soumis, vis-à-vis des autres objets, à ces règles inflexibles qu'on appelle les lois de la nature. — Dans la seconde explication, au contraire (celle du réalisme), les «données de nos différents sens» sont des qualités des choses, perçues d'abord en elles plutôt qu'en nous: est-il étonnant qu'elles se rejoignent, alors que l'abstraction seule les a séparées?»

Or, parmi ces «données des sens», en réalité extraites des objets et nullement du sujet, l'auteur ne comprend pas seulement des données *quantitatives* telles que l'étendue, la masse, la figure et le mouvement, mais encore des données *qualitatives*, ce que nous appelons les *qualités sensibles* des corps. Au fond, le même raisonnement s'applique tout aussi bien aux unes et aux autres, et la raison de certaines exceptions, si à la mode soient-elles, ne s'impose nullement.

«On se plaît, écrit M. Bergson, à mettre les qualités, sous forme de sensations, dans la conscience, tandis que les mouvements s'exécutent indépendamment de nous dans l'espace. Ces mouvements, se composant entre eux, ne donneraient jamais que des mouvements; par un processus mystérieux, notre conscience, incapable de les toucher, les traduirait en sensations qui se projetteraient ensuite dans l'espace et viendraient recouvrir, on ne sait comment, les mouvements qu'elles traduisent. De là deux mondes différents, incapables de communiquer autrement que *par un miracle*: d'un côté celui des mouvements dans l'espace, de l'autre la conscience avec les sensations. Et, certes, la différence reste irréductible, comme nous l'avons montré nous-mêmes autrefois, entre la qualité, d'une part, et la quantité pure, de l'autre. Mais la question est justement de savoir si les mouvements réels ne présentent entre eux que des différences de quantité, et s'ils ne seraient pas la qualité même, vibrant pour ainsi dire intérieurement et scandant sa propre existence en un nombre souvent incalculable de moments.»

Suit une explication des qualités sensibles des corps, fort ingénieuse, mais dont la discussion nous entraînerait trop loin de notre sujet. Il suffit de constater ici que la théorie bergsonienne de la perception sensible est nettement hostile à tout idéalisme, même à ce demi-idéalisme cartésien, si en faveur de nos jours, qui, tout en admettant l'objectivité de l'étendue et de la quantité des corps, rejette celle de leurs qualités sensibles, pour en faire de pures modifications de la conscience.

La vraie raison de cette lutte sans merci contre tout *idéalisme*, même mitigé, M. Bergson ne s'en cache point, c'est son aversion profonde pour l'*agnosticisme*. Ecoutons ses déclarations à ce sujet, si instructives pour saisir le véritable esprit de sa philosophie.

«Dans la première hypothèse (celle de l'idéalisme), l'objet matériel n'est rien de tout ce que nous apercevons: on mettra d'un côté le principe conscient avec les qualités sensibles, de l'autre une matière dont on ne peut rien dire et qu'on définit par des négations parce qu'on l'a dépouillée tout d'abord de tout ce qui la révèle.—Dans la seconde (le réalisme), une connaissance de plus en plus approfondie de la matière est possible. Bien loin d'en retrancher quelque chose d'aperçu, nous devons au contraire rapprocher toutes les qualités sensibles, en retrouver la parenté, rétablir entre elles la continuité que nos besoins (d'analyse) ont rompue. Notre perception de la matière n'est plus alors relative ni subjective, du moins en principe et abstraction faite de l'affection et surtout de la mémoire.»

Un peu plus loin, il ajoute encore avec plus de force: pour l'idéalisme, la matière «ne peut rien être de ce que nous connaissons, rien de ce que nous imaginons; elle demeure à l'état d'entité mystérieuse». Et cet abîme insondable de l'agnosticisme, où l'idéalisme nous fait plisser, suffit à sa condamnation sans appel.

Mais ce n'est pas seulement dans les sciences du monde extérieur, dites sciences naturelles et physiques, que l'idéalisme a des conséquences ruineuses, c'est encore dans la science du monde intérieur, dans la Psychologie, où il jetterait une profonde confusion. M. Bergson l'a fort bien vu et ses analyses pénétrantes ont su le démontrer.

Si la perception externe, en effet, au lieu d'être une action ou image reçue du dehors, n'était plus qu'une image mentale, produite par l'esprit et projetée à l'extérieur, les deux phénomènes si différents et même si opposés de la perception et du souvenir se trouveraient confondus, comme des états forts ou faibles du même phénomène: la perception externe ne sérail plus qu'une *hallucination vraie*, suivant la paradoxale formule de Taine.

C'est cette fausse conception que M. Bergson va justement appeler une erreur capitale. «L'erreur capitale, dit il, l'erreur qui, remontant de la psychologie à la métaphysique, finit par nous masquer la connaissance du corps aussi bien que celle de l'esprit, est celle qui consiste à ne voir qu'une différence d'intensité au lieu d'une différence de nature, entre la perception pure et le souvenir.»

Sans doute, ajoute-t-il, nos perceptions sont d'ordinaire imprégnées de souvenirs, qui s'ajoutent à la perception pure pour l'interpréter et la compléter, mais l'union de ces deux actes n'est pas leur identité. «Le rôle du psychologue serait de les dissocier, de rendre à chacun d'eux, sa pureté naturelle: ainsi s'éclaireraient bon nombre de difficultés que soulève la psychologie, et peut-être aussi la métaphysique. Mais point du tout. On veut que ces états mixtes, tous composés, à doses inégales, de perception pure et de souvenir pur, soient des états simples. Par là, on se condamne à ignorer aussi bien le souvenir pur que la perception pure, à ne plus connaître qu'un seul genre de phénomènes, qu'on appellera tantôt souvenir et tantôt perception, selon que prédominera en lui l'un ou l'autre de ces deux aspects, et, par conséquent, à ne trouver entre la perception et le souvenir qu'une différence de degré, et non plus de nature. Cette erreur a pour premier effet, comme on le verra en détail, de vicier profondément la théorie de la mémoire; car en faisant du souvenir une perception plus faible, on méconnaît la différence essentielle qui sépare le passé du présent, on renonce à comprendre les phénomènes de la reconnaissance et plus généralement le mécanisme de l'inconscient. Mais inversement, et parce qu'on a fait du souvenir une perception plus faible, on ne pourra plus voir dans la perception qu'un souvenir plus intense. On raisonnera comme si elle nous était donnée, à la manière d'un souvenir, comme un état intérieur, comme une simple modification de notre personne. On méconnaîtra l'acte originel et fondamental de la perception, cet acte, constitutif de la perception pure, par lequel nous nous plaçons d'emblée dans les choses. Et la même erreur, qui s'exprime en psychologie par une impuissance radicale à expliquer le mécanisme de la mémoire, imprégnera profondément, en métaphysique, les conceptions idéaliste et réaliste de la matière.»

Nous avons tenu à citer cette page où les conséquences «capitales» d'une erreur, si universellement acceptée de nos jours, sont mises dans un relief si saisissant. Sûrement, un disciple d'Aristote et de saint Thomas n'aurait pas été plus vigoureux contre nos modernes subjectivistes, et nous devons en savoir gré à M. Bergson.

Du reste, ce ne sont pas seulement les conséquences ruineuses de cette erreur qu'il a relevées, il a aussi montré combien elle était contraire aux faits les mieux observés. En effet, «l'observation pure et simple peut trancher (le litige). Comment le tranche-t-elle? Si le souvenir d'une perception n'était que cette perception affaiblie, il nous arriverait, par exemple, de prendre la perception d'un son léger pour le souvenir d'un bruit intense. Or, pareille confusion ne se produit jamais.... Jamais la conscience d'un souvenir ne commence par un état actuel plus faible que nous chercherions à rejeter dans le passé après avoir pris conscience de sa faiblesse....» Jamais une douleur faible ne m'apparaîtra comme le souvenir d'une douleur intense. Le souvenir est donc tout autre chose que la perception.

Sans doute, l'auteur aurait pu multiplier les exemples de cette nature; il aurait pu surtout énumérer les oppositions et les contrastes révélés par l'observation scientifique, soit entre la vision imaginaire du souvenir ou du rêve et la vision de l'image consécutive ou hallucinatoire, soit entre celle-ci et la vision extérieure normale. Il aurait pu enfin étudier le double jeu de nos organes périphériques, par exemple, de l'œil humain dans la vision objective où l'œil reçoit l'image comme une chambre noire de photographe, et dans la vision subjective où l'œil joue le rôle inverse d'appareil à projection, pour conclure d'une manière encore plus éclatante à l'opposition radicale des deux phénomènes subjectif et objectif.

Si l'auteur n'a pas su exposer la théorie de ce *double jeu* de chaque organe périphérique, du moins semble-t-il en avoir eu quelque vague pressentiment dans plusieurs passages, notamment dans celui-ci: «Nous l'avons déjà dit, mais nous ne saurions trop le répéter: nos théories (subjectivistes) de la perception sont tout entières viciées par cette idée que si un certain dispositif (de l'organe) produit, à un moment donné, l'illusion d'une certaine perception, il a toujours pu suffire à produire cette perception même.»

Donc, fallait-il ajouter, il y a deux dispositifs, deux jeux, différents et opposés, pour chaque organe, comme il y a deux jeux opposés pour le même appareil photographique, qui peut servir à recevoir et fixer une image venue de l'extérieur, ou au contraire à projeter au dehors une image interne, comme une lanterne magique. Il suffit de se servir à rebours du même instrument.

Eh bien! cette explication si simple et si lumineuse pour montrer que l'œil peut être tantôt un appareil de vision normale, tantôt de projection hallucinatoire, M. Bergson a oublié de nous la donner. Quelque incomplète qu'elle soit, son argumentation reste encore assez victorieuse pour lui donner le droit de conclure:

«Le germe de l'idéalisme anglais est là. Cet idéalisme consiste à ne voir qu'une différence de degré, et non pas de nature, entre la réalité de l'objet perçu et l'idéalité de l'objet conçu. Et l'idée que nous construisons la matière avec nos états intérieurs, que la perception n'est qu'une hallucination vraie, vient de là également. C'est cette idée que nous n'avons cessé de combattre quand nous avons traité de la matière. Ou bien donc notre conception de la matière est fausse, ou le souvenir se distingue radicalement de la perception.»

Après avoir démoli les systèmes idéalistes et subjectivistes de la connaissance sensible—tâche relativement aisée,—il reste à reconstruire, et c'est ici que l'effort de la philosophie nouvelle va devenir laborieux, parce qu'elle a voulu ignorer, de parti pris, tous les essais de reconstruction déjà tentés au cours des siècles par l'esprit humain.

Pour préparer le lecteur à l'intelligence du système de la perception des sens, il faut d'abord rappeler que, pour M. Bergson—comme pour nous, d'ailleurs, et tous les néo-scolastiques,—la sensation a lieu *là où elle paraît être*, c'est-à-dire dans les organes périphériques, seuls capables de subir un contact immédiat avec les objets extérieurs, et nullement dans le cerveau.

Ces organes sentants de la périphérie sont du reste de véritables centres nerveux. L'œil, par exemple n'est qu'un centre nerveux détaché et transporté à la périphérie, comme on le constate dans le développement de l'embryon. On ne voit donc pas la raison qui les empêcherait de sentir tout aussi bien que le cerveau.

L'union des organes périphériques avec le cerveau n'est donc qu'une condition pour leur fonctionnement conscient, et aussi pour la centralisation de toutes leurs données dans un organe central qui les compare, les combine et les conserve à l'état de souvenirs.

M. Bergson va même plus loin que nous et ne considère le cerveau que comme une collection de centres moteurs, sans aucun centre imaginatif. Nous avons déjà vu et discuté cette opinion—à nos yeux excessive—à propos de la mémoire et des phénomènes d'aphasie: aussi croyons-nous inutile d'y revenir ici.

Il nous faut donc partir de cette donnée que ce n'est pas le cerveau qui voit, qui entend, qui touche et palpe ... mais uniquement les organes périphériques des cinq sens externes. Donnée éminemment d'accord avec le sens commun de tous les hommes, mais qui aurait eu besoin d'être expliquée et mise en lumière par une théorie de l'union substantielle de l'âme et du corps, théorie dont nous n'avons pu trouver la moindre trace dans les ouvrages que nous analysons.

Quoi qu'il en soit, étant donné, par exemple, que c'est l'organe du toucher qui palpe le relief résistant de tel objet—et tous les autres sens sont des espèces de toucher,—il reste à nous dire *quel est* le phénomène qui se produit, *comment* il se produit, enfin quelle est sa *valeur* critériologique.

La première question, qui est d'ordre purement expérimental et psychologique, nous paraît bien comprise d résolue par M. Bergson. «Nous saisissons dans notre perception, écrit-il, tout à lu fois un *état* de notre conscience et une *réalité* indépendante de nous. Ce caractère mixte de notre perception immédiate, cette apparence de contradiction réalisée, est la principale raison théorique que nous ayons de croire à un monde extérieur....»

Cette analyse, qui est la sincérité et l'évidence même pour tout observateur attentif, M. Bergson aurait pu la retrouver dans les ouvrages de l'école écossaise, d'Hamilton, par exemple, qui constatait, lui aussi, que «nous sommes conscients immédiatement, dans la perception, d'un moi et d'un non-moi, connus ensemble et connus en opposition mutuelle ... que nous avons conscience de deux existences par une même et indivisible intuition ... que la conscience donne, comme dernier fait, une dualité primitive, une antithèse originelle....»

Il aurait pu aussi la retrouver dans tous les ouvrages de l'école péripatéticienne et thomiste, anciens et modernes, avec cette nuance, toutefois, que la perception du non-moi y est toujours notée comme antérieure à celle du moi, laquelle exige une certaine réflexion et un retour du sujet sentant sur lui-même. En sorte que la rencontre des deux éléments, moi et non-moi, quoique simultanée, a pour premier effet de mettre en relief celui-ci, en laissant celui-là momentanément dans l'ombre.

Analyse si fine et si saisissante de vérité, qu'elle arrachait cet aveu à Barthélémy Saint-Hilaire: «Il n'y a pas de psychologie moderne qui ait porté dans ses recherches plus de sagacité ni plus de science qu'Aristote. La psychologie écossaise n'a été ni plus fine ni plus exacte.»

Après cette description, se trouvent illuminées toutes les formules, par elles-mêmes un peu concises et obscures, employées par M. Bergson pour désigner la perception des sens. Pour lui, c'est «une intuition immédiate»—qui «me place d'emblée dans le monde matériel»,—«par laquelle nous nous plaçons d'emblée dans les choses»,—qui «est dans les choses plutôt qu'en moi»,—«hors de nous plutôt qu'en nous», etc.. Tous ces aphorismes étonnent de prime abord, mais ils ont moins besoin de correction que d'explication.

La deuxième question a pour objet d'expliquer le *comment* ou le *processus* de la perception immédiate par les organes périphériques.

La réponse est assez simple dans le système péripatéticien, qui a posé en principe la distinction de la substance et de l'accident, c'est-à-dire de l'agent et de son action. Si les substances sont entre elles impénétrables, elles si; laissent pénétrer par leurs actions mutuelles.

Bien plus, l'action est toujours commune à deux substances, *agent*, et *patient*, car elle est le résultat, non pas de deux activités, comme on l'entend dire si faussement, mais d'une activité et d'une passivité correspondante, ou, si l'on préfère, elle est le produit simultané de deux coprincipes, l'un actif et l'autre passif. L'action n'existant jamais en dehors d'une passion, l'agent et le patient sont ainsi compénétrés, ou informés, par une action commune, qui joue ainsi le rôle de trait d'union entre les substances.

D'où nous concluons que, dans la sensation externe, l'*action de l'agent étant dans le patient*, celui-ci n'a qu'à en prendre conscience pour percevoir en lui-même un élément étranger — un non-moi dans le moi, — c'est-à-dire qu'il perçoit, non pas une substance étrangère, mais une action étrangère qui est la manifestation même de cette substance.

La perception immédiate des sens est ainsi mise en lumière par la théorie générale de l'action et de la passion dont elle n'est plus qu'un cas particulier ou un simple corollaire.

Au contraire, dans l'hypothèse phénoméniste de M. Bergson, où les actions sont sans agent et les phénomènes sans substance, on devine l'embarras où va le jeter l'explication d'une compénétration et d'une perception immédiate entre deux phénomènes étrangers l'un à l'autre: sujet et objet.

Notre auteur s'en tirera de deux manières. La première consistera à oublier, pour un temps, son phénoménisme et à parler le langage substantialiste du sens commun.

En ce premier sens, les textes abondent: «Dans la perception pure, l'objet perçu est un objet présent, un corps qui modifie le nôtre. L'image en est donc actuellement donnée....» — «Conscience et matière, âme et corps entraient ainsi en contact dans la perception.» — «La perception est un contact de l'esprit avec l'objet présent»; — «l'action virtuelle des choses sur notre corps et de notre corps sur les choses est la perception même»; — «la perception ressemble à un simple contact.»

Bien plus, nous pourrions citer une page entière, où, traitant *ex professo* de la perception des sens, il distingue et oppose les deux actions qui en forment le processus, la première qui vient de l'objet dans le sujet pour y produire son empreinte, la seconde qui part du sujet pour revenir à l'objet et pour ainsi dire lui restituer ce qu'il en a reçu. Cette seconde partie qu'il appelle la *réflexion* est la plus curieuse:

«Toute perception attentive suppose véritablement, au sens étymologique du mot, une *réflexion*, c'est-à-dire la projection extérieure d'une image activement créée, identique ou semblable à l'objet, et qui vient se mouler sur ses contours. Si, après avoir fixé un objet, nous détournons brusquement notre regard, nous en obtenons une image consécutive: ne devons-nous pas supposer que cette image se produisait déjà quand nous la regardions? La découverte récente de fibres perceptives centrifuges nous inclinerait à penser que les choses se passent régulièrement ainsi, et qu'à côté du processus afférent qui porte l'impression au centre, il y en a un autre inverse qui ramène l'image à la périphérie.... Ainsi notre perception distincte est véritablement comparable à un cercle fermé, où l'image-perception dirigée sur l'esprit et l'image-souvenir lancée dans l'espace courraient l'une derrière l'autre.»

Ce passage est d'autant plus curieux qu'il traduit en langage moderne le double processus de l'espèce *impresse* et de l'espèce *expresse* des scolastiques: la première reçue passivement dans le sujet, la seconde produite activement par réaction et renvoyée vers l'objet d'où l'action était partie.

Impossible de rapprocher cette description des *deux moments* de la perception des sens externes avec celles qu'en ont essayé les néo-scolastiques contemporains, sans être frappé de leurs analogies profondes.

Telle est la première manière d'expliquer le processus de la perception; avec elle, nous pourrions facilement nous entendre. Mais il en est une autre qui ne recevra pas de nous les mêmes éloges.

La seconde manière d'expliquer le contact du sujet et de l'objet, de la conscience et de la matière, est de les identifier dans une unité monistique. Tous les êtres de l'univers ne formeraient qu'une seule et unique conscience.

«Alors la difficulté s'évanouit, dit-il. La matière étendue, envisagée dans son ensemble, est comme une conscience où tout s'équilibre, se compense et se neutralise. Elle offre véritablement l'indivisibilité de notre perception; de sorte qu'inversement nous pouvons, sans scrupule, attribuer à la perception quelque chose de l'étendue de la matière. Ces deux termes, perception et matière, marchent ainsi l'un vers l'autre.... la sensation reconquiert l'extension, l'étendue concrète reprend sa continuité et son indivisibilité naturelles. Et l'espace homogène, qui se dressait entre les deux termes comme une barrière insurmontable, n'a plus d'autre réalité que celle d'un schème ou d'un symbole.»

Et notre auteur aime à revenir souvent à la contemplation d'un Univers matériel—au fond spirituel—qui serait «une espèce de conscience» universelle. C'est le rêve d'un monisme spiritualiste ou panpsychiste.

Malheureusement, ce n'est qu'un rêve, en contradiction flagrante avec le fait de conscience qu'il s'agit précisément d'expliquer: dans la perception, avons-nous dit, nous avons conscience de *deux existences, le moi et le non-moi,* connus ensemble mais en *opposition mutuelle, et irréductibles l'un à l'autre.* — Or, les réduire l'un à l'autre, identifier le moi et le non-moi dans une conscience unique, comme M. Bergson, vient de le faire, c'est précisément nier le problème au lieu de l'expliquer; c'est détruire ce qu'on prétendait édifier. C'est donc un aveu d'impuissance du système bergsonien et non pas une solution.

Ce préjugé moniale expliquera au lecteur un certain nombre de formules dont le sens paraîtrait énigmatique et indéchiffrable. Celles-ci, par exemple: «plus de différence essentielle, pas même de distinction véritable entre la perception et la chose perçue», entre le moi et le non-moi; — il y a entre «la perception et la réalité le rapport de la partie au tout»; — «la distinction de l'intérieur et de l'extérieur se ramène à celle de la partie et du tout», et autres formules non moins paradoxales qui n'empêchent nullement noire auteur de se réclamer dès sa préface «des conclusions du sens commun»!

La *troisième question* que nous avons posée est celle de la valeur d'une perception immédiate ainsi comprise et expliquée, pour nous faire atteindre le réel, en un mot, sa portée objective ou critériologique. On peut l'examiner d'abord en dehors de toute hypothèse monistique — dont elle est par elle-même indépendante — et puis dans cette hypothèse monistique.

Indépendamment de tout préjugé de monisme, il est clair qu'une perception immédiate, une intuition du réel, est forcément objective. Pas d'erreur possible dans l'*appréhension*: on n'appréhende pas ce qui n'est pas. M. Bergson est le premier à le reconnaître et à le proclamer. «Nous touchons la réalité de l'objet, dit-il, dans une intuition immédiate.» En droit, la perception pure «est absorbée, à l'exclusion de tout autre travail, dans la tâche de se mouler sur l'objet extérieur.... En fait, il n'y a pas de perception qui ne soit imprégnée de souvenirs. Aux données immédiates et présentes de nos sens, nous mêlons mille et mille détails de notre expérience passée.... Mais nous espérons montrer que les accidents individuels sont greffés sur cette perception impersonnelle, que cette perception est la base même de notre connaissance des choses, et que c'est pour l'avoir méconnue, pour ne pas l'avoir distinguée de ce que la mémoire y ajoute ou en retranche, qu'on a fait de la perception tout entière une espèce de vision intérieure et subjective qui ne différerait du souvenir que par sa plus grande intensité».

Et il ajoute un peu plus loin: «Cette perception se distinguera radicalement du souvenir: la réalité des choses ne sera plus construite ou reconstruite, mais touchée, pénétrée, vécue; et le problème pendant entre le réalisme et l'idéalisme, au lieu de se perpétuer dans des discussions métaphysiques, devra être tranché par l'intuition.»

Voilà qui est fort bien dit, et le plus fidèle disciple d'Aristote et, de saint Thomas ne dirait pas mieux. Il est incontestable qu'au fonds d'intuition impersonnelle et commune à tous les hommes contemplant un même objet s'ajoutent une multitude de souvenirs ou d'associations d'images, propres à chaque individu: c'est ce que les scolastiques avaient appelé l'objet accessoire ou accidentel, *per accidens*, de la connaissance, et qu'ils opposaient si justement à l'objet propre, *per se*, seul objet de la perception véritable.

Peut-être même — accordons-le — ce fonds d'intuition réelle est-il peu de chose par comparaison à tout ce que notre mémoire y ajoute dans la connaissance totale d'un même objet. Mais cela n'empêche point que, s'il y a dans notre perception quelque chose en plus de ce qui nous est donné présentement, il y a aussi ce donné réel, et que les éléments qui s'y ajoutent sont, eux aussi, des données antérieures. C'est donc la synthèse de notre connaissance globale qui sera sujette au contrôle et à la critique, et nullement chacun des éléments donnés.

C'est là une thèse importante pour l'objectivité de la perception sensible, que M. Bergson a fort bien comprise et qu'il résume ainsi: «*Il y a dans la matière quelque chose en plus, mais non pas quelque chose de différent de ce qui est actuellement donné.*» — «Un fonds impersonnel demeure où la perception coïncide avec l'objet perçu, et ce fonds est l'extériorité même.» — «La perception pure nous donne le tout ou au moins l'essentiel de la matière.»

Au surplus, la totalité de ce donné réel, qui fait le fond de chaque perception des sens, n'est pas nécessairement soumise intégralement à notre attention ni toujours perçue sous tous ses aspects. Et c'est là encore une atténuation à l'objectivité parfaite et intégrale de nos sensations, que nous accordons volontiers à M. Bergson.

Dans toute perception, notre attention à une orientation particulière, correspondant à nos préoccupations actuelles. Nous ne sommes guère attentifs qu'à ce qui nous intéresse présentement. En ce sens, pouvons-nous accorder que notre perception est une *sélection*. Elle ne crée rien, son rôle est, au contraire, d'éliminer de l'ensemble des images les parties qui n'ont pour nous aucun intérêt actuel. Mais ce qui reste, après cette élimination, n'en est pas moins du donné et du réel: cela suffit à l'objectivité fondamentale.

Toutefois, nous ne pouvons accorder que l'intérêt dont il s'agit ici, comme instrument de sélection, est toujours un intérêt pratique, utilitaire, et jamais un intérêt spéculatif. C'est là une exagération regrettable. La spéculation pure, qu'on appelle aussi «désintéressée», parce qu'elle est étrangère à notre intérêt privé, est étroitement liée à l'intérêt public, au progrès des sciences et des arts, qui peuvent nous toucher encore plus fortement que nos intérêts privés, et orienter notre attention.

Lorsque Newton vit tomber la fumeuse pomme dont la chute lui révéla la grande loi de l'attraction universelle, le détail qui attira son attention l'intéressait bien plus que tous les autres détails dont le vulgaire eût été frappé.

Il est donc exagéré de dire que notre perception «est toujours orientée vers l'action»; — qu'elle «mesure justement notre action virtuelle sur les choses»; — qu'elle n'est que «le miroir d'une action possible», — «une action naissante qui se dessine».

Mais ces exagérations issues d'un certain utilitarisme pratique, dont nous aurons à nous occuper plus tard, ne nuisent en rien à la thèse de l'objectivité fondamentale qui seule nous occupe ici.

Il est clair que, par la perception immédiate ou l'intuition, nous avons atteint quelque chose de réel et d'absolu, et l'idéalisme, le subjectivisme, le relativisme sont ainsi confondus. «Ma connaissance de la matière n'est plus alors ni subjective, comme elle l'est pour l'idéalisme anglais, ni relative comme le veut l'idéalisme kantien. Elle n'est pas subjective, parce qu'elle est dans les choses plutôt qu'en moi. Elle n'est pas relative, parce qu'il n'y a pas entre le «phénomène» et la «chose» le rapport de l'apparence à la réalité, mais simplement celui de la partie au tout», l'action qui me frappe étant une partie du réel, une manifestation de l'agent.

Après avoir ainsi touché par l'intuition au roc du réel ou de l'absolu, M. Bergson pourra conclure triomphalement: «Dans l'absolu nous sommes, nous circulons et nous vivons. La connaissance que nous en avons est incomplète, sans doute, mais non pas extérieure ou relative. C'est l'être même, dans ses profondeurs, que nous atteignons par le développement combiné et progressif de la science et de la philosophie.... La physique ... touche à l'absolu.»

Paroles audacieuses, qu'il a répétées à satiété, comme un défi à tous nos contemporains, plus ou moins imbus de kantisme et de subjectivisme; — paroles pourtant fort justes, si on les prend à la lettre et sans aucun sous-entendu monistique, car *l'union* du sujet et de l'objet, *sans leur identité*, suffit à les justifier.

Malheureusement, ce sous-entendu est trop nettement formulé — au moins dans ses derniers ouvrages — pour qu'il soit possible de se méprendre sur la pensée actuelle de M. Bergson. C'est bien sur l'identité du sujet et de l'objet qu'il s'appuiera finalement pour les faire communiquer dans une conscience universelle.

Et voilà pourquoi il nous parle parfois «d'une intuition intemporelle» et «d'une connaissance *par le dedans*» que les êtres auraient les uns des autres, et que nous ne saurions admettre. Pour nous, au contraire, c'est uniquement pur leurs actions extérieures que nous connaissons les substances qui agissent; et partant c'est par le dehors, par leurs manifestations au dehors, que nous les saisissons.

Le moi lui-même, l'agent intérieur, quoique beaucoup plus intime, n'échappe pas complètement à cette loi. Notre intuition consciente de ce principe d'opération ne se produit qu'au moment de son effort pour agir, pour passer de la puissance à l'acte, et partant nous n'en prenons conscience qu'au travers de son opération.

Il est donc bien exagéré de dire: «J'en perçois l'intérieur, le dedans», alors que nous ne percevons que le jaillissement de ses opérations, dans l'espace et le temps. C'est assez, assurément, pour avoir l'intuition consciente de son existence, mais non celle de sa nature intérieure. Le raisonnement seul peut y atteindre, appuyé sur ce principe: on agit comme on est, l'action est la manifestation de l'agent: *operari sequitur esse.*

L'intuition des êtres *par le dedans* de leur être ou de leur essence est donc une prétention excessive, issue des préjugés monistiques, d'ailleurs démentie par l'expérience, dont la théorie de la perception ou intuition immédiate n'a nul besoin pour être viable et complète, et dont elle n'est nullement responsable.

Telle est pour M. Bergson la théorie de la connaissance par les sens; hâtons-nous de passer à la connaissance, autrement importante, par l'intelligence.

VII

THÉORIE DE LA CONNAISSANCE INTELLECTUELLE

Une théorie de la connaissance intellectuelle par un antiintellectualiste convaincu ne saurait être qu'intéressante et instructive. Aussi allons-nous essayer d'en faire part au lecteur. Nous lui exposerons d'abord la *critique*, puis la *théorie* de l'intelligence, telles que M. Bergson les a comprises.

I. La *critique de l'intelligence* ne ressemblera en rien à celle que Kant en a déjà faite. Sans doute, il faut varier et le public demande toujours du nouveau. Mais le point de vue de M. Bergson est tellement différent de celui de Kant qu'il leur était bien impossible de se rencontrer ici et de risquer de se répéter.

Aussi ne retrouvons-nous plus dans cette critique ce jeu célèbre, mais bien artificiel, des antinomies essentielles à toutes les notions intellectuelles de l'esprit humain. On ne nous redira plus que «le signe même d'une donnée métaphysique est de ne pouvoir se traduire dans l'intelligence humaine que par une proposition contradictoire». Cette thèse paradoxale, dont on nous a vanté l'efficacité destructive pendant plus d'un demi-siècle, commence à devenir «vieux jeu» et à céder la place à un jeu plus nouveau. Celui-ci consistera à soutenir seulement que l'intelligence est incapable de comprendre le *mouvement*, la *vie*, le *continu*, parce qu'elle ne peut concevoir que l'*immobile*, l'*inerte*, le *discontinu*.

On devine la portée d'une telle accusation dans une philosophie où tout le réel est *mouvement vital* ou psychique, et jaillisse-ment *continu* de formes absolument imprévisibles sans aucune proportion avec leurs antécédents. Ce n'est pas seulement — comme on le prétend — limiter le domaine de l'intelligence en lui interdisant toute spéculation sur la vie; c'est encore, bon gré, mal gré, la condamner à ne plus pouvoir spéculer du tout; à n'être qu'une faculté d'illusion et d'erreur.

Une première réponse a déjà été faite par nous, lorsque nous avons démoli pièce par pièce l'audacieuse hypothèse du mobilisme universel en montrant, par les données de l'expérience et de la raison, que tout n'est pas mouvement, encore moins mouvement vital; il nous reste à compléter notre argument en prouvant que l'intelligence peut fort bien comprendre ce qu'est le *mouvement,* la *vie,* le *continu.* Bien plus, l'intelligence seule peut nous en donner, et nous en donne, de fait, des notions intelligibles et claires.

A) C'est tout d'abord le *mouvement* que l'intelligence humaine, paraît-il, ne saurait comprendre. Elle ne comprendrait que l'immobile, et c'est avec des points immobiles additionnés qu'elle essaye, vainement d'ailleurs, de recomposer le mouvant. Telle est la thèse qu'on rencontre si souvent dans les ouvrages de M. Bergson, qu'elle finit par produire l'effet d'une tentative d'obsession préméditée sur l'esprit du lecteur. Cependant, elle n'est guère qu'une idée fixe, et partant déraisonnable.

Citons au hasard, car nous n'avons que l'embarras du choix.

«L'intelligence n'est point faite pour penser l'*évolution,* au sens propre de ce mot, c'est-à-dire la continuité d'un changement qui serait la mobilité pure.... L'intelligence se représente le *devenir* comme une série d'*états,* dont chacun est homogène avec lui-même et par conséquent ne change pas. Notre attention est-elle appelée sur le changement interne d'un de ces états? Vite, nous le décomposons en une autre suite d'états qui constitueront, réunis, sa modification intérieure. Ces nouveaux états, eux, seront chacun invariables, ou bien alors leur changement interne, s'il nous frappe, se résout aussitôt en une série nouvelle d'états invariables, et ainsi de suite indéfiniment. Ici encore, penser consiste à reconstituer, et, naturellement, c'est avec des éléments donnés, avec des éléments stables, par conséquent, que nous reconstituons. De sorte que nous aurons beau faire, nous pourrons imiter, par le progrès indéfini de notre addition, la mobilité du devenir, mais le devenir lui-même nous glissera entre les doigts quand nous croirons le tenir.»

La raison de cette infirmité intellectuelle est intéressante à connaître, et quoique nous n'ayons pas l'intention d'en discuter ici le bien fondé — ce que nous ferons un peu plus loin, — nous croyons utile de la mentionner de suite, car elle nous éclairera sur la portée de l'accusation elle-même. Voici comment M. Bergson l'a formulée:

L'intelligence n'est pas faite pour la spéculation, mais pour l'action. Si elle était faite pour la spéculation, elle s'attacherait au mouvement, seule réalité, pour en comprendre la nature. Au lieu de cela, elle ne s'attache qu'à des points fixes; par exemple: où est le mouvement, d'où il vient, où il va, quelle est sa *forme*, parce que cela seul intéresse l'action. Mais n'analysons pas; écoutons plutôt l'auteur lui-même, pour être plus sûrs de sa pensée.

«Les objets sur lesquels notre action s'exerce sont sans doute des objets mobiles. Mais ce qui nous importe, c'est de savoir où le mobile va, où il est à un moment quelconque de son trajet. En d'autres termes, nous nous attachons avant tout à ses positions actuelles ou futures, et non pas au *progrès* par lequel il passe d'une position à une autre, progrès qui est le mouvement même. Dans les actions que nous accomplissons, et qui sont des mouvements systématisés, c'est sur le but ou la signification du mouvement, sur son dessin d'ensemble, en un mot, sur le plan d'exécution immobile que nous fixons notre esprit. Ce qu'il y a de mouvant dans l'action ne nous intéresse que dans la mesure où le tout en pourrait être avancé, retardé ou empêché par tel ou tel incident survenu en route. De la mobilité même, notre intelligence se détourne, parce qu'elle n'a aucun intérêt à s'en occuper. Si elle était destinée à la théorie pure, c'est dans le mouvement qu'elle s'installerait, car le mouvement est sans doute la réalité même, et l'immobilité n'est jamais qu'apparente ou relative. Mais l'intelligence est destinée à tout autre chose. A moins de se faire violence à elle-même, elle suit la marche inverse: c'est de l'immobilité qu'elle part toujours, comme si c'était la réalité ultime ou l'élément; quand elle veut se représenter le mouvement, elle le reconstruit avec des immobilités qu'elle juxtapose. Cette opération, dont nous montrerons l'illégitimité et le danger dans l'ordre spéculatif (elle conduit à des impasses et crée artificiellement des problèmes philosophiques insolubles), se justifie sans peine quand on se rapporte à sa destination. L'intelligence, à l'état naturel, vise un but pratiquement utile. Quand elle substitue au mouvement des immobilités juxtaposées, *elle ne prétend pas reconstruire le mouvement tel qu'il est*; elle le remplace seulement par un équivalent pratique. Ce *sont les philosophes qui se trompent quand ils transportent dans le domaine de la spéculation une méthode de penser qui est faite pour l'action.*»

Ces dernières paroles que nous venons de souligner sont un correctif nécessaire—nous pourrions dire une vraie réfutation—de la plaidoirie qui précède. Si ce sont «les philosophes qui se trompent» — et encore un petit groupe de philosophes,—comment attribuer cette erreur à l'intelligence humaine? Erreur vraiment trop grossière, puisqu'elle consisterait à vouloir composer le mobile avec des éléments immobiles, comme d'autres recomposaient l'étendue avec des points inétendus, ou bien des cercles avec des polygones à nombre infini de côtés!

Ce sont là des fictions géométriques qui peuvent simplifier les calculs des mathématiciens, mais qu'ils n'ont jamais pris pour l'expression exacte de la réalité. Jamais un géomètre n'a confondu un cercle avec un polygone, ni une ligne avec une suite de points, ni un mouvement continu avec une série de positions, ces positions, ces points, ces polygones seraient-ils supposés en nombre infini. Encore une fois, de telles fictions — utiles comme «équivalents pratiques» — n'ont jamais été confondues avec la réalité par aucun savant ni par aucun penseur digne de ce nom.

Il faut en revenir aux sophistes de l'école d'Elée, aux célèbres arguments de Zénon, pour découvrir une confusion si grossière, base de toutes leurs subtilités sophistiques.

Et si quelques philosophes, dans le cours des siècles, ne se sont pas suffisamment mis en garde contre de si énormes confusions, du moins les grandes écoles, surtout l'Ecole péripatéticienne et thomiste, sont complètement à l'abri d'un tel reproche. Aristote, le premier, a démasqué cette équivoque en réfutant Zénon, et tous ses disciples, jusqu'à nos jours, ont invariablement suivi sur ce point la saine doctrine du maître. Au besoin, nous mettrions M. Bergson au défi de retrouver chez nous cette grossière erreur, qui ne nous a jamais été imputable.

C'est donc calomnier l'intelligence humaine que d'oser conclure d'une manière générale: «Notre intelligence ne se représente clairement que l'immobilité.»

Du reste, M. Bergson n'a-t-il pas la prétention contraire? N'a-t-il pas la prétention d'avoir compris lui-même, et peut-être révélé au monde qui l'ignorait, la vraie notion du mouvement?

Or, notre prétention, à nous, est de croire que la notion bergsonienne du mouvement est bien inférieure, en exactitude et en clarté, à celle que nous a léguée Aristote, et qui depuis plus de trois mille ans éclaire et oriente tous les penseurs qui n'ont pas complètement rompu avec la tradition péripatéticienne.

Aristote nous a enseigné que le mouvement était un *changement* ou un *passage d'un état à un autre état.* Il a même distingué dans le changement en général trois espèces: changement dans le lieu, dans la qualité ou dans la quantité,—observant bien longtemps avant M. Bergson que le changement local est le phénomène le plus superficiel et le moins profond des trois, quoiqu'il soit la condition ou le véhicule de tous les changements physiques.

Ensuite il a approfondi cette notion de *passage* d'un état à un autre état. «Quelque mystérieuse qu'elle soit, déclare-t-il, elle n'est point au-dessus de la puissance de l'intelligence humaine!»—Belle parole qui donne du cœur et du réconfort à tous les chercheurs désintéressés.

Puis il explique que ce *passage* n'est pas quelque chose de négatif, mais de très positif. Or, cet élément positif n'est pas une simple puissance d'agir, c'est donc un *acte,* mais c'est un *acte incomplet,* puisqu'il est en voie de réalisation, en voie d'arriver à son terme complet. Il est donc partie en acte, partie en puissance, à des points de vue différents. D'où la définition célèbre: le mouvement, c'est le passage de la puissance à l'acte, ou bien c'est l'*acte de la puissance, comme telle,* c'est-à-dire en tant qu'elle est encore en puissance passant à l'acte: Ἡ τοῦ δυνάμει ὄντος ἐντελέχεια, ᾗ τοιοῦτον, κίνησίς ἐστιν.On traduirait peut-être encore plus clairement: *c'est l'acte du devenir en tant que devenir, ἐντελέχεια τοῦ δυνατοῦ ᾗ δυνατόν. C'est le devenir en marche.*

Définition aussi large que profonde, qui, une fois bien comprise, rayonne de lumière et subjugue l'esprit, en lui arrachant ce cri d'admiration: «Elle est aussi juste que fine ... et il est impossible de pénétrer plus profondément que ne l'a fait ici Aristote dans la nature intime du mouvement.»

A la place, que nous propose M. Bergson? Sans discuter ni daigner même rappeler la solution d'Aristote, il propose la sienne. D'abord, il nous dit que c'est un *progrès.* Sans doute, le mouvement peut être un progrès, mais il peut être aussi un recul, car on se meut, soit en avançant, soit en reculant. La définition proposée est donc pour le moins incomplète.

En outre, elle est obscure, car on peut lui répondre: qu'est-ce qu'un progrès? Quel en est le genre prochain et la différence spécifique? Seul, Aristote a su répondre: son genre est d'être un *acte* et non pas une pure puissance; sa différence spécifique: d'être un acte *incomplet,* encore mêlé de puissance. Il est à la fois acte et puissance, être et non-être, mais *à des points de vue différents*. Il est constitué par la *composition* de ces deux éléments et non par leur *identité*. En cela, rien de contradictoire, rien qui ne soit intelligible.

Au contraire, le monisme bergsonien exige l'identité, l'homogénéité des deux éléments, acte et puissance, être et non-être; et c'est ce qu'il appelle la «mobilité pure». Il met donc la contradiction à la racine des choses, et parlant leur parfaite inintelligibilité.

Bien plus, le monisme supprime le mouvement au lieu de nous l'expliquer, car tant qu'il y avait dualité d'éléments: acte et puissance, être et non-être, on concevait aisément le passage de l'un à l'autre. On concevait, par exemple, que l'énergie actuelle pût grandir en proportion inverse de l'énergie potentielle, ou *vice-versa*. S'il n'y a plus au contraire qu'un seul élément, désormais plus de passage possible entre deux termes, plus de mouvement, et c'est en ce sens qu'Aristote a soutenu que le *simple* était, *de soi*, immobile: ce qui est *homogène* et sans partie ne change pas.

La notion bergsonienne et monistique du mouvement est donc, non seulement incomplète et obscure, mais encore pleinement contradictoire, au point de rendre impossible ce qu'il s'agissait de nous définir ou de nous expliquer.

Si M. Bergson a voulu viser sa propre notion du mouvement, en la déclarant inaccessible à l'intelligence humaine, il est clair qu'il a eu raison, puisque c'est une notion contradictoire et inintelligible; mais, de grâce, qu'il ne généralise pas en étendant cette inintelligibilité à toutes les autres notions, notamment à la notion péripatéticienne, nous protesterions, et tous les grands génies, tous les maîtres qui sont la gloire de notre Ecole protesteraient avec nous, qu'ils l'ont comprise, et partant qu'elle n'est pas inaccessible à l'intelligence humaine.

B) En second lieu, c'est la *vie* qui serait inaccessible à l'intelligence de l'homme. Puisqu'il est incapable de comprendre le mouvement des corps bruts, à plus forte raison celui des corps vivants. «L'intelligence, écrit M. Bergson, est caractérisée par une incompréhension naturelle de la vie.» Et c'est sur cette incapacité radicale qu'il aime le plus à revenir.

Dès la première page de son Introduction, il nous signale cette infirmité native de notre intelligence «incapable de se représenter la vraie nature de la vie, la signification profonde du mouvement évolutif.

«Créée par la vie, dans des circonstances déterminées, pour agir sur des choses déterminées, comment embrasserait-elle la vie, dont elle n'est qu'une émanation ou un aspect? Déposée, en cours de route par le mouvement évolutif, comment s'appliquerait-elle le long du mouvement évolutif lui-même? Autant vaudrait-il prétendre que la partie égale le tout....»

Cette argumentation, vraiment, n'est pas bien forte, et, dès le début d'un ouvrage, ne donne pas une idée supérieure de la logique de son auteur. Il n'y aurait donc que le tout qui puisse connaître et comprendre une de ses parties? Il faudrait que notre intelligence individuelle égalât l'Univers entier pour en pouvoir connaître le moindre détail? En vérité, cette prétention est un peu excessive. Jusqu'ici, tous les philosophes avaient cru qu'il suffit à un être vivant d'avoir conscience de sa vie propre, pour expérimenter, connaître la vie et, s'il est intelligent, pour s'élever ensuite à la notion générale de la vie.

Dans le même ouvrage, après avoir esquissé sa théorie de l'Evolution créatrice et fait la genèse de l'intelligence, qui serait apparue en se détachant de l'animalité et de l'instinct animal, c'est-à-dire à ce tournant de l'histoire qui marque une descente de l'Elan vital vers la matière, il en conclut que l'intelligence a dû s'adapter à la matière et se limiter au domaine de la matière brute. «Progressivement, dit-il, l'intelligence et la matière se sont adaptées l'une à l'autre pour s'arrêter enfin à une forme commune. *Cette adaptation se serait d'ailleurs effectuée tout naturellement, parce que c'est la même inversion du même mouvement qui crée à la fois l'intellectualité de l'esprit et la matérialité des choses.*»

Ainsi, l'intelligence devenue apte à penser la matière, le solide géométrique, serait désormais inapte à penser la vie. En abandonnant les animaux, ces «utiles compagnons de route», l'évolution de l'homme lui a fait perdre un «bien précieux», l'instinct, et acquérir l'intelligence. Or, instinct et intelligence représentent deux directions opposées du travail conscient: l'instinct marche dans le sens même de la vie, l'intelligence va en sens inverse et se trouve ainsi tout naturellement réglée sur le mouvement de la matière.

De là vient que «l'intelligence humaine se sent chez elle tant qu'on la laisse parmi les objets inertes, plus spécialement parmi les solides, où notre action trouve son point d'appui et notre industrie ses instruments de travail, que nos concepts ont été formés à l'image des solides.

«De là vient en outre que notre logique est surtout la logique des solides, que, par là même, notre intelligence triomphe dans la géométrie, où se révèle la parenté de la pensée logique avec la matière inerte, et où l'intelligence n'a qu'à suivre son mouvement naturel, après le plus léger contact possible avec l'expérience, pour aller de découverte en découverte avec la certitude que l'expérience marche derrière elle et lui donnera invariablement raison».

Ces remarques, d'ailleurs ingénieuses, ne sont point dépourvues d'exactitude expérimentale et de vérités. Il est sûr que l'esprit humain triomphe surtout dans les sciences où la part de l'indétermination et de la contingence est nulle on se rapproche de zéro, et que plus la part de l'indétermination ou de la contingence augmente, plus la difficulté de prévoir — et partant de savoir — augmente parallèlement.

Mais qui oserait nier aussi les triomphes de l'esprit humain dans les sciences de la vie: biologie, physiologie, médecine, etc., surtout depuis un siècle où l'école de Pasteur a brillé d'un si vif éclat? Qui oserait nier les progrès merveilleux et inattendus de la Psychologie elle-même, surtout de la Psychologie expérimentale?

C'est donc une exagération manifeste d'exalter uniquement l'aptitude de l'esprit humain pour les sciences mathématiques et physiques, et de proclamer son impuissance radicale en Biologie et dans tout le domaine de la vie.

Une telle négation ne découle nullement des faits sincèrement interrogés, mais seulement d'une hypothèse *a priori* sur l'évolution. Encore cette hypothèse — si contestable qu'elle soit en elle-même — ne nous semble nullement comporter une négation si tranchée.

Que l'intelligence se sente plus à son aise dans le monde géométrique, au milieu des solides, cela se comprend, car c'est l'objet le plus simple et le moins compliqué offert à son étude. Tout y est facile à prévoir et partant à connaître. Voilà pourquoi la Géométrie, parmi les sciences abstraites, et l'Astronomie, parmi les sciences naturelles, sont nées les premières, dès le berceau du genre humain.

Etant ainsi facilement accordée avec le solide et l'inerte, on peut admettre qu'elle aura une tendance marquée à transporter au domaine de la vie des méthodes si simples, qui lui réussissent si bien, et à traiter les vivants *more geometrico*. De là ces explications mécaniques de l'univers qui avaient la prétention de tout réduire au mouvement local, même la vie végétative et animale, la sensibilité et la pensée elle-même. Malgré leurs invraisemblances énormes, ces systèmes de mécanisme universel ont pu avoir un certain succès et exercer une grande influence, surtout auprès des amis des idées *claires*, que la clarté et la simplicité des explications ont toujours eu le don de fasciner.

Mais cette méconnaissance de la nature de la vie n'a été que l'erreur de quelques philosophes, et il serait injuste de l'imputer à l'intelligence humaine elle-même et à son incapacité radicale de penser la vie. De telles exagérations ne découlent pas forcément de l'hypothèse bergsonienne sur l'évolution.

Au surplus, nous estimons que toute cette controverse soulevée par M. Bergson—savoir si l'intelligence est naturellement capable ou incapable de spéculer, notamment sur la vie—ne doit pas, ne peut même pas se trancher *a priori*, mais uniquement par les faits de l'histoire.

D'abord, c'est l'histoire de la civilisation elle-même qu'il faudrait interroger pour lui demander s'il est vrai que l'esprit humain soit tout entier absorbé par ce qui est *utile* aux besoins de la vie matérielle, à ce point que penser ou spéculer ne soit pour lui qu'un artifice contre nature;—ou, pour employer l'expression bergsonienne, s'il est vrai que l'homme ne soit naturellement qu'un animal *fabricant* d'outils pour agir, *homo faber*, et nullement un animal raisonnable et spéculant sur la raison des choses, *homo sapiens*.

Mais dans l'acte le plus humble de l'homme primitif, celui de tailler— et souvent d'orner de sculptures—des silex ou des os de renne, pour en faire des armes telles qu'une flèche ou des outils tels que hache, marteau, poinçon, râcloir, etc., ne voyons-nous pas déjà percer la pensée spéculative? Pour fabriquer des armes ou des outils adaptés à des lins spéciales, ne faut-il pas tout d'abord réfléchir, comparer, calculer, raisonner pour prévoir, en un mot, spéculer sur les moyens et les fins, les causes et les effets?

«Le sauvage préhistorique de Cro-Magnon, dit fort bien M. Fouillée, a spéculé sur les qualités de la pierre, sur les lois élémentaires de la pesanteur et du mouvement; il a généralisé, il a universalisé; il a fait de la science en faisant de l'industrie, et n'a pu faire d'industrie qu'en faisant de la science. Admirons ces humbles savants des âges primitifs qui ont assez réfléchi et spéculé pour inventer l'arc et la flèche fendant l'air, le canot fendant la vague, le soc creusant la terre. On aura beau nous répéter que leur intelligence était faite exclusivement pour façonner la matière, et que la nôtre, au fond, est restée la même; nous continuerons d'en douter. L'artisan, l'*homo faber*, est déjà un artiste; l'artiste est déjà un penseur.»

Un peu plus loin, le même auteur, s'appuyant sur les données de la linguistique, ajoute une seconde observation. Dans les langues sauvages, les verbes ont parmi tous les mots une place prépondérante. Or, qu'expriment les verbes? sinon l'*action*, le *mouvement*, la *vie*, le *raisonnement*, le *sentiment*, qui n'ont rien à voir avec les «solides» ni avec les «outils» à fabriquer? Tout cela exprime de la psychologie, non de la géométrie ou de la stéréométrie. Les langues primitives sont surtout riches en états d'âmes et très pauvres en état des corps. Les corps eux-mêmes sont peuplés d'âmes ou d'esprits bienveillants ou malveillants. Où est, en tout cela, la Géométrie?

Quand le petit sauvage s'éveille à l'intelligence, ce n'est pas pour mesurer ou compter des corps ni pour fabriquer des outils, c'est pour épier le sourire de sa mère, c'est pour jouer ou seul ou avec ses petits frères, et le voilà heureux. Il fera de la Psychologie avant de faire de la Géométrie. Ce qui l'intéresse, c'est le nouveau; c'est le pourquoi et le comment de ce nouveau, et lorsqu'il a compris la liaison et la raison des choses, il rit de plaisir.

Et M. Fouillée de conclure avec évidence: «Les besoins matériels sont loin d'absorber toute l'intelligence, même primitive. Nous ne saurions donc admettre que notre pauvre pensée soit toute d'essence *utilitaire*, tout attachée aux instruments *matériels* qui doivent satisfaire nos appétits, qu'elle soit servile de nature et non libérale.... La petite flamme de la pensée brille d'abord pour briller et pour se sentir briller. Il y a déjà du Pascal en germe jusque dans le dernier des enfants qui remplissaient les chars des Gaulois.»

Cependant, cette première réponse de l'Histoire est encore trop générale. Demandons à l'histoire particulière de la Philosophie si l'esprit humain n'a pas su de tout temps spéculer sur lui-même et sur la nature de sa propre vie, aussi bien que sur la matière inerte.

Y a-t-il eu des philosophes adversaires résolus de toute conception matérialiste ou mécanistique de la vie, et nous ayant laissé de la nature du vivant une conception raisonnable, exacte, profonde et pouvant rivaliser avantageusement avec celle qu'a inventée M. Bergson?

Toute la question est là, car si l'on peut démontrer que, depuis plus de trois mille ans, les philosophes sont en possession d'une notion exacte de la vie, on ne pourra plus accuser l'incapacité foncière de la raison humaine. Il suffira d'un simple parallèle avec la notion traditionnelle de l'Ecole péripatéticienne et la notion «nouvelle» qu'on vient nous révéler.

Or, voici, d'après M. Bergson, la caractéristique de la vie: «La vie est avant tout une tendance à agir sur la matière ... un certain effort pour obtenir certaines choses de la matière brute....»—De là, les expressions si fréquentes de: «courant de vie lancé dans la matière», etc..

Eh bien! non! Dès ce début, nous arrêtons net une définition qui a déjà lourdement dévié. La vie se caractérise par activité «immanente», opposée à l'activité tout extérieure des corps bruts. Le vivant agit d'abord sur lui-même; il se meut lui-même, au moins pour se nourrir, se grandir, se guérir, etc., s'il n'est doué que de la vie végétative, et s'il est en plus doué de la vie sensible, il se meut par la connaissance et le désir pour se mettre en rapport avec le milieu ambiant. Le vivant est donc principe et terme de son propre mouvement, à la fois agent et patient: ce qui n'a jamais lieu pour les molécules inorganiques dont toute l'activité consiste à se mouvoir ou à s'influencer les unes les autres.

Ici, le sens commun est pleinement d'accord avec la théorie philosophique; et pour reconnaître si un corps est vivant ou mort, il pose toujours la question élémentaire: est-ce qu'il se remue? Sans doute, une paralysie locale pourrait l'empêcher de se mouvoir tout en le laissant vivant. Mais si la paralysie se généralise au point d'atteindre tous les organes essentiels à la vie, c'est la mort. La vie a cessé avec le mouvement immanent.

Le second signe caractéristique de la vie est la «spontanéité». Le vivant a le privilège de se mouvoir lui-même, c'est-à-dire de passer d'un premier acte à un second, puis à un troisième, et ainsi de suite, tant que sa vie dure. Spontanément, il se nourrit, se développe, se multiplie. Au contraire, le corps inorganisé est inerte, c'est-à-dire incapable de se modifier lui-même. Et c'est cette grande loi de l'inertie, universellement féconde en mécanique, qui permet la construction de nos machines avec des matériaux inertes et incapables de «jouer tout seuls». Car s'ils étaient capables de «jouer tout seuls», tous les plans du constructeur seraient déjoués, et son art de construire serait devenu impossible.

Or, cette «spontanéité» si bien analysée par les anciens philosophes va s'amplifier et se transfigurer étrangement dans la théorie bergsonienne. Elle va devenir une spontanéité «libre». Et, jouant de plus en plus au paradoxe, ce n'est pas seulement la *liberté* et le *choix* qu'on va faire entrer dans la définition de la vie, mais encore une puissance et *une exigence de création, un jaillissement continu de formes imprévisibles sans aucune proportion avec les antécédents.*

Nous aurions beau jeu de ramener ici notre auteur à l'étude et à l'observation sincère d'un brin d'herbe, d'une graine, d'une fleur, d'un insecte ou d'un animal quelconque. De lui montrer, par exemple, que les formes nouvelles qui jaillissent d'une graine ou d'un œuf ne sont nullement imprévisibles ni sans aucune proportion avec les causes d'où elles jaillissent. Et si quelques détails minuscules de ces plantes ou de ces animaux nouveau-nés sont variables et imprévus, qui pourrait se flatter d'avoir énuméré, sans rien omettre, tous les antécédents et toutes les circonstances infiniment complexes où la cause donnée a produit son effet?

Le principe que les mêmes causes *dans les mêmes circonstances* produisent toujours les mêmes effets est donc inattaquable et rien ne prouve qu'il ne s'applique pas aussi rigoureusement aux corps vivants qu'aux corps bruts. Seule la complexité infiniment croissante des circonstances, à mesure que nous nous élevons dans l'échelle des êtres, peut déjouer nos calculs, non pas sur les effets d'ensemble, mais sur quelques détails, d'ailleurs le plus souvent négligeables, de ces effets. Et la certitude dans les prévisions de la science demeure—au moins en principe—pour la biologie comme pour la physique.

Ce n'est donc pas l'observation sincère et désintéressée qui a pu conduire M. Bergson à une telle conception de la vie, mais uniquement son hypothèse panpsychique de l'évolution.

Il est clair que si tout est esprit et liberté, la vie végétative et la vie sensible sont du «psychique diminué», comme la matière elle-même est du «psychique inverti». Mais l'énormité de telles conséquences nous suffit pour reconnaître que le point de départ d'où elles découlent est gratuit. Le panpsychisme est un rêve d'artiste, non une conclusion scientifique d'observateur sincère.

Allons plus loin. Accordons un instant que—par impossible— l'activité spontanée de la vie végétative est capable de liberté et de choix, il ne serait pas permis d'en conclure qu'elle peut être un jaillissement continu de formes «absolument incommensurables» avec leurs antécédents.

C'est là une assertion qui choque le bon sens, parce qu'elle est la négation du principe de causalité. Si les effets ne sont plus proportionnés à leurs causes, ils sont littéralement des effets sans cause, car une cause non proportionnée n'est plus une cause.

Même pour la liberté humaine, l'effet produit n'est jamais supérieur à sa cause. Nous avons sans doute le choix entre plusieurs effets également proportionnés à nos forces: agir ou ne pas agir, me promener ou me reposer, résister à une tentation ou la vaincre.

Mais des effets au-dessus de nos forces, tel que porter une montagne sur nos épaules, ne peut être un effet de notre libre choix.

Nous retrouvons ici un écho d'une erreur de Kant définissant l'acte libre: un effet sans cause, un commencement absolu.... Rien de plus faux qu'une telle conception. La liberté ne nous met pas au-dessus du principe de causalité, pas plus que des autres premiers principes de la raison, nécessaires toujours et partout. Elle nous laisse seulement le choix entre plusieurs effets également proportionnés à nos forces individuelles, et cela suffit pour la liberté de notre choix et la responsabilité morale qui en découle.

Encore une fois, si les effets pouvaient être supérieurs à leur cause ou hors de toute proportion avec elle, la causalité serait violée, tout pourrait également sortir de tout. Et il ne serait plus absurde de dire, par exemple, que des souris peuvent naître d'un tas de vieux chiffons pilés dans un pot d'argile, comme la superstition populaire le racontait au moyen âge.

Enoncer aujourd'hui de telles absurdités suffit pour en faire justice et montrer aux yeux les plus prévenus qu'un effet produit par une cause, et cependant hors de proportion avec elle, est une contradiction dans les termes. Et que l'on ne dise pas que ce serait là seulement une *création*. Nullement, l'être créé est toujours un effet proportionné à la toute-puissance du Créateur; il ne saurait l'épuiser jamais, bien loin de la dépasser.

L'étiquette d'*évolution créatrice* qui sert à masquer de telles contradictions n'est donc qu'un trompe-l'œil. Nous ne serons pas dupes d'une métaphore.

Concluons, encore une fois, que c'est la notion bergsonienne de la vie — comme celle du mouvement — qui est inaccessible à l'intelligence humaine — et pour cause, — mais nullement la vie elle-même dont la philosophie s'est déjà formé depuis des siècles une conception aussi juste que profonde, en harmonie parfaite avec les faits observés.

C) En troisième lieu, on reproche à l'intelligence de ne se représenter que le *discontinu* et d'être incapable de concevoir le *continu*, sinon indirectement par une simple négation du discontinu.

La raison — ou le prétexte — de ce reproche, si étrange au premier abord, vient de l'importance capitale attachée au continu par la philosophie monistique où *tout est un* dans une continuité et même une interpénétration absolue. A ce point, que la multiplicité des individus distincts — si énergiquement proclamée par nos consciences — sera niée, traitée d'illusion, ou si bien obscurcie qu'elle s'évanouira dans l'unité *du courant de vie* qui traverse les individus.

On reproche donc, au fond, à l'intelligence humaine de ne pas vouloir pactiser avec de telles confusions monistiques et d'élever contre elles la voix de sa protestation indéfectible. C'est là ce qu'on appelle son impuissance à concevoir le continu, sinon indirectement comme une simple négation du discontinu.

Voici l'exposé de cette théorie captieuse: «A la possibilité de décomposer la matière autant qu'il nous plaît et comme il nous plaît, nous faisons allusion quand nous parlons de la *continuité* de l'étendue matérielle; mais cette continuité, comme on le voit, se réduit pour nous à la faculté que la matière nous laisse de choisir le mode de discontinuité que nous lui trouverons. C'est toujours, en somme, le mode de discontinuité une fois choisi qui nous apparaît comme effectivement réel et qui fixe notre attention, parce que c'est sur lui que se règle notre action présente. Ainsi la discontinuité est pensée pour elle-même, elle est pensable en elle-même, nous nous la représentons par un acte positif de notre esprit, tandis que la représentation intellectuelle de la continuité est plutôt négative, n'étant, au fond, que le refus de notre esprit, devant n'importe quel système de décomposition actuellement donné, de le tenir pour seul possible. L'intelligence ne se représente clairement que le discontinu.»

A ces subtilités nuageuses, nous pourrions d'abord répondre en déplaçant le terrain de la discussion ou en changeant l'exemple choisi. Au lieu du continu matériel, dont la continuité réelle ou apparente n'est pas toujours visible du premier coup, choisissons le continu si clair et si indiscutable du courant de la conscience ou du moi conscient. C'est le premier objet qui tombe sous le regard de la réflexion psychologique lorsque je me saisis moi-même pensant, voulant, agissant. Or, l'être vivant et conscient s'affirme ainsi à lui-même comme l'être parfaitement un et indivis, *ens indivisum in se*, en même temps que distinct de tout le reste que j'appelle le non-moi: *ens divisum a quolibet alio*. Jamais l'unité et l'indivisibilité d'un être continu n'apparaîtront plus brillantes au regard de mon esprit. C'est même ce continu-type que j'appliquerai plus tard par analogie aux individus et aux choses qui m'entourent. Or, ce continu-type, je l'ai perçu immédiatement sans penser au discontinu qui en est l'antithèse, et sans m'en aider comme d'un tremplin pour m'élever jusqu'à l'idée positive du continu.

Mais revenons à l'exemple du continu matériel, choisi par M. Bergson, pour ne pas avoir l'air de fuir son terrain favori. Les choses matérielles *continues* sont celles dont les extrémités ne font qu'un, *quorum extrema unum sunt.* C'est-à-dire que les parties en sont unies de telle sorte que la fin de l'une soit le commencement de l'autre. Ainsi la fin de la journée d'aujourd'hui sera le commencement de celle de demain: les jours se succédant en se prolongeant les uns dans les autres.

Au contraire, les parties *contiguës* ne sont que juxtaposées sans se confondre (*quorum extrema sunt simul*), telles sont deux billes en contact; et les parties *discontinues* ne sont ni unies ni juxtaposées, mais séparées par des intervalles, comme deux billes à distance.

Or, cette notion de continu est bien positive, nullement négative, et je la forme sans recourir en rien au discontinu. Il est donc faux que l'intelligence humaine ne puisse penser positivement le continu et soit réduite à en faire une pure négation du discontinu.

Ce sujet va nous conduire à la fameuse théorie «du morcelage» qui en sera le complément. Mais comme le «morcelage» du grand Tout est, d'après M. Bergson, une des premières et essentielles fonctions de l'intelligence, il nous faut passer de l'analyse de la critique de l'intelligence à l'analyse de sa théorie.

Nous avons vu jusqu'ici le réquisitoire en trois points contre l'intelligence — incapable de penser le *mouvement*, ni la *vie*, ni le *continu*, — voyons à présent la nouvelle conception qu'on nous en propose dans l'école bergsonienne.

II. *La théorie de l'Intelligence ou du Concept*, imaginée par l'auteur que nous étudions, est tellement dissemblable de tout ce que les philosophes ont jamais dit sur ce sujet, et partant tellement étrange, que le mépris affiché par la nouvelle école pour une intelligence ainsi entendue ne semble que trop justifié.

Il nous appartiendra de montrer que le tableau qu'on nous présente ne ressemble en rien à l'original, et que celui-ci n'est nullement touché par les critiques adressées à sa caricature. Il y a donc erreur de fait, erreur de personne.

Nous accorderons seulement que les critiques de M. Bergson visent et atteignent cette intelligence défigurée et mutilée des philosophes modernes; — soit l'intelligence toute passive des cartésiens et des sensualistes avec ses idées innées et ses images généralisées, — soit l'intelligence *a priori* des kantistes avec ses formes toutes faites et ses cadres vides où tout le réel doit se couler de force. Nous accorderons aussi que l'une et l'autre sont irrémédiablement mécanistes et sans vie. Mais ce sont là des pseudo-intelligences qui n'ont rien de commun avec l'intelligence active et toujours moulée sur le réel, telle que la tradition des siècles nous l'a transmise, la seule que nous défendons.

Dans la formation du concept, ses deux opérations essentielles — d'après nous — sont l'*abstraction* et la *généralisation*. L'abstraction distingue et pour ainsi dire sépare un des éléments, la forme indéfiniment imitable, et puis la généralise par comparaison avec d'autres formes possibles parfaitement semblables. Or, dans l'école nouvelle, on a travesti l'abstraction en simple *morcelage* et la généralisation en ce qu'ils appellent une *solidification* du fluent. A ces deux titres pittoresques et bizarres, on peut ramener, croyons-nous, tout l'ensemble de la nouvelle théorie, au moins dans ses parties essentielles et son esprit.

A) *Théorie du «morcelage»*. Tout est un, d'après M. Bergson, et l'Univers n'est qu'une immense continuité, où l'intelligence humaine découpe des parties distinctes, comme vous et moi. Mais ce n'est là qu'un morcelage arbitraire que nous imposent, à cause de son utilité, les besoins de la vie pratique. «Nos ciseaux, en effet, suivent en quelque sorte le pointillé des lignes sur lesquelles l'*action* passerait.» Ce n'en est pas moins une vue illusoire, contre laquelle les nouveaux philosophes s'élèvent avec force et non sans quelque dédain pour ce qu'ils ont appelé notre «postulat du morcelage».

Voici en quels termes M. Bergson a formulé et mis en vedette cette thèse, à ses yeux fondamentale: *Toute division de la matière en corps indépendants, aux contours absolument déterminés, est une division artificielle.*

En effet, dit-il, «notre toucher doit suivre la superficie des arêtes des objets, sans jamais rencontrer d'interruption véritable». Le vide n'est nulle part; donc le continu universel est un et ininterrompu.

Voici un des exemples les plus familiers à notre éminent professeur, répété deux fois dans le même ouvrage. Lorsqu'il prépare sur sa table un verre d'eau sucrée, il a, paraît-il, l'intuition et la certitude que «le verre d'eau, l'eau, le sucre et le processus de dissolution du sucre dans l'eau sont sans doute des abstractions». Seul le grand Tout, dans lequel ces objets ont été découpés, existe et dure réellement.

Eh bien! de ces deux prétendus postulats, du pluralisme ou du monisme, lequel mérite réellement ce nom, plus ou moins dédaigneux, de «postulat»?

Le pluralisme, c'est-à-dire la distinction réelle des êtres cosmiques, par exemple, de vous et de moi, du père et du fils, ou des hommes et des animaux entre eux, ou bien des membres différents dans le même animal, est-ce vraiment un postulat, une supposition non évidente et gratuite? Ne serait-ce pas, au contraire, un fait, le plus universel et le plus indéniable des faits qu'aucun artifice ne saurait supprimer; une donnée première de l'expérience, laquelle pose à la fois le mouvement réciproque des êtres de ce monde et leur multiplicité?

Au contraire, est-ce un fait sensible et évident, cette unité et continuité substantielle du grand Tout dont on nous parle? Qui a jamais pu la voir ou la constater, cette unité? Personne, assurément, parce que l'expérience ne saisit que la multitude des individus et la pluralité des existences, jamais une totalisation de l'ensemble qui nous échappe entièrement. Elle n'est donc qu'une hypothèse ou une abstraction.

En conséquence, le postulat du monisme ou de l'unité de toute substance, loin d'être une donnée première de l'expérience, en est une interprétation métaphysique; elle est une conception systématique et artificielle, qu'on ne saurait prendre pour point de départ de la philosophie ou de la critériologie, sans une énorme pétition de principe.

Là doit être le mirage trompeur, puisque cette unité abstraite, si tant est qu'elle existe, il nous est impossible de la constater. Au contraire, l'illusion ne peut se trouver à admettre la multiplicité des hommes et des choses, puisque c'est un des premiers faits dont l'évidence s'impose à tous. C'est ce que proclamait Aristote lorsqu'il disait que la pluralité est une notion expérimentale bien antérieure à celle de l'unité.

On nous réplique que cette multiplicité des choses pourrait bien n'être qu'une «idole de l'imagination pratique», ou bien «le produit artificiel d'une élaboration mentale opérée en vue de l'*utilité pratique* et du discours» — comme ils disent si élégamment.

En vérité, cette objection nous trouble peu. Quelle utilité pratique «la vie et le discours» pourraient trouver à une si grossière illusion, par exemple, à nous traiter vous et moi comme deux individus distincts, si en réalité nous ne faisions qu'un? Nous le cherchons vainement, et nous croyons qu'un si profond désaccord entre la pensée et le réel, bien loin d'être d'une utilité pratique, serait la source permanente des plus graves méprises. Ici encore, c'est la vérité qui est utile: nullement le mensonge et l'erreur.

«Il n'est pas vrai, réplique fort bien M. Fouillée, que le rôle de l'intelligence soit de morceler la réalité pour la rendre utilisable. Ce n'est nullement mon intelligence qui morcelle l'eau en hydrogène et en oxygène, ni qui donne sa forme et son poids à l'atome d'hydrogène, ni qui fixe les espèces chimiques; et ce n'est pas non plus pour *utiliser* ces espèces, si parfaitement déterminées indépendamment de mon utilité, que j'en découvre les propriétés objectives, soumises aux lois du poids, du nombre et de la mesure. Ce n'est pas non plus pour mon utilité que je découpe la vie en espèces animales, telles que le tigre ou le serpent. Ces découpages se font sans moi et parfois contre moi. La science n'est pas une discontinuité artificielle au sein de la nature continue. Voici, dans un bocal, de la soude, et dans un autre, de l'acide sulfurique. Malgré la *continuité* de l'univers, les deux substances n'agissent pas l'une sur l'autre d'une manière chimique; si, au contraire, je les mêle, il se produit du sulfate de soude. Dira-t-on que les concepts d'acide sulfurique, de soude et de sulfate de soude sont découpés artificiellement dans le grand Tout par une abstraction volontaire? Nous aurons beau vouloir que l'acide sulfurique et le sodium donnent du chlorure de potassium, ne comptons pas sur nos volontés pour modifier d'un iota le livre de la nature.»

Cette réplique paraîtra irréfutable à tout homme de bon sens. C'est la réalité même qui impose à notre esprit ces «découpages» dont toute l'utilité pratique vient précisément de leur conformité avec le réel, puisque «notre action ne pourrait se mouvoir dans l'irréel», comme l'avoue M. Bergson.

Cependant, hâtons-nous de le dire, la théorie bergsonienne du continu universel, si elle est bien comprise, peut avoir un sens acceptable.

Il y a, en effet, un *continu spatial* universel que les sens perçoivent, sans aucune interruption, de droite à gauche, du haut en bas, en surface et en profondeur, mais qui ne préjuge en rien la question du *continu substantiel*, c'est-à-dire de l'unité des substances qui remplissent ce cadre immense.

N'ayant pas eu l'imprudence de faire évanouir la substance des êtres, comme M. Bergson, nous sommes bien à notre aise pour parler de ce continu spatial sans tomber dans le monisme; aussi l'admettons-nous volontiers, avec saint Thomas, ce continu bergsonien, au début de toute connaissance, comme le premier objet connu. La connaissance, en effet, soit sensible, soit intellectuelle, commence toujours par ce qui est le plus commun et le plus confus. *Tam secundum sensum*, dit saint Thomas, *quam secundum intellectum, cognitio magis communis est prior quam cognitio minus communis.*

Mais ce n'est là qu'un point de départ, une première vue générale et superficielle, encore indistincte et confuse. C'est celle du petit enfant qui vient de naître et qui voit tout ce qui l'entoure, comme un seul bloc, sans rien distinguer du tout. Ce n'est donc pas encore une connaissance véritable, une connaissance claire et distincte, celle à laquelle aspire tout esprit humain, car connaissance vraie et *discernement* ne font qu'un.

Celle-ci se produit peu a peu par l'attention progressive et la remarque de différences profondes entre les divers objets qui nous entourent et qui se distinguent eux-mêmes à nos regards en se mouvant l'un l'autre ou en se séparant, s'éloignant, se rapprochant, se croisant ou s'entre-choquant dans l'immensité continue de l'espace et du temps. Et, dans chaque objet, les principales parties se distinguent à leur tour par des figures, des couleurs ou des qualités si variées et si différentes qu'il nous est impossible de les confondre; ou bien encore par les morceaux ou les fragments que nous en détachons et dont la multiplicité saute aux yeux.

Ainsi, quelques moments après sa naissance, le petit enfant distingue déjà la flamme d'une bougie qu'on lui montre et la suit attentivement du regard dans les mouvements variés qu'on lui imprime. Il distingue bientôt les bruits et les sons des divers instruments et ne tardera pas longtemps à savoir distinguer la voix et le sourire de sa mère. Mais c'est surtout par le toucher qu'il distinguera les divers objets solides, à mesure qu'il pourra les palper, les manipuler, les séparer ou les rapprocher les uns des autres, ou les briser en morceaux.

Dès qu'il sera devenu capable de réflexion, sa conscience distinguera de plus en plus clairement le moi et le non-moi, son corps et les corps étrangers, et jamais il n'aura la tentation de les confondre ou de les fusionner en un seul, tel que le grand Tout bergsonien.

Cette tentation ne viendra pas non plus à l'esprit du savant, encore moins qu'à celui du vulgaire. Au contraire, la science ne fera que pousser cette distinction banale des choses vers une précision plus profonde et plus rigoureuse; elle la poursuivra jusque dans leurs parties invisibles ou microscopiques, tout en proclamant la solidarité de ces parties dans l'harmonie universelle.

La science, en effet, s'occupe avant tout d'établir des divisions, subdivisions et classifications naturelles. Toujours elle proscrit les divisions et classifications artificielles, ou ne les accepte que provisoirement.

Aussi le biologiste met-il toute son activité à observer la nature lorsqu'elle divise elle-même les êtres et les sépare en embranchements, genres, espèces et individus. Dans le même individu, il constate la multiplicité des organes et de leurs fonctions, toujours variées, souvent opposées. Puis il continue à observer avec le microscope les éléments des tissus organiques, et voit avec admiration la nature diviser et subdiviser sans trêve la cellule-mère ou le germe d'où sortent progressivement tous les détails de l'organisme le plus complexe.

Le chimiste fait de même, et après avoir divisé les espèces minérales par la classification de leurs propriétés essentielles, il tente de surprendre le morcelage naturel de la molécule en atomes, sous-atomes ou en électrons.

A son tour, le philosophe, encore plus ami de la distinction, dont il abuse parfois, sans que l'abus puisse en proscrire l'usage, procède à la connaissance métaphysique de l'être, objet propre de l'intelligence, par le double procédé de la *définition* et de la *division*. «Les êtres sont d'abord multiples par leur définition», dit Aristote, car la définition de l'homme et celle du végétal ou du minéral supposent des êtres essentiellement différents.

De même pour les qualités accidentelles que l'on reconnaît multiples par leurs définitions. «Ainsi, par exemple, la définition du *blanc* est autre que celle du *musicien*, bien que ces deux qualités puissent appartenir à un seul et même individu.» On a ainsi une nouvelle distinction très naturelle entre l'être et ses accidents.

«Les choses sont encore multiples par leur *division*, ajoute Aristote, comme le tout et ses parties naturelles.» Ainsi l'espèce et ses individus seront distincts, ou bien les individus entre eux, ou bien, dans le même individu, les membres entre eux, qui sont naturellement divisés, quoique unis.

Il y a toutefois cette différence que la distinction des individus entre eux sera toujours réelle et absolue, tandis que la division des parties sera plus ou moins naturelle, plus ou moins idéale, suivant les cas. Parfois même le philosophe, au lieu de distinguer des parties réelles de l'être, ne distinguera que des modes ou des points de vue de l'être, vraiment différents quoique inséparables, sinon par abstraction: tels sont le vrai, le bien, le beau dans le même être.

En construisant ainsi ses classifications ou ses «catégories», le vrai philosophe se fera une loi d'imiter la nature et de la copier exactement. Aussi, quelque part, Platon a-t-il comparé le bon métaphysicien à l'anatomiste habile ou à l'écuyer tranchant, qui savent découper la bête, sans lui briser les os, en suivant les articulations dessinées par la nature elle-même.

A son tour, Aristote proclame la légitimité de cette méthode appliquée avec mesure. «Lorsqu'on sépare par la pensée certains accidents, dit-il, et qu'on les considère à part, l'on n'est pas pour cela dans le faux.... L'erreur n'est jamais dans des propositions de ce genre, et la manière la plus parfaite de considérer les choses avec exactitude, c'est d'isoler ce qui n'est pas isolé, ainsi que le pratiquent les savants.»

L'analyse scientifique, en effet, ne rend pas les choses *discontinues*—si elles ne le sont pas,—mais seulement *discernables*: ce qui est bien différent.

Voici, par exemple, l'homme. En tant qu'homme, il est un et indivisible, et cependant l'analyse anatomique ou physiologique de chaque organe est indispensable pour connaître son corps, de même que l'analyse psychologique de ses facultés pour connaître son âme.

Aussi Aristote répète-t-il si souvent qu'une telle abstraction n'est pas un mensonge: οὐδὲ γίνεται ψεῦδος χωριζόντων. Rien n'est intelligible pour nous qu'en fonction de l'être ainsi naturellement fragmenté par des concepts et des combinaisons de concepts: *componendo et dividendo*, comme le dit saint Thomas.

En même temps, rien n'est plus vrai, puisque chacun de ces fragments de l'être, si la division est faite suivant la nature, est bien du réel; en sorte que la connaissance humaine, quoique fragmentaire, n'en devient pas pour cela illusoire, mais seulement imparfaite, lente, progressive, analytique et bien inférieure à la connaissance synthétique des esprits supérieurs.

C'est donc une erreur de dire, avec les bergsoniens, que ce morcelage est opéré «en vue de l'utilité pratique et du discours», alors qu'il est de l'essence même de la connaissance et de la science humaines. Erreur encore plus grave de traiter d'illusion notre science de la multiplicité des êtres ou de leurs parties, alors qu'elle est copiée sur la nature même, dont elle est la donnée première et fondamentale.

Toutefois, après avoir commencé son étude par l'analyse, le philosophe doit la terminer par la synthèse. Or, cette synthèse n'est pas une simple addition, un amoncellement de concepts, — comme on nous le reproche faussement. C'est, au contraire, leur fusion hiérarchique dans un seul concept d'une unité supérieure. «La différence et le genre, dit saint Thomas, font un seul être, comme la matière et la forme, et comme c'est une seule et même nature que la matière et la forme constituent, ainsi la différence n'ajoute pas au genre une nature étrangère, mais détermine sa nature à lui....»

Après la synthèse de chaque être ou catégorie d'êtres, on tâche de se hausser jusqu'à la synthèse de l'Univers entier. Par exemple, on reprend à ce point de vue l'étude de ce «continu» primitif de l'espace et du temps que l'enfant a déjà vaguement senti sans le comprendre. Le philosophe s'élève alors de la divisibilité de leurs parties à l'idée de leur totalité.

Mais quelle est la nature de l'espace ou du temps? quelle est la nature de ce grand Tout spatial ou temporel dont on nous parle? Comme elle échappe à toute observation, les hypothèses des métaphysiciens seront nombreuses: de là le conceptualisme, le nominalisme, le réalisme mitigé et le réalisme absolu.

Les conceptualistes ne voient dans l'Espace et le Temps que des produits ou des formes subjectives de notre esprit. Les nominalistes n'y découvrent qu'une somme, une totalisation artificielle de parties, qui, séparée des parties réelles, n'est plus qu'un mot vide de réalité. Pour les réalistes modérés, au contraire, une abstraction, une idée générale n'est pas un mot vide, puisqu'il désigne une essence commune à tous les individus. Ainsi l'espace et le temps désignent une essence commune à toutes les choses temporelles ou spatiales.

D'autres enfin réaliseront cette abstraction pour faire de l'Espace et du Temps «la substance même des choses», «l'étoffe où tous les êtres sont découpés», ou bien la substance «sous-jacente» où plongent «par leurs racines» tous les phénomènes de l'univers.

Quoi qu'il en soit de ces hypothèses — que nous n'avons pas à discuter ici, — nous retrouvons, au terme de la philosophie, le «continu» bergsonien, comme une hypothèse métaphysique et monistique nettement définie, après l'avoir saisi au réveil de la connaissance enfantine, comme un fait obscur, indépendant de toute hypothèse métaphysique. Il n'était alors qu'un simple fait de continuité spatiale, dans laquelle, comme dans un immense réceptacle, se meuvent et pullulent des milliards d'êtres bien différents, au moins en apparence, et sans aucune prétention à l'unité et à l'identité monistique.

Le divisible et le multiple restent donc comme le donné primitif, connu directement par l'observation, bien avant l'unité et la simplicité cosmique, qui sont le résultat des hypothèses et des spéculations les plus tardives. Conformément à ce fait, il est donc naturel que nos idées correspondantes soient pareillement multiples et distinctes.

D'ailleurs, qu'adviendrait-il s'il en était autrement? Ce serait la confusion universelle des idées, et les jugements ne seraient plus possibles, comme l'observait déjà Aristote: «Si l'on dit que tous les êtres peuvent être un ... on ne fait que reproduire l'opinion d'Héraclite. Désormais, tout se confond; le bien se confond avec le mal, ce qui est bon avec ce qui n'est pas bon; le bien et ce qui n'est pas bien sont identiques; l'homme et le cheval sont tout un. Mais alors ce n'est plus affirmer vraiment que tous les êtres sont un, c'est affirmer qu'ils ne sont rien et que la qualité et la quantité sont identiques.»

On le voit clairement: impossible à l'homme de penser et de connaître sans des objets multiples et distincts, et partant sans les idées distinctes correspondantes. Impossible de s'en passer et de prononcer, par exemple, un jugement quelconque, affirmatif ou négatif, sans distinguer un sujet, un verbe, un attribut. Et la philosophie «nouvelle» qui se dit antiintellectualiste et se pose en ennemie de l'idée fragmentaire ou du «morcelage» est la première à s'en servir, à chaque ligne de ses expositions ou de ses discussions. Ne pouvant s'affranchir de la pensée ainsi morcelée, l'effort même qu'elle a tenté pour la combattre la pose encore et la contient comme un inévitable hommage.

Voyez, en effet, s'il leur a été possible de rester d'accord avec eux-mêmes.

Après avoir nié la distinction de la substance et de l'accident, ils ont fini par replacer sous les phénomènes un «noumène sous-jacent», une «étoffe dont les choses sont faites», qui, malgré son caractère panthéistique, est une véritable substance sous les accidents. Après avoir nié la causalité, ils ont reconnu que les phénomènes «plongeaient leurs racines» dans ce noumène sous-jacent, ce qui est rétablir la causalité niée, avec la distinction de la cause et de ses effets. Après avoir célébré «l'évolution créatrice» comme un pur devenir qui se pose lui-même, une auto-création se créant elle-même (ce qui d'ailleurs est inintelligible), ils ont laissé croire volontiers qu'elle est créée par «le noumène sous-jacent», par le «Principe mis *enfin* au fond des choses».

En sorte que, malgré eux, ils en reviennent au «postulat du morcelage», en se reprenant à distinguer ce qui crée et ce qui est créé, la substance et le phénomène, la cause et l'effet, l'immobile et le mobile, l'acte et la puissance..., en un mot, ils reviennent fatalement à ce «jeu des entités conceptuelles», pour lesquelles ils n'avaient pas assez de mépris. Quel hommage involontaire, mais décisif, rendu par nos antiintellectualistes à la philosophie intellectuelle, à la philosophie du sens commun!

Que s'ils sont obligés, comme nous, de se servir du «morcelage», quelle sera la différence entre eux et nous? La voici, ou, du moins, voici la principale:

Puisque nous avons reconnu que le morcelage est dans la nature elle-même, notre loi—nous l'avons déjà dit, après Platon—sera de la copier, de l'imiter aussi fidèlement que possible. Au contraire, après l'avoir déclarée contre-nature et artificielle, les bergsoniens ne peuvent plus avoir d'autre loi que le caprice et l'arbitraire de chaque penseur.

Et c'est ce qu'ils confessent ingénument: «La matière, dit M. Bergson, (est une) immense étoffe où nous pouvons tailler ce que nous voudrons, pour le recoudre comme il nous plaît.» — «Tout isolement, tout morcelage, dit à son tour M. Le Roy, sont forcément relatifs à un point de vue *choisi d'avance*. Les faits sont taillés par l'esprit dans la matière *amorphe* du donné, par le même mécanisme qu'emploie le sens commun mais dans une autre intention: celle de *préparer l'établissement d'un système rigoureux.*» — Critique décisive que la philosophie nouvelle fait naïvement d'elle-même, car si elle n'est plus qu'une interprétation arbitraire, imaginée dans l'intention de préparer un système choisi d'avance, elle n'a plus aucune valeur objective et impersonnelle. A quoi peut servir une intelligence qui décompose et recompose sans aucune loi et suivant sa fantaisie? Chacun peut se faire un système ou le défaire à son gré; la science n'est plus qu'un jeu d'esprit.

Résumons-nous. Poser le monisme biologique en postulat gratuit au début de la recherche philosophique ou critériologique est un point de départ inacceptable, et tel est le sophisme plus ou moins dissimulé dans la théorie bergsonienne du «morcelage».

Par peur de ce fameux «morcelage», ne vouloir plus distinguer réellement le moi et le non-moi, le tien et le mien, l'homme et la bête, la plante et le minéral, c'est laisser tous les êtres et tous les modes d'être se perdre et se confondre dans un grand Tout, par définition même, inintelligible, puisqu'il est l'identité des contraires et la confusion absolue; — c'est en outre supprimer la pensée avec le principe de contradiction; — c'est enfin braver trop ouvertement, soit ce *sens intime*, que tous les philosophes admettent comme une donnée irréductible, soit ce *sens commun* ou ce bon sens, sans lequel toute pensée philosophique n'a plus de garde-fou.

Que s'il y a un «postulat» vraiment gratuit et — comme ils disent élégamment — une «idole de l'imagination» en délire, les voilà!

220

B) *Théorie de la solidification* du fluent. Si l'*abstraction* intellectuelle qui distingue et morcelle «n'est pas un mensonge», mais un procédé tout naturel et absolument indispensable à la connaissance humaine, en sera-t-il de même de la *généralisation?* Oui, nous n'en doutons pas; il suffit de la bien comprendre et surtout de ne pas la travestir, comme on le fait dans l'école nouvelle.

Remarquant que tous nos concepts généraux ont un caractère essentiel de fixité qui nous les fait paraître comme immuables, nécessaires et éternels, alors que tout est fluent et mobile autour de nous, nos antiintellectualistes ont soupçonné là un nouveau «mensonge», et d'un mot magique ils ont cru l'exterminer en proclamant que le concept ou l'idée était chose «cristallisée» et «morte», d'où la «vie s'est retirée».

Mais ce ne sont là que des métaphores et des jeux d'esprit qui recouvrent une grave confusion entre l'idée générale et l'image individuelle ou collective.

L'idée, elle-même, est l'acte vital par excellence de notre esprit. C'est l'idée qui nous hausse du fait sensible jusqu'à sa raison d'être, de la copie imparfaite jusqu'au type idéal et parfait, du contingent au nécessaire, du périssable à l'éternel. Or, cette ascension magnifique est l'acte d'une vie supérieure, la vie intellectuelle, privilège de l'animal raisonnable dont toute la dignité relève de sa pensée.

L'idée, bien loin d'être une chose «morte» ou un résidu «inerte», est une «fleur» ou un «fruit» de son activité vitale; elle est un produit de son enfantement laborieux, un verbe intérieur *dictio verbi* dont la parole extérieure est l'écho. Elle est une action intérieure tendant à se prolonger en actions extérieures.

Bien loin d'avoir l'immobilité impuissante du cadavre, elle est donc la puissance et la fécondité même. Comme l'observait saint Thomas, nos idées se divisent ou s'accouplent et se fécondent entre elles, donc elles vivent. Une idée appelle d'autres idées; elles évoquent ensemble des sentiments et des mouvements associés, et tressaillent de vie intérieure en enfantant la *Science*, la *Morale* et les *Arts*. Quel magnifique déploiement de vie!

D'abord, l'idée est la mère de toutes les *sciences*, car «il n'y a de science véritable que du général», comme le répétait encore récemment M. Poincaré, après Aristote et saint Thomas. Pour eux, comme pour nous, «toute science est générale dans ses principes, quoiqu'elle soit particulière dans ses applications», comme la pensée a pour œuvre le général et pour objet le particulier.

Par exemple, ce sont les idées générales et les principes généraux qui permettent au savant de prévoir l'avenir avec assurance ou de reconstituer le passé disparu depuis des centaines de siècles; ce qui, de l'aveu unanime, est le plus beau triomphe du génie humain. Seules, les idées générales peuvent aussi faire l'accord entre les hommes et donner à la science sociale une base solide. Les images instables et fugitives sont trop individuelles et trop changeantes pour faire cet accord et rien fonder de durable.

On ne naît à la *moralité* que par la contemplation de l'idéal qui nous attire, parce qu'il est un idéal de vérité universelle, de perfection et d'amour pour tous les hommes et même pour tous les êtres. La pensée ne peut remonter plus loin ni aspirer plus haut, ni se sentir plus fortement ébranlée vers le bien, parce qu'elle poursuit l'universel et ne se repose que dans ce qui a une valeur pour tous les temps, tous les lieux, tous les hommes. Alors, l'esprit pensant universellement, peut agir universellement, vivre de la vie la moins égoïste et la plus sociale, c'est-à-dire la plus morale. Toute pensée générale devient ainsi de la moralité commencée, car — suivant la belle image de M. Fouillée — elle brise la prison étroite du moi pour y faire entrer un peu de ciel, une perspective sur le Vrai, le Bien, le Beau, vers l'Infini. Elle seule peut transformer le monde réel par l'idée d'un monde meilleur.

Non seulement l'idée crée la science et la morale, mais encore c'est elle qui enfante les *beaux-arts*. C'est l'idéal qui inspire le génie de l'artiste aussi bien que la conception du plus humble artisan. Point d'enthousiasme sans une idée qui nous soulève vers une beauté supérieure. Tout se dit, tout se fait à l'image de quelque idée et sous son impulsion. On ne peut s'en passer. Aussi nos antiintellectualistes, après avoir fulminé contre l'idée, soi-disant «morte» ou «cristallisée», sont-ils les premiers à s'en servir à chaque instant, à en remplir leurs ouvrages, alors même qu'ils affectent de la déguiser sous de brillantes images. Preuve évidente qu'on ne peut s'en dépouiller; elle est la vie de l'esprit, le guide de l'action, le moteur universel.

Mais ce moteur est lui-même immobile, c'est-à-dire qu'il préside à tous les changements sans en subir aucun. De même, que le soleil éclaire sans avoir besoin d'être lui-même éclairé, que le feu réchauffe sans être pour cela réchauffé, que le ressort pousse sans être poussé, que l'aimant attire sans être lui-même attiré, ainsi l'idée attire à elle ou pousse vers elle, sans subir aucun de ces mouvements. C'est ce qu'explique l'adage: tout premier moteur n'est jamais mû par le genre de mouvement qu'il communique: *primum movens in quolibet genere non est motum in illo genere motus.*

En ce sens, le premier mouvement vient toujours de l'immobile corrélatif, et nous avons vu comment M. Bergson, en supprimant tout élément fixe, rendait le mouvement lui-même impossible, soit à mesurer, soit à concevoir. On ne peut le mesurer sans une mesure fixe; on ne peut le concevoir sans un point fixe d'où il vient, un point fixe où il va, une direction fixe, un plan et une forme fixes qu'il réalise. Si tous ces éléments sont fluides, variables et incertains, le mouvement devient irréel et impensable, car il manque de l'essentiel.

Ne craignons donc pas cette fixité immobile et radieuse de l'idée. C'est cette fixité du phare qui guide les mouvements du pilote en pleine mer et l'empêche de s'égarer; c'est cette immobilité du point d'appui qui fait la force du levier de notre esprit, car le statique sera toujours le pivot du dynamique, aussi bien pour les mouvements de l'esprit que pour ceux du corps. Ainsi, par exemple, le raisonnement doit s'appuyer sur le principe et le principe sur l'idée pour qu'ils soient fondés et solides.

Il y a donc une méprise très grave dans la théorie de M. Bergson; au fond, elle provient de la confusion des sens et de la raison, de l'image et du concept.

L'image sensible peut être mouvante et représenter ainsi le mouvant encore plus fidèlement que si elle était fixe; l'idée ne le peut pas. Elle doit toujours être fixe, c'est-à-dire immuable, nécessaire et éternelle.

Pourquoi cette différence essentielle et ce contraste complet?

Si l'idée abstraite, par exemple l'idée de mouvement en général, n'est pas mouvante, mais fixe et invariable, ce n'est donc pas que nous soyons privés d'images mouvantes du mouvement et obligés de nous contenter d'instantanés fixes et immobiles, pris sur la réalité mobile, comme M. Bergson va nous le dire bientôt, mais uniquement parce que l'idée (ou le concept) ne représente nullement le même objet que l'image. L'image représente un fait instable: *quod est*; l'idée, au contraire, représente une raison d'être stable: *quod quid est*. Expliquons ces formules classiques.

Sous l'image sensible d'un mouvement quelconque, mon esprit découvre une possibilité éternelle réalisée, et c'est ce type possible que l'idée représente. Or, ce type d'un mouvement fugitif, temporel et contingent, est lui-même un type immobile, éternel et nécessaire. C'est l'archétype idéal, ou la forme nécessaire, ou l'εἶδος de Platon, d'Aristote.. de Descartes et de Leibnitz, de Kant lui-même et de l'humanité tout entière. C'est la vision de ce monde idéal des possibles — quelle qu'en soit d'ailleurs la nature, — et dont notre monde actuel est une réalisation imparfaite et fugitive.

L'idée n'est donc pas «une vue stable prise sur l'instabilité des choses», comme le croit M. Bergson, mais un point de vue pris sur la Pensée universelle, ou, si l'on préfère, une vue stable de la partie stable des choses. Toute chose, en effet, a deux aspects: l'un individuel et contingent, l'autre idéal et nécessaire; l'un mobile et fugitif, l'autre immobile et éternel qui nous donne la raison d'être du premier et nous le rend intelligible. Celui-là tombe sous les sens; celui-ci sous le regard de l'intelligence, qui seule *lit au dedans* des choses sensibles (*intus-legere*) quel est leur type possible, leur raison d'être, leur essence.

Sans doute, et nous l'accordons volontiers, il faut se garder des idées toutes faites comme des «vêtements de confection» — aussi avons-nous rejeté à la fois les idées innées de Descartes et les formes *a priori* de Kant. Bien au contraire, il faut faire nous-mêmes nos idées «sur mesure», en les façonnant peu à peu et en leur donnant une ressemblance de plus en plus rigoureuse et adéquate avec les réalités intuitivement perçues dans la nature:

Cent fois sur le métier remettez votre ouvrage;

Polissez-le sans cesse et le repolissez.

De telles idées, abstraites de la réalité et toujours maintenues en contact avec la réalité, quelque incomplètes qu'on les suppose, conservent toujours la valeur de leur origine. Elles sont le fruit de l'incessant commerce de l'esprit avec le monde, et nous n'avons aucun droit de les tenir en suspicion, sous prétexte qu'elles sont «cristallisées» et «mortes», alors qu'elles expriment une des faces de la réalité vivante.

Eh bien! osons le dire sincèrement, M. Bergson ne semble avoir rien compris à cette belle et lumineuse théorie.

Il n'a su rien voir dans l'idée que son caractère de fixité et d'immobilité, et comme il avait admis que tout est fluent et que le fluent seul existe, il a cru se tirer d'affaire en supposant qu'elle devait être une «vue instantanée» prise sur la réalité mouvante: la succession rapide de ces instantanés immobiles nous donnerait seule l'apparence de cette réalité mouvante.

De là la célèbre comparaison, dont il est l'inventeur, de l'intelligence humaine avec le merveilleux appareil du *cinématographe* qui produit l'illusion du mouvement par la succession très rapide de vues immobiles. Métaphore brillante qui recouvre de son éclat trompeur les plus graves erreurs. Enumérons les principales:

1° Une vue n'est jamais absolument instantanée, car elle suppose toujours une *épaisseur de temps*, et partant une quantité de mouvement. L'instantané est donc un mythe.

2° Serait-elle instantanée, cette vue serait toujours une *image* et non point une idée, puisque l'image représente le singulier, le périssable, le temporel; tandis que l'idée représente le général, l'éternel et le nécessaire. En effet, cette vue instantanée n'est qu'une tranche du concret, qui n'est pas encore transfigurée en idéal. Elle est donc une image, non une idée, et ne saurait être un substitut de l'idée puisque l'image et l'idée ont un contenu différent.

3° Si l'idée n'est qu'une image instantanée, elle n'a plus aucune raison d'être, car nous pouvons avoir bien mieux qu'une série discontinue d'instantanés: les sensations nous donnent en effet—quand il nous plaît—des images continues et fluentes de mouvements continus. D'autre part, les actes fluents de l'imagination et du langage nous permettent de les peindre ou de les exprimer dans leur fluidité. Le concept intellectuel serait donc bien inutile; les sens suffiraient à l'homme. L'idée est donc tout autre chose qu'une image instantanée, et l'accusation qu'on lui adresse de «solidifier» le fluent, de «reifier maladroitement» le mouvant, de «cristalliser» ou de «momifier» la vie est une accusation injuste qui ne tient pas debout. Répétons-le encore une fois, elle n'est pas «une vue stable prise sur l'instabilité des choses», mais une vue stable prise sur la partie stable des choses, qui est leur partie la plus importante, car cette partie n'est pas leur matière périssable, mais leur forme nécessaire et éternelle qui nous les rend intelligibles.

Ici se placerait une *objection* qu'on est tout étonné de rencontrer sous la plume d'éminents spiritualistes. Que si la connaissance, par le concept ne saisit qu'une partie de l'objet, à savoir sa forme sans sa matière, son essence sans son existence concrète, sa nature sans son sujet, elle est donc une connaissance incomplète. Le point de vue conceptuel n'est pas le point de vue total. On a même osé ajouter: *c'est la tare irrémédiable de l'intelligence humaine!*

Certes, voilà un bien gros mot, lâché bien légèrement! Serait-ce aussi la tare de la *vue* humaine de ne pas *entendre*; la tare de l'*ouïe* de ne pas savoir *palper*, etc.? Que si ce n'est point une tare pour chaque sens d'être limité par le domaine du voisin, ni la tare de la sensation de sentir sans comprendre la nature de ce qu'elle sent, ce ne peut être davantage la tare de l'intelligence de ne pas sentir.

Mais comme aucune de nos facultés n'est isolée dans l'âme, qu'elles s'aident et se secourent mutuellement, l'intelligence n'a qu'à se compléter par la sensation pour atteindre ce qui est hors de son domaine propre. C'est ce qu'exprime fort bien l'adage aristotélique: *quod non potest fieri per unum, fiat aliqualiter per plura.*

Au surplus, de l'aveu de tous les philosophes, l'intelligence, faculté de l'abstrait, perçoit aussi le concret sensible, soit directement et antérieurement à l'abstrait, suivant l'opinion de Scot et de Suarez, et dans ce cas l'être concret, le τὸ ὄν, serait l'objet de la première appréhension intellectuelle;—soit au moins indirectement par un retour réfléchi sur son acte d'abstraction, suivant l'opinion plus probable d'Aristote et de saint Thomas.

Après avoir saisi directement l'abstrait dans le concret qui l'exprime, elle saisit les deux à la fois, contenant et contenu, abstrait et concret. Elle voit, par exemple, l'*homme dans cet* homme, *le* cercle dans *ce* cercle, et prononce le jugement: *cet* homme est *un* homme; *ce* cercle est *un* cercle. Or, ce jugement, qui affirme l'union dans le même être des deux éléments (nature et sujet, essence et existence), serait déraisonnable et impossible si ces deux éléments n'étaient pas vus l'un dans l'autre, inséparablement unis, comme l'acte et la puissance.

La connaissance devient ainsi complète: le sujet est senti, sa nature pensée, et, par réflexion, les deux objets ou parties du même objet fusionnent dans une synthèse finale.

Et voilà comment, sans aucun art magique, se trouve parfaitement guérie «la tare inguérissable!»

D'ailleurs, ce «reste inextinguible» qu'admettent nos adversaires, ce *caput mortuum* irréductible aux formes de la connaissance, cette irrationabilité fondamentale de l'être, échappant aux principes d'identité et de contradiction et ne pouvant être dit ni ceci, ni cela, ni qualité, ni quantité, ni cause, ni effet, ni possible, ni impossible, existant ou n'existant pas — soit *en acte*, soit au moins *en puissance*, — serait de l'inintelligible pur et un pur néant. C'est donc un rêve. Pour nous, la matière elle-même est connue par la forme, la puissance par l'acte, comme le germe par la plante qui en sort: ce qui suffit à nous les rendre intelligibles et raisonnables.

Une *autre objection* contre le concept est qu'il ne peut exprimer une propriété spéciale sans la généraliser, c'est-à-dire sans la rendre commune à une infinité d'autres sujets semblables. «Il la *déforme* donc toujours plus ou moins par l'extension qu'il lui donne. Replacée dans l'objet qui la possède, une propriété coïncide avec lui, se moule au moins sur lui, adopte les mêmes contours. Extraite de l'objet et représentée en un concept, elle s'élargit indéfiniment, elle dépasse l'objet puisqu'elle doit désormais le contenir avec d'autres.»

Mais cette seconde «tare» de l'intelligence ne nous est pas mieux prouvée que la première. Pour lui donner quelque apparence de fondement, on a eu recours à des métaphores trompeuses. Une substance élastique ne peut, en effet, «s'élargir indéfiniment», lorsqu'on l'étire, qu'en déformant plus ou moins gravement sa première figure. Au contraire, l'extension idéale d'une même essence à plusieurs individus et même à tous les individus possibles, indéfiniment, ne défigure en rien la nature ou la compréhension de cette essence. Il suffit de se rappeler la nature logique de l'extension et de la compréhension des idées et des propositions. Sans entrer dans tous ces détails techniques, un exemple très simple suffira à nous en bien convaincre.

Quelle est l'essence d'une circonférence? C'est d'être une ligne courbe tracée sur un plan de manière que tous ses points soient à égale distance du centre. Telle est sa nature ou sa compréhension. Or, de l'aveu de tous, elle reste la même, absolument, sans la plus légère déformation, qu'on l'étende à un petit nombre ou à des milliards de circonférences, et même à toutes les circonférences possibles, indéfiniment. On en dirait autant de l'essence du triangle, ou du solide, ou du minéral, ou de l'homme, en un mot, de toutes les autres essences connues.

Toutes ces extensions physiques dont on nous parle et qui déforment les objets élastiques ne sont donc qu'un jeu trompeur de métaphores, sans la moindre analogie avec l'extension et la compréhension logique des idées. Aristote eût classé un tel argument parmi les sophismes de mots ou de figure. C'est une homonymie.

Une *dernière objection* contre la valeur de l'idée générale est de prétendre qu'elle est vide de toute réalité; elle ne serait qu'un *mot*, un signe pratique nous rappelant toute la série des choses individuelles déjà expérimentées dans le passé ou à expérimenter dans l'avenir. On reconnaît là l'erreur du Nominalisme. Elle est le fond même de la théorie bergsonienne et suffirait à annuler toutes les objections précédentes.

Si le concept, en effet, ne correspond à aucun objet réel, s'il est vide, c'est le néant, et l'on ne peut — comme on vient de le faire — reprocher au néant d'être un objet solidifié ou cristallisé, encore moins un objet déformé par son rétrécissement contre nature ou son extension artificielle. Ces premiers assauts contre le concept révèlent une marche incohérente de l'adversaire, trahissent ses hésitations et ses incertitudes. Il n'ose dire du premier coup: le concept n'est qu'un vain mot! — Mais c'est là que nous l'attendions.

La célèbre dispute des Universaux, qui semblait périmée avec le moyen âge, et dont nos modernes ne daignaient plus parler que sur un ton plaisant, revient donc fatalement à l'ordre du jour, comme tous les problèmes cruciaux de l'esprit humain, dont on a oublié les solutions véritables, parce qu'ils ne peuvent rester sans être résolus. Impossible de philosopher sans avoir pris parti, explicitement ou au moins implicitement, pour ou contre le Nominalisme, le Réalisme et le Conceptualisme.

Ou bien nos idées générales—telles que le cercle, l'humanité—sont des mots vides qui ne représentent rien de réel, ou bien elles traduisent quelque chose de réel, ou bien enfin ne sont que des conceptions ou des formes illusoires de notre esprit.

M. Bergson a opté pour le nominalisme d'Epicure et de Taine, contre le conceptualisme de Kant et le réalisme de Platon.

Nous croyons qu'il a eu tort. Il est vrai que les deux autres doctrines placent le principe d'intelligibilité des choses, l'essence universelle, hors les choses individuelles, et en cela elles sont insoutenables. L'intelligibilité d'une chose n'est pas une autre chose à côté de la première! On ne peut donc la placer, avec Platon, dans un monde idéal à part, ni avec Kant, dans les formes *a priori* de l'esprit humain. Mais c'est une erreur encore plus grave de l'exclure aussi des choses existantes, avec les Nominalistes. Exclure du réel toute idéalité, c'est le rendre inintelligible et partant irréel.

En outre, ce n'est pas expliquer pourquoi et comment, au-dessus ou au dedans des images contingentes, nous percevons des types nécessaires; pourquoi au-dessus ou au dedans du fluent et du temporel nous découvrons de l'immuable et de l'éternel. La solution nominaliste esquive ou nie ce problème au lieu de le résoudre.

Quelle sera donc la solution? Si les essences ne sont pas hors des choses ni dans l'esprit seul, il faut bien qu'elles soient réalisées dans les choses elles-mêmes. Leur intelligibilité ne peut venir du dehors, donc elle vient du dedans.

Ce sera la gloire d'Aristote et de saint Thomas d'avoir su retrouver le général dans le particulier, le type universel dans l'individu qui l'exprime et le concrétise, et d'avoir formulé le principe de l'immanence de l'idéal intelligible dans le réel sensible.

De là cette thèse célèbre où se résume la pensée de l'Ecole entière: *L'universel direct existe dans les individus, mais non de la manière abstraite dont l'esprit le conçoit; l'universel réflexe existe formellement dans l'intellect, avec un fondement réel dans les choses.*

Ainsi l'universel direct, tel que *le* cercle, existe dans *ce* cercle, l'homme dans *cet* homme; sinon, on ne pourrait dire que cette figure est un cercle et cet individu un homme. Mais ces essences sont concrètes dans les individus, tandis que dans notre esprit elles sont abstraites de tout élément individuel.

D'autre part, l'universel réflexe — c'est-à-dire étendu par la réflexion et la comparaison à tous les individus existants ou possibles, — l'intelligible pur, tel que l'humanité, existe formellement dans l'intellect seul, mais avec un fondement réel dans les choses, puisqu'il exprime quelque chose de vraiment réel dans les individus.

Les universaux n'existent donc pas, comme tels, et formellement, en dehors de mon esprit, mais ils existent *fondamentalement* dans les réalités individuelles; ce qui suffit pour assurer leur valeur objective. Inutile, par exemple, que l'humanité subsiste en dehors des hommes, pour que je puisse me fier à ce concept: il suffit qu'elle se trouve réalisée dans tous les êtres humains existants ou possibles.

Et c'est ainsi — par une simple distinction aussi naturelle que profonde — qu'a été résolu par les plus puissants génies de l'humanité un problème qui a fait le tourment des siècles. Les généralités sont des formes abstraites du réel et partant objectives. D'autre part, ce ne sont pas des réalités séparées des choses, mais les éléments intelligibles des choses elles-mêmes.

Et pour les abstraire, l'intelligence n'a pas à sortir des phénomènes pour se perdre dans un monde supérieur. Les essences ne sont rien en dehors des phénomènes; elles sont les phénomènes eux-mêmes considérés dans leur forme et leur généralité. Le phénomène est sensible; sa forme ou son essence intelligible. Or, les deux points de vue se complètent comme l'être et sa raison d'être, le fait et son explication.

On le voit donc clairement: c'est la brèche faite dans le réel par le fameux «morcelage» de l'abstraction qui nous a permis d'entrer dans la place et d'y surprendre la partie intime des choses, l'essence même qui nous les fait comprendre. Aussitôt la généralisation a achevé l'œuvre intellectuelle de l'abstraction: l'idée générale a été conçue; le concept nous est né, et sa lumière, en rendant les choses intelligibles, illumine le monde sensible.

Sans cette lumière intellectuelle, pourrait-on encore penser et surtout philosopher? La nouvelle école antiintellectualiste le soutient hardiment, et nous allons voir la tentative désespérée qu'elle a essayée pour s'en passer.

VIII

THÉORIE DE L'INTUITION

D'après la nouvelle école, l'intelligence est donc radicalement impuissante à penser le mouvement, la vie, le continu; elle est incapable de toute véritable spéculation sur le fluent. Tout au plus peut-elle nous en fournir quelque connaissance symbolique dont les figures seront empruntées par une analogie lointaine à l'immobile, à l'inerte, au discontinu, seul objet propre et adéquat de sa puissance toute orientée vers l'action.

Elle est bien moins, en effet, une puissance de connaître qu'une puissance d'agir. C'est une «annexe de la faculté d'agir», tout entière «coulée dans le moule de l'action»; elle ne peut donc en rien nous faire connaître le réel, nous livrer l'absolu, dans ce domaine.

Telle est la pauvre faculté que l'évolution, lorsqu'elle était sur son déclin, «a déposée en cours de route», sans doute comme un bagage plutôt encombrant qu'utile, et désormais l'on peut se moquer agréablement des philosophes qui l'avaient prise pour un «Soleil qui illuminerait le monde», alors qu'elle n'est en réalité qu' «une lanterne manœuvrée au fond d'un souterrain».

Cependant, M. Bergson ne se résigne pas à fléchir le genou, les yeux fermés, devant l'Inconnaissable. Ce serait là un «excès d'humilité», nous dit-il, et, à l'exemple des plus célèbres disciples de Kant, Fichte, Schelling, Hegel, il bravera audacieusement la consigne du maître; au lieu de s'abstenir de spéculer, il se livrera comme eux à ce qu'on a pu appeler une véritable «débauche de spéculation». Le procédé pour briser et franchir la barrière kantienne artificiellement élevée entre le réel et l'esprit sera seul différent et d'une originalité incontestable.

Ces trois philosophes, en effet, s'étaient contentés d'identifier les deux termes — sujet et objet — qu'ils ne savaient plus comment unir. Ils les identifièrent avec un troisième terme, soit de nature psychologique, le moi, comme le voulait Fichte; — soit de nature ontologique, l'*absolu*, comme l'imaginait Schelling; — soit de nature purement idéale et logique, l'*idée*, comme le rêvait Hegel. Bergson, lui, va inventer une nouvelle faculté, distincte de l'intelligence désormais mise au rebut, qui sera capable de lire directement dans le réel et dans l'absolu, à savoir l'*intuition*, dont le processus sous-entendra, encore et toujours, l'identité des termes, sujet et objet, confondus dans l'identité universelle.

Pour légitimer sa recherche d'une faculté *nouvelle*, notre auteur allègue une raison profonde qui serait bien près de nous convaincre. Notre intelligence, dit-il, est faite pour l'action; or, «*l'action ne saurait se mouvoir dans l'irréel*. D'un esprit né pour spéculer ou pour rêver, ajoute-t-il, je pourrais admettre qu'il reste extérieur à la réalité, qu'il la déforme ou la transforme, peut-être même qu'il la crée, comme nous créons les figures d'hommes et d'animaux que notre imagination découpe dans le nuage qui passe. Mais une intelligence tendue vers l'action qui s'accomplira et vers la réaction qui s'ensuivra, palpant son objet pour en recevoir à chaque instant l'impression mobile, est une intelligence qui touche à quelque chose de l'absolu».

—Fort bien! répliquerons-nous: il nous faut pour agir sur le réel une faculté capable d'atteindre et de connaître le réel, car «l'action ne peut se mouvoir dans l'irréel». Mais n'est-ce pas là précisément le *fait nouveau* qui devrait vous forcer à reviser le procès de l'intelligence si légèrement, si injustement condamnée?

Vous n'avez cessé de proclamer, à l'excès, que l'intelligence est faite pour l'action, tout entière orientée vers l'action; donc elle est orientée vers le réel, auriez-vous dû conclure. Donc la connaissance et l'action, la théorie et la pratique, au lieu de se combattre, s'entr'aident et se complètent.

Il est donc injuste de les opposer, en traitant d'illusoire la connaissance pratique, «utilitaire». Injuste, par exemple, d'admettre le fluent et le continu, en niant le stable et le multiple, alors que mon action se meut à la fois dans l'un et dans l'autre. L'unité doit se faire dans la variété et la hiérarchie, non dans l'identité et la confusion des termes. Si l'intelligence et l'action s'opposaient, l'homme doué de facultés si contradictoires ne serait-il pas une monstruosité dans la création?

Pourquoi donc rêver des facultés nouvelles, au lieu d'utiliser celles que nous avons? N'est-ce pas lâcher la proie pour l'ombre? Si la nature nous avait donné des ailes comme à l'oiseau, ne serait-ce pas folie de les arracher pour en construire d'artificielles sur un plan que nous croirions plus ingénieux?

Vaines remontrances! L'appel en révision de procès ne sera pas entendu de nos antiintellectualistes: leur siège est fait. C'est bien la condamnation de l'intelligence qui est tenue pour définitive, et c'est vers la recherche d'une faculté nouvelle qu'ils sont orientés. Ils croient même l'avoir découverte, nous l'avons dit, et lui ont donné le nom mystérieux ou mystique d'*intuition*.

I. *Exposé.*—Qu'est-ce donc que cette faculté nouvelle, l'intuition bergsonienne?

S'il ne s'agissait que de l'intuition produite par la perception immédiate des objets extérieurs ou du moi intime, dont nous avons déjà parlé, la réponse serait facile. Mais non, il s'agit de tout autre chose, car les sens externes et le sens intime lui-même ne perçoivent leur objet que par leurs opérations, et partant *du dehors* de leur être. Ici, il s'agit d'une perception et d'une connaissance *par le dedans* et dans l'intérieur même de leur être, en dehors ou «au-dessous de l'espace et du temps». Ce qui est complètement nouveau et inédit; croyons-nous, dans l'histoire de la philosophie. Qu'est-ce donc que cette nouvelle sorte d'intuition?

Certes, du premier coup d'œil, on ne le voit guère, son inventeur ayant pris soin de ne la définir jamais, se contentant de descriptions nuageuses qui semblent plutôt cacher soigneusement que découvrir son mystérieux secret. Il faut longtemps pour que les yeux du lecteur s'accoutument à cette pénombre, si voisine de l'ombre totale.

Toutefois, avec de la patience et un effort qui n'est pas sans mérite, on finit par voir se dessiner vaguement dans la nuit la forme de la divinité nouvelle, qui se cachait dans la «frange», dans la «nébulosité» qui entoure le «noyau lumineux» de l'intelligence et dont cette intelligence a été tirée par voie de «condensation d'une puissance plus vaste», à savoir l'instinct, l'intuition.

Citons plutôt notre auteur, pour ne pas être soupçonné de le traduire mal. «Le sentiment que nous avons (?) de notre évolution et de l'évolution de toutes choses dans la pure durée est là, dessinant autour de la représentation intellectuelle proprement dite une *frange* indécise qui va se perdre dans la nuit. Mécanisme et finalisme s'accordent à ne tenir compte que du *noyau* lumineux (l'intelligence) qui brille au centre. Ils oublient que ce noyau s'est

234

formé aux dépens du reste par voie de condensation, et qu'il faudrait se servir du tout, du fluide autant et plus que du condensé, pour ressaisir le mouvement intérieur de la vie.

«A vrai dire, si la frange existe, même indistincte et floue, elle doit avoir plus d'importance encore pour le philosophe que le noyau lumineux qu'elle entoure. Car c'est sa présence qui nous permet d'affirmer que le noyau est un noyau, que l'intelligence toute pure est un rétrécissement, par condensation d'une puissance plus vaste.»

Vraiment, M. Bergson n'est pas toujours heureux dans le choix de ses métaphores. En nous invitant à détourner les yeux du noyau lumineux — l'intelligence trompeuse, — pour contempler surtout et de préférence cette pénombre indécise et floue qui se perd si bien dans la nuit, que le lecteur ne l'aura sans doute jamais vue ni soupçonnée, ne semble-t-il pas avoir fait la gageure de remplacer la célèbre méthode des «idées claires» par une méthode nouvelle, celle des «idées obscures»?

N'est-ce pas précisément dans ces nuages que nous pourrons découper à notre gré toutes les silhouettes fantastiques qu'il nous plaira de rêver? Et ne risque-t-on pas de remplacer ainsi l'observation et l'étude sincère de la nature réelle par le rêve et la fantaisie de l'artiste? Hélas! notre crainte n'est pas chimérique, et le lecteur répondra si la nouvelle école ne l'a pas conduit jusqu'ici à travers le pays des rêves et des fantômes.

Au demeurant, cette métaphore n'est point une image hasardée, échappée à l'improvisation. C'est une image réfléchie, répétée à satiété, à laquelle l'auteur a attaché une importance capitale, au point de résumer toute sa pensée, tout l'essentiel de son invention.

C'est à l'étude de cette «frange» qu'il fait sans cesse appel pour penser le mouvement, la vie, le continu, en un mot toute sa métaphysique. «Nous y serons aidés, dit-il, par la frange de représentation confuse qui entoure notre représentation distincte, je veux dire intellectuelle. Que peut être cette frange inutile (?), en effet, sinon la partie du principe évoluant qui ne s'est pas rétrécie à la forme spéciale de notre organisation et qui a passé en contrebande? C'est donc là que nous devons aller chercher des indications pour dilater la forme intellectuelle de notre pensée; c'est là que nous puiserons l'élan nécessaire pour nous hausser au-dessus de nous-même.»

Une objection se présente aussitôt à l'esprit du lecteur. Cette frange, cette bordure, serait-elle existante et nullement imaginaire, comment l'étudier, sinon avec notre intelligence? comment reconnaître si elle «a passé en contrebande», sinon par la critique de notre intelligence? Impossible de sortir hors de nous-même, de voir sans nos yeux, de penser ou de juger sans notre esprit! Vouloir donc renoncer à notre intelligence pour penser sans elle, et pour étudier sans elle la fameuse «frange», n'est qu'une méthode contradictoire et chimérique. Bon gré, mal gré, c'est à elle que vous recourez.

L'objection est tellement évidente que M. Bergson ne pouvait pas ne pas la prévoir ni la passer sous silence. Sa réponse n'en sera pour nous que plus curieuse à entendre.

«Cette méthode — il le confesse — a contre elle les habitudes (!) les plus invétérées de l'esprit. Elle suggère tout de suite l'idée d'un cercle vicieux. En vain, nous dira-t-on, vous prétendez aller plus loin que votre intelligence; comment le ferez-vous, sinon avec l'intelligence même? Tout ce qu'il y a d'éclairé dans votre conscience est intelligence. Vous êtes intérieur à votre pensée, vous ne sortirez pas d'elle....

L'objection se présente naturellement à l'esprit. Mais on prouverait aussi bien, avec un pareil raisonnement, l'impossibilité d'acquérir n'importe quelle habitude nouvelle. Il est de l'essence du raisonnement de nous enfermer dans le cercle du donné. Mais l'action brise le cercle. Si vous n'aviez jamais vu un homme nager, vous me diriez peut-être que nager est chose impossible, attendu que, pour apprendre à nager, il faudrait commencer par se tenir sur l'eau, et par conséquent savoir déjà nager. Le raisonnement me clouera toujours, en effet, à la terre ferme. Mais si, tout bonnement, je me jette à l'eau sans avoir peur, je me soutiendrai d'abord sur l'eau tant bien que mal en me débattant contre elle, et peu à peu je m'adapterai à ce nouveau milieu, j'apprendrai à nager. Ainsi, en théorie, il y a une espèce d'absurdité à vouloir connaître autrement que par l'intelligence; mais si l'on accepte franchement le risque, l'action tranchera peut-être le nœud que le raisonnement a noué et qu'il ne dénouera pas.... Celui qui se jette à l'eau, n'ayant jamais connu que la résistance de la terre ferme, se noierait tout de suite s'il ne se débattait pas contre la fluidité du nouveau milieu: force lui est de se cramponner à ce que l'eau lui présente encore, pour ainsi dire, de solidité. A cette condition seulement, on finit par s'accommoder au fluide dans ce qu'il a d'inconsistant. Ainsi pour notre pensée, quand elle s'est décidée à faire le saut. Mais il faut qu'elle saute, c'est-à-dire qu'elle sorte de son milieu.... Il faut brusquer les choses, et, par un acte de volonté, pousser l'intelligence hors de chez elle. Le cercle vicieux n'est donc qu'apparent.»

Eh bien! non, le cercle vicieux demeure en dépit de la lumière trouble et douteuse des nouvelles images. On use encore de l'intelligence pour tenter de la dépasser. Celui qui se jette dans l'eau pour apprendre à nager — méthode assez périlleuse qu'on ne saurait conseiller à personne — ne commence pas par se priver de l'usage de ses bras et de ses jambes; il continue à en user librement; bien plus, il en use selon les mêmes principes généraux, puisqu'il se «cramponne à ce que l'eau lui présente encore, pour ainsi dire, de solidité», comme il s'appuyait sur la résistance de la terre ferme. L'application des forces seule varie, tandis que les forces et leur principe d'application demeurent les mêmes.

L'intelligence, en sautant dans la nébulosité de frange — si tant est qu'elle existe, — continuera donc à user de ses propres forces et à rechercher avidement le reste de clarté que cette pénombre peut receler; son principe d'orientation comme d'action demeurant identique jusque dans un milieu nouveau.

C'est donc l'intelligence qui continuera à penser selon ses propres forces; et comment voulez-vous qu'elle puisse se dépasser elle-même, voir plus loin que sa portée native? Le cercle vicieux est là, manifeste, défiant tous les coups de force. Le *sic volo, sic jubeo, sit pro ratione voluntas* vient se briser pitoyablement devant l'absurde!

Cependant, M. Bergson tient en réserve un autre argument, meilleur ou moins mauvais. Au lieu de dire: «Poussez l'intelligence hors de chez elle» pour qu'elle y voie plus clair, il dirait: poussez-la hors de chez elle pour qu'une autre faculté plus clairvoyante prenne sa place et nous fasse voir mieux et plus loin. Cette faculté, c'est l'intuition, l'instinct. Et nous revenons à la question déjà posée et si peu clairement résolue: Qu'est-ce que cette faculté nouvelle, qu'est-ce que l'intuition?

Instinct et intuition ne sont pas des mots complètement synonymes dans la langue bergsonienne, quoi-qu'ils soient souvent pris l'un pour l'autre. L'intuition est cet *Elan vital* originel qui a graduellement évolué en instinct animal, puis en intelligence, mais qui s'est bien mieux exprimé dans l'instinct que dans l'intelligence, celle-ci, comme nous l'avons vu, étant due à un «saut brusque» de l'animal à l'homme et différant de l'instinct, «non en degré, mais en nature».

Il faut donc interroger l'instinct pour connaître l'intuition originelle; or, voici ce qu'est l'instinct. «C'est sur la forme même de la vie, au contraire, qu'est moulé l'instinct. Tandis que l'intelligence traite toutes choses mécaniquement, l'instinct procède, si l'on peut parler ainsi, organiquement. Si la conscience qui sommeille en lui se réveillait, s'il s'intériorisait en connaissance au lieu de s'extérioriser en action, si nous savions l'interroger et s'il pouvait répondre (!!), il nous livrerait les secrets les plus intimes de la vie.»

En; un mot, l'instinct n'est que «l'intuition rétrécis», c'est-à-dire réduite à n'embrasser que telle ou telle portion de la vie, intéressant l'organisation spéciale de l'individu. On peut donc l'interroger librement pour connaître ce qu'est l'intuition, à la condition toutefois que sa «conscience endormie» veuille bien se réveiller pour s'étudier elle-même, qu'au lien de «jouer sa connaissance, sans la penser», comme elle fait d'habitude, elle veuille bien la «penser» sans la «jouer»; puis qu'elle s'analyse elle-même, et enfin qu'elle nous réponde, si elle peut parler, car jusqu'ici l'instinct n'a jamais eu la parole, pas même le verbe intérieur dont le verbe extérieur est l'expression.

Certes, voilà bien des conditions requises!... On serait tenté de croire qu'en les posant, l'auteur est le jouet de cette *intelligence* expulsée qui les lui dicte, à moins qu'il ne soit tout simplement victime de sa propre imagination! Cependant, ne nous rebutons pas pour ces difficultés, si énormes qu'elles soient, et continuons notre étude. Interrogeons donc l'instinct animal.

Nous avons déjà vu comment il fonctionne d'après la théorie nouvelle: ce n'est point une habitude innée, un mécanisme psychique monté à l'avance—au moins pour l'essentiel—par l'Auteur de la nature. Non, c'est un produit de la *sympathie* universelle (au sens étymologique du mot). Tous les êtres se confondant ou se compénétrant dans l'unité monistique, il s'ensuit que «tout retentit dans tout», et grâce à cette *sympathie divinatrice*, tous les êtres se pressentent, se comprennent à distance—car il n'y a plus de vraie distance—et s'adaptent mutuellement les uns aux autres, encore plus sûrement qu'ils pourraient le faire avec les sens externes, puisque c'est une science *interne*, une vue *par le dedans*, qui les unit comme des membres multiples en un seul être total.

Notre auteur nous a donné l'exemple du Sphex et de sa victime qu'il sait si bien paralyser en la blessant en des ganglions choisis très habilement. Ce sera l'effet de cette science intérieure, bien supérieure à toute science par le dehors, de cette *sympathie divinatrice*.

Telle est donc l'intuition elle-même, cette précieuse faculté que l'homme a perdue en se détachant de l'animalité, et qu'il s'agit de reconquérir pour philosopher.

«En fait, dans l'humanité dont nous faisons partie, l'intuition est à peu près complètement sacrifiée à l'intelligence. Il semble qu'à conquérir la matière et à se conquérir elle-même, la conscience ait dû épuiser le meilleur de sa force. Cette conquête, dans les conditions particulières où elle s'est faite, exigeait que la conscience s'adaptât aux habitudes de la matière et concentrât toute son attention sur elles, enfin se déterminât plus spécialement en intelligence. L'intuition est là cependant, mais vague et surtout discontinue. C'est une lampe presque éteinte, qui ne se ranime que de loin en loin, pour quelques instants à peine. Mais elle se ranime, en somme, là où un intérêt vital est en jeu. Sur notre personnalité, sur notre liberté, sur la place que nous occupons dans l'ensemble de la nature, sur notre origine et peut-être aussi sur notre destinée (?), elle projette une lumière vacillante et faible, mais qui n'en perce pas moins l'obscurité de la nuit où nous laisse l'intelligence (qu'on vient d'appeler le noyau lumineux!).

«De ces intuitions évanouissantes et qui n'éclairent leur objet que de distance en distance, la philosophie doit s'emparer, d'abord pour les soutenir, ensuite pour les dilater (?) et les raccorder ainsi entre elles. Plus elle avance dans ce travail, plus elle s'aperçoit que l'intuition est l'esprit même et, en un certain sens, la vie même.»

De ces textes, et de bien d'autres, il résulte que l'intuition et l'intelligence sont deux facultés distinctes et même opposées. Mais ce n'est là, pour le monisme bergsonien, qu'une concession apparente qu'il va reprendre à la première occasion, perdant ainsi tout le bénéfice d'une moindre inintelligibilité que nous avions escompté trop tôt.

Ce n'est plus l'intuition qui aura mission de remplacer l'intelligence, c'est l'intelligence même que l'on va faire rentrer, de gré ou de force, dans l'intuition d'où elle était sortie, pour s'y confondre et s'y perdre de nouveau. On va lui demander de faire effort pour «se fondre à nouveau dans le tout», pour «se résorber dans son principe et revivre à rebours sa propre genèse». Effort que M. Bergson reconnaîtra «douloureux», car il déforme et pervertit notre manière naturelle de penser, et que nous appelons tout simplement extra-naturel et chimérique.

«Pour que notre conscience (notre intelligence) coïncidât avec quelque chose de son principe, il faudrait qu'elle se détachât du *tout fait* et s'attachât au *se faisant*. Il faudrait que, se retournant et se tordant sur elle-même (!), la faculté de *voir* ne fît plus qu'un avec l'acte de *vouloir* (?). Effort douloureux, que nous pouvons donner brusquement en violentant la nature, mais non pas soutenir au delà de quelques instants.»

D'où la célèbre définition de cette faculté nouvelle, rentrée dans son principe, par un effort violent fait au rebours de sa direction et de sa genèse: c'est une «faculté de voir, immanente à la faculté d'agir (?) et qui jaillit, en quelque sorte, de la torsion du vouloir sur lui-même (??)».—Comprenne qui pourra!...

Une telle philosophie, fondée sur des intuitions si obscures et si évanouissantes, ne saurait être l'œuvre d'un seul jour ni d'une seule génération. Aussi M. Bergson fait-il appel à la bonne volonté et à la perspicacité de tous ceux qui, après lui, voudront bien essayer de tordre leur esprit sur lui-même, au risque d'en fausser complètement les ressorts.

«Mais l'entreprise ne pourra plus s'achever tout d'un coup; elle sera nécessairement collective et progressive. Elle consistera dans un échange d'impressions (!) qui, se corrigeant entre elles et se superposant aussi les unes les autres, finiront par dilater en nous l'humanité et par obtenir qu'elle se transcende elle-même ...» à moins qu'elles ne finissent par compléter la confusion et le chaos de la pensée contemporaine, dont nous sommes tous les spectateurs alarmés!

En attendant ces magnifiques découvertes par les générations futures, voici un premier coin du voile mystérieux soulevé par M.

Bergson lui-même dans une de ses visions intuitives et essentiellement «évanescentes» de l'unique réalité, la Durée pure ou le Temps.

Après avoir prévenu ses auditeurs du Congrès de Bologne que «tout se ramène à un point unique», l'intuition immédiate de la Durée pure, et que ce point est quelque chose de «si simple, de si extraordinairement simple», qu'il est vraiment ineffable et impossible à traduire, en sorte que le voyant passera toute sa vie à le balbutier sans arriver jamais à se faire comprendre, il essaye pourtant de décrire pour nous sa vision d'un monde nouveau, entièrement différent de celui que nous sommes habitués à contempler avec les yeux du corps ou de l'intelligence naturelle. Ecoutons-le:

«Tout est devenir ... le devenir étant substantiel n'a pas besoin d'un support. Plus d'étuis inertes, plus de choses mortes; rien que la mobilité dont est faite la stabilité de la vie.... Une vision de ce genre, où la réalité apparaît comme continue et indivisible est sur le chemin qui mène à l'intuition.... Le temps où nous restons naturellement placés, le changement dont nous nous donnons ordinairement le spectacle sont un temps et un changement que nos sens et notre conscience ont réduits en poussière pour faciliter notre action sur les choses. Défaisons ce qu'ils ont fait, ramenons notre perception à ses origines, et nous aurons une connaissance d'un nouveau genre.... Le monde où nos sens et notre conscience nous introduisent habituellement n'est plus que l'ombre de lui-même, et il est froid comme la mort. Tout y est arrangé pour notre plus grande commodité, mais tout y est dans un présent qui semble recommencer sans cesse; et nous-mêmes, artificiellement façonnés à l'image d'un univers non artificiel, nous nous apercevons dans l'instantané, nous parlons du passé comme de l'aboli.... Ressaisissons-nous, au contraire, tels que nous sommes, dans un présent épais et, de plus, élastique, que nous pouvons dilater indéfiniment vers l'arrière, en reculant de plus en plus loin l'écran qui nous masque à nous-mêmes; ressaisissons le monde extérieur tel qu'il est, non seulement en surface, dans le moment actuel, mais en profondeur, avec le passé immédiat qui le presse et qui lui imprime son élan; habituons-nous, en un mot, à voir toute chose *sub specie durationis*; aussitôt le raidi se détend, l'assoupi se réveille, le mort ressuscite dans notre perception galvanisée, etc.»

Le lecteur estimera peut-être que cette «vision» n'est pas bien claire, mais M. Bergson, prévoyant l'objection, a eu soin de prévenir son auditoire qu'elle était «plutôt un *contact* qu'une vision», de là sans doute une obscurité bien naturelle.

Il termine en nous promettant que cette vision *nous donnera la joie*, mais cette promesse paraîtra bien téméraire à ceux qui préfèrent voir le monde à l'endroit qu'à l'envers. L'univers ne serait-il donc qu'une série bien ordonnée d'illusions «que la pensée traverse pour aboutir à en proclamer la vanité»? — Si c'était vrai, par impossible, nous ne le trouverions pas très gai!...

II. *Critique.* — Après avoir exposé de notre mieux et essayé de faire comprendre au lecteur un procédé de connaissance supra-intellectuelle si obscur et si difficile à saisir clairement, il nous faut encore en examiner la valeur et rechercher tout d'abord s'il échappe aux reproches adressés à l'intelligence par MM. les bergsoniens. Car si, par hasard, il retombait dans les mêmes errements ou dans des défauts encore plus graves, ce ne serait vraiment pas la peine de changer et de troquer l'intelligence contre l'intuition.

Premièrement, l'intuition évite-t-elle ce fameux «morcelage» du grand Tout, si amèrement reproché à l'intelligence? Nous ne le voyons point. En se posant elle-même comme la rivale et l'antagoniste de l'intelligence, l'intuition fait déjà une brèche irrémédiable à l'unité universelle. Elle oppose comme irréductibles deux facultés ou tout au moins deux ordres de phénomènes vitaux, l'intuition et la pensée. La vie mentale est ainsi coupée en deux; ce qu'on prétendait indivisible est divisé; ce qui se compénétrait et se fondait l'un dans l'autre est séparé. A notre tour de leur reprocher de «défaire à coups de ciseaux la trame inextricable des choses, de les défigurer en les morcelant!»

Et ce n'est pas seulement le sujet connaissant que l'intuition morcelle, c'est encore et surtout l'objet connu. J'ai beau approfondir et scruter ma conscience, j'y cherche en vain l'intuition simultanée du grand Tout. Je n'aperçois que des fragments épars, tels que le moi et le non-moi; quant au lien qui les unit ou au principe commun où ils entrent en fusion, je n'en vois point.

Sans doute, nous avons le sentiment de saisir en nous un écoulement continu, mais chaque être a son écoulement propre, distinct des autres; chacun vit pour son compte.

Bien plus, dans cet écoulement des choses, nous ne saisissons par l'intuition seule que des instantanés ou des tranches d'une «épaisseur de temps» infiniment mince. C'est la mémoire et l'intelligence qui nous permettent de coudre ensemble tous ces instants et de nous donner l'illusion cinématographique de la continuité pure. Il n'est donné à personne de saisir d'un seul regard intuitif la totalité de son existence; à plus forte raison, celle de l'existence universelle.

Supprimez la mémoire, l'intelligence et aussi les conclusions du raisonnement; aussitôt, malgré l'intuition, notre vie tombe en poussière ou se vaporise en fumée. Pour rendre l'unité à l'intuition sans cesse évanouissante et lui donner une durée, il faut toujours faire rentrer en scène la mémoire, la conscience et l'intelligence qui seule en peut comprendre l'unité. Le «morcelage» s'impose donc à l'intuition comme à l'intelligence.

Deuxièmement, l'intuition évite-t-elle le reproche adressé à l'intelligence de ne pas être née pour spéculer, mais uniquement pour les besoins pratiques de l'action?—On ne peut plus le prétendre, lorsqu'on a fait de l'intuition un retour à l'instinct animal primitif, lorsqu'on a assimilé sa «sympathie divinatrice» à ce sentiment obscur et aveugle, essentiellement pratique, par lequel le Sphex sait reconnaître les ganglions de la chenille et le point précis où il doit les blesser pour les paralyser sans les tuer.

Bien au contraire, si quelque faculté s'est développée dans l'animal en vue des besoins pratiques de la vie à conserver, à développer, à défendre ou à multiplier, c'est précisément l'instinct. Si la spéculation est inutile à quelque fonction animale, c'est évidemment à l'instinct. Pour sécréter le suc nécessaire à la digestion, les glandes stomacales n'ont nul besoin de la connaissance de ce qu'elles font ni des moyens chimiques qu'elles utilisent si bien sans le savoir, encore moins des raisons d'être de leur merveilleux mécanisme. Elles agissent sans y penser, et bien mieux que par les tâtonnements de la pensée.

Ainsi donc, après avoir identifié l'intuition à l'instinct, on ne peut plus lui attribuer de connaissances spéculatives; tout au plus, un savoir inconscient se bornant à la pratique, utile seulement aux fins de l'individu et de l'espèce.

L'instinct est donc bien plus utilitaire que l'intelligence, et l'objection se retourne entièrement contre ceux qui nous l'ont adressée.

Ce n'est pas à dire que tous nos instincts soient inutiles à la spéculation: ce serait là une exagération démentie par les faits. Aussi saint Thomas a longuement appuyé sur l'importance de ces habitudes innées de l'intellect qu'il appelait *l'habitude des premiers principes* et que nous appelons nos instincts métaphysiques et moraux. Ils sont une espèce de science infuse qui nous ouvre spontanément des perspectives sur les sciences spéculatives et morales. Mais ces espèces d'instinct sont déjà de l'intelligence en germe: elles sont la direction même de la pensée intellectuelle et l'apanage exclusif de l'animal raisonnable.

Troisièmement, l'intuition pure peut-elle nous faire éviter toute promiscuité avec les concepts et leurs «tares» inguérissables? Hélas! non. Kant l'a dit quelque part, et le mot a été souvent redit après lui: «L'intuition sans le concept est aveugle.»

Si vous vous bornez à l'intuition immédiate de la conscience ou du courant de la conscience, comme ils disent, du *stream of consciousness*, que percevrez-vous, sinon que vous êtes, que vous évoluez, que vous devenez? Mais pouvez-vous dire: je suis, je vis, j'évolue, je deviens, sans aussitôt catégoriser et vous servir des concepts d'être ou d'existence, de vie, d'évolution, de devenir? Il est clair que non. Que si vous ajoutez, avec M. Bergson: «Je suis un *esprit*, je change *librement*; ma liberté est *créatrice* d'effets toujours imprévus et incommensurables avec leurs antécédents», n'est-ce pas catégoriser davantage encore et vous servir de plus en plus de ces fameux concepts de spiritualité, de liberté, de causalité, de création, voire même de création *ex nihilo* ou de commencements absolus, qui sont les concepts les plus relevés de la métaphysique? Vous jouez donc avec les concepts, comme M. Jourdain avec la prose ... sans vous en douter, peut-être, mais très réellement.

Je ne vous en blâme pas, sans doute, car vous ne pouvez faire autrement. L'intuition se traduira toujours en idées ou en concepts, parce qu'en dehors de l'idée, rien n'est intelligible ni exprimable. Vouloir parler sans idée, à plus forte raison vouloir philosopher sans idée, n'a plus aucun sens, mais il faudrait le confesser loyalement, au lieu de vouloir l'ignorer.

«L'espoir de nous présenter une réalité purgée de tout concept et de toute idée — écrit M. Fouillée — ne serait-il pas d'ailleurs chez un philosophe une involontaire contradiction? Il n'y a qu'un moyen de philosopher sans concept, c'est de «se laisser vivre», sans même se regarder vivre et partant ne pas philosopher du tout.

«A ce compte, l'enfant serait le plus grand des sages, lui qui vit sans altérer du regard la limpidité ou plutôt la trouble obscurité du cours de sa vie. Aussi M. William James nous conseille-t-il, à la façon évangélique, de redevenir comme les petits enfants. Qu'est-ce pourtant que spéculer, sinon *réfléchir* sur la vie même, sans se dissimuler qu'une parfaite adéquation de nos idées aux choses est impossible?»

Pour philosopher, il faut donc réfléchir sur l'objet même de l'intuition, par exemple sur ce «courant de vie», qu'il nous dévoile, ou sur ce sentiment si vif d'un «flot montant de vie intérieure». Il faut en rechercher la nature, l'essence, la raison d'être, les causes, le but ou la fin, etc. Or, tout ce travail s'élabore par la précision de plus en plus rigoureuse de nos concepts «taillés sur mesure» et par le double jeu des concepts: l'analyse et la synthèse, l'induction et la déduction.

Sans ce travail méthodique de la pensée, l'intuition ne nous aurait fourni qu'une matière informe, qu'un incompréhensible et insaisissable devenir, s'évanouissant entre nos doigts, comme la fumée qui passe et que le petit enfant tente vainement de retenir dans sa main.

L'opération intellectuelle n'est donc pas, comme on le répète, «un *pis-aller*» pour remplacer, tant bien que mal, l'intuition absente, mais au contraire un moyen indispensable pour rendre l'intuition comprise et utile. Insistons sur ce point important qu'on a défiguré. On a dit que l'intelligence était une faculté «preneuse» ou «capteuse d'être». Cela est vrai, mais incomplètement vrai.

Toute connaissance, même celle des sens, est aussi «capteuse» de son objet, auquel elle *s'assimile* en le devenant, d'une certaine façon, dans une vivante intimité. Le toucher saisit la figure, la résistance; l'œil saisit sa couleur, etc. Et le sens central ou commun saisit la totalité de l'objet individuel. Quelle est donc la différence capitale? La voici. Le

245

sens ne fait que voir son objet, le saisir, le *prendre*; l'intelligence peut, en outre, le *comprendre* dans sa nature, sa quiddité, en un mot, elle peut se rendre compte de ce qu'elle a pris, parce que, seule, elle peut le connaître par ses causes ou ses raisons d'être, *cognitio per causas*.

Or, pour connaître ainsi par les causes, il y a trois procédés: *divin, angélique et humain*. La science de Dieu est intuitive, car il voit tout dans son Verbe, dont la pensée est créatrice de toute chose, suivant l'adage: *Scientia Dei est factiva rerum*. La science des anges est aussi intuitive. Grâce à leurs idées infuses, ces purs esprits voient tout le créé dans une lumière supérieure, reflet du Verbe, raison et cause de tout ce qui est. Pour eux, l'être créé est tout diaphane: aussi leur intuition et leur compréhension coïncident et s'identifient.

Aux antipodes de cette intuition synthétique *a priori* se place la connaissance humaine, toute *a posteriori* et discursive. Elle n'éclaire son objet que peu à peu, en remontant des effets à leurs causes, de l'être à sa raison d'être, par l'analyse et la synthèse, *dividendo et componendo*. Et c'est seulement par ce travail qu'elle peut finir par *comprendre* ce qu'elle a *pris*. Sans lui, au contraire, le livre de la nature demeurerait fermé et incompris.

C'est donc — par une étrange confusion — attribuer à l'homme une connaissance au-dessus de ses moyens présents — puisque les données angéliques nous manquent, — de lui supposer une intuition synthétique des choses qui lui permettrait de comprendre l'être, rien qu'en le prenant ou en le surprenant dans l'existence. Cette confusion tendrait à faire de nous des Anges, alors que l'homme — comme on le sait — ne doit faire ni l'ange ni la bête. Une telle intuition n'existe donc pas pour nous sur la terre, où notre œil — suivant la belle comparaison d'Aristote — ressemble plutôt à celui de l'oiseau de nuit en face du plein soleil. Il est pour ainsi dire forcé d'analyser péniblement chaque rayon, l'un après l'autre, car il serait ébloui par leur synthèse.

L'intuition bergsonienne n'est donc qu'un rêve ici-bas ou une anticipation chimérique sur la vision béatifique du ciel.

Si telle est l'insuffisance de l'intuition pour nous saisir et nous comprendre nous-mêmes, tels que notre conscience nous révèle, à plus forte raison pour saisir et pour comprendre les autres que nous, c'est-à-dire l'immensité de l'univers. On a beau faire appel à la «sympathie» intuitive qui relierait entre eux tous les êtres de la création et nous fusionnerait nous-mêmes avec eux, ce n'est là qu'un vain mirage, de brillantes métaphores qui s'éteignent brusquement devant la réalité des faits les plus simples et les plus faciles à contrôler.

Jamais la sympathie pour une autre personne, si intime soit-elle, ne sera la conscience d'autrui. Si nous devinons parfois ses sentiments intimes, ses préoccupations ou ses projets, c'est par un processus d'inductions et de déductions qui n'a rien à voir avec l'intuition, serait-il rapide comme l'éclair.

C'est toujours par l'observation extérieure que nous pénétrons ou que nous semblons pénétrer dans l'intérieur des autres êtres; aussi le psychologue, le naturaliste ou le physicien n'ont-ils pas d'autre procédé à leur disposition que l'observation extérieure. Et ce simple fait suffit à réfuter la prétendue existence en nous d'une «espèce de sympathie intellectuelle par laquelle on se transporte à l'intérieur d'un objet pour coïncider avec ce qu'il a d'unique et par conséquent d'inexprimable». Ce rêve brillant n'est assurément qu'un rêve.

Il aura du moins pour nous une utile leçon, celle de nous mettre en garde contre les prétendues intuitions bergsoniennes, sur les «données» soi-disant «immédiates de la conscience».

Rien de plus subjectif, en effet, ni de plus illusoire que ce prétendu regard intuitif jeté dans l'intérieur des choses. W. James lui-même a avoué que les intuitions sourdes ne sont le plus souvent que le reflet d'un caractère variable avec chaque penseur. Le motif s'en devine aisément. Libéré des entraves de la raison et de ses premiers principes, l'esprit intuitif y découvre facilement tout ce qu'il veut.

M. Bergson prétend y saisir «l'essence de la vie aussi bien que de la matière», aussi fait-il du sentiment immédiat de la vie le fond de sa métaphysique; M. Blondel y perçoit une manifestation concrète et progressive de l'Infini; M. Le Roy y a entrevu, avec le sens du divin, la présence même de Dieu; avant eux, Schelling et Ravaison y avaient découvert la stabilité de la vie éternelle; contrairement à tous les disciples d'Héraclite qui n'y trouvent que la mobilité du devenir pur.

Eh! Qui pourrait prévoir toutes les découvertes futures que cette «sympathie divinatrice» réserve à nos fervents adeptes de l'intuitionisme et du mysticisme! Qu'est-ce qui ne devient pas croyable, quand on ne croit plus qu'au sentiment et au flair de l'instinct individuel?

Pour nous restreindre à la découverte de M. Bergson, elle se résume — comme nous l'avons déjà exposée longuement — dans l'idée de *Temps, étoffe ou substance des choses et principe de la vie, non moins que de ce «psychique inverti» qui est la matière.*

Or, cette idée générale est non seulement un concept, mais le plus compliqué et le plus raffiné de tous, car il suppose une élaboration très complexe d'une multitude de concepts, de sentiments et d'imaginations amalgamés dans une conception prodigieusement étrange et systématique.

En cela, rien ne ressemble moins à une intuition pure et simple: c'est au contraire la création de toute pièce d'une vaste et brillante chimère, baptisée après coup de *contact supra-intellectuel* avec la réalité absolue, *l'Evolution créatrice* ... ce que M. Fouillée appelle ironiquement l'*Imagination créatrice.*

«Ce n'est là, ajoute-t-il justement, qu'une création de la pensée, non une manière immédiate de fouiller les entrailles des choses. L'imagination philosophique ou scientifique est simplement une synthèse rapide d'analyses antérieures ou une construction de synthèses hypothétiques, qui n'ont de valeur qu'en s'appuyant sur les analyses. Les prétendues intuitions sont alors de la logique ailée, prompte comme l'oiseau, ramassant les syllogismes en enthymèmes, les enthymèmes en jugements, les jugements en idées saisies d'un regard de la pensée.»

L'intuition, loin d'être un procédé privilégié, se résout donc en ces *jeux d'entités conceptuelles* pour lesquels on professait tant de mépris. Qu'ils soient lents ou rapides comme un trait de lumière, leur procédé reste toujours le même.

Nous voilà donc bien loin de cette intuition des choses «par le dedans», de cette connaissance «parfaite et infaillible» — parce qu'elle serait la «coïncidence avec l'acte générateur de la réalité», — que l'on nous avait si pompeusement annoncée. L'intuition, dans un vol pareil en audace a celui de Prométhée, devait nous ravir tous les secrets du ciel et de la terre. Elle ne nous parlait que de perception *pure*, de souvenir *pur*, de durée *pure*, d'hétérogénéité *pure*, de liberté *pure*, de mobilité *pure*, de vie et de création à l'état *pur*, comme de données immédiates de la conscience intuitive. Or, tous ces espoirs sont vains; de fait, la vie ne se saisit pas à l'état pur; rien ne se laisse ainsi saisir, soustrait à toutes ses relations naturelles. Les notions pures qu'on nous proposait sont donc des «entités» imaginées de toute pièce et mises bien indûment au rang des réalités vécues. Suivant le mot de Tacite: ils fabriquent des idoles et y croient: *fingunt atque credunt*!

N'importe, les «entités conceptuelles» n'auraient pu prétendre à l'honneur d'une telle réhabilitation. On en rencontre partout dans les œuvres de la nouvelle école; elles sont devenues la trame essentielle de toute la philosophie intuitionniste.

Si l'on retranchait, par exemple, de «l'Evolution créatrice», tout ce qu'elle contient de notions générales et d'inférences rationnelles par induction ou déduction — ces procédés si suspects, — il n'en resterait pas grand'chose, car elle est plus chargée de métaphysique syllogisante que d'observation pure. Sans cet appel incessant aux données conceptuelles de l'intelligence et au raisonnement — si souvent calomniées par l'auteur, — que deviendraient ses belles réfutations du matérialisme, du mécanisme et de l'idéalisme anglais? Elles ne tiendraient plus debout. Que si parfois il déraisonne lui-même, c'est encore en raisonnant à outrance. Donc, son brillant aérostat est tout gonflé d'intellectualisme.

Le fait est si évident que M. Bergson a dû prendre la peine de s'en excuser. Il nous a répondu que les concepts dont il se sert sont des «concepts souples, mobiles, fluides, bien différents de ceux que nous manions d'habitude ... des concepts appropriés à un seul objet ... concepts dont on peut dire à peine que c'est encore un concept, puisqu'il ne s'applique qu'à une seule chose».

Le lecteur jugera de la valeur de cette échappatoire. Comme si l'on pouvait discuter sur un objet dont le concept serait «fluide», avec des définitions «mobiles» et perpétuellement changeantes! Ou comme si nos jugements et nos raisonnements, pour être valides, pouvaient se passer de termes généraux! Si M. Bergson ne s'était servi que de tels *pseudo-concepts*, tous ses beaux raisonnements seraient caducs, d'après les règles les plus élémentaires de la Logique.

Concluons, encore une fois, que l'intuition, pure de tout concept, telle que les bergsoniens la conçoivent, ne peut être qu'un rêve.

Aurait-elle toutes les qualités de la fumeuse jument de Rolland, elle en aurait surtout le grave défaut, celui de ne point exister.

L'intuition, sans les idées correspondantes aux objets perçus, serait une faculté aveugle plongée dans un trou noir où elle ne pourrait rien discerner ni se discerner elle-même. Seule l'idée éclaire les objets et nous permet de les discerner, soit dans l'analyse de leurs détails, soit dans leur unité synthétique.

Mais si la valeur de l'idée générale ou du concept et des premiers principes qui l'accompagnent a déjà été mise en doute ou niée par une métaphysique nominaliste, ce vice essentiel rejaillit sur l'intuition elle-même. Aussitôt, l'intuition s'écroule, avec l'intelligence, dans le gouffre du scepticisme universel. Gouffre sans fond et sans espoir de remède, car les négations nominalistes, en sapant par la base toute connaissance intellectuelle, permettent à l'antiintellectualiste de ne tenir aucun compte des objections qu'on lui adresse au nom du bon sens et de la raison, facultés désormais «périmées».

La tentative de M. Bergson d'élever une intuition philosophique sur les ruines de l'intelligence—alors que leur sort est essentiellement lié—n'était donc qu'un essai chimérique, condamné à un avortement certain. La philosophie sera intellectualiste ou elle ne sera pas! Non, sans doute, qu'elle doive revenir à un intellectualisme *a priori*, irrévocablement condamné, mais à ce sage intellectualisme expérimental si bien appelé par M. Rabier un *empirisme intelligent*: celui d'Aristote et de saint Thomas, si peu connu des modernes.

III. *Remarques.*—Il s'en faut cependant que cet appel à l'intuition ne réponde point à un besoin raisonnable de la pensée contemporaine et soit à rejeter sans aucune réserve. Et cette âme de vérité, nous voudrions, en terminant, la dégager des scories et de la gangue épaisse dont on l'a enveloppée et obscurcie.

On a vraiment trop abusé, surtout depuis Descartes et Kant, des constructions *a priori*. Il était temps de renoncer à une telle méthode si périlleuse et si stérile, en prenant contact avec les réalités de la nature, et de subir le contrôle des expériences vulgaires et scientifiques. Il était temps de revenir à «une vue directe des choses».

«Que la pensée du XIXe siècle ait réclamé une philosophie de ce genre, soustraite à l'arbitraire, capable de descendre au détail des faits particuliers, cela n'est pas douteux.» M. Bergson le reconnaît, mais on l'avait reconnu avant lui, et c'était là précisément la principale raison d'être de la renaissance au cours de ce siècle du péripatétisme, qui a pour méthode de tirer ses idées abstraites des faits concrets et d'édifier la métaphysique sur la physique, en sorte que pour elle il n'y a jamais ni *intuition pure* ou vide de toute idée, ni *idée pure* ou *a priori* sans aucune intuition profonde du réel.

On connaît, au contraire, la manière tout a prioristique dont Descartes a usé, par exemple, pour formuler les lois du mouvement des corps, en les déduisant de l'idée de Dieu, de son immutabilité ou de quelque autre «idée claire». On sait que s'il a fait appel à l'expérience, c'est pour lui faire jouer un rôle très secondaire et subordonné, celui de confirmer ou de compléter nos «idées claires», entièrement innées et indépendantes de l'expérience. Ne considérer celle-ci que comme la très humble servante de la «ratiocination» nous paraît aujourd'hui un abus invraisemblable.

Quant aux *formes a priori* de Kant, elles tombent sous la même réprobation, et M. Bergson n'a cessé de les cribler des traits de sa critique vengeresse. Bien des pages seraient à citer; en voici une prise au hasard qui n'est pas la moins vigoureuse: «Un des principaux artifices de la critique kantienne a consisté à prendre au mot le métaphysicien et le savant (qui spéculaient *a priori*), à pousser la métaphysique et la science jusqu'à la limite extrême du symbolisme où elles pourraient aller, et où d'ailleurs elles s'acheminaient d'elles-mêmes, dès que l'entendement revendique une indépendance (des faits) pleine de périls. Une fois méconnues les attaches de la science et de la métaphysique avec l'intuition intellectuelle (des faits), Kant n'a pas de peine à montrer que notre science est toute relative et notre métaphysique tout artificielle. Comme il a exaspéré l'indépendance de l'entendement dans un cas comme dans l'autre, comme il a allégé la métaphysique et la science de l'intuition intellectuelle qui les lestait intérieurement, la science ne lui présente plus, avec ses relations, qu'une pellicule de forme, et la métaphysique, avec ses choses, qu'une pellicule de matière. Est-il étonnant que la première ne lui montre alors que des cadres emboîtés dans des cadres, et la seconde des fantômes qui courent après des fantômes?

«... Il a porté à notre science et à notre métaphysique des coups si rudes qu'elles ne sont pas encore tout à fait revenues de leur étourdissement.»

Et après une critique vigoureuse de ce grand rêve de la «mathématique universelle» que Kant a eu le grand tort de prendre pour une réalité, et de ces formes *a priori* où tout le réel doit entrer de gré ou de force, il conclut ainsi:

«Bref, toute la Critique de la Raison pure aboutit à établir que le Platonisme, illégitime si les idées sont des choses (des substances), devient légitime si les idées sont des rapports (des formes), et que l'idée toute faite, une fois ainsi ramenée du ciel sur la terre, est bien, comme l'avait voulu Platon, le fond commun de la pensée et de la nature. Mais toute la Critique de la Raison pure repose aussi sur ce postulat que notre intelligence est incapable d'autre chose que de platoniser, c'est-à-dire de couler toute expérience dans des moules préexistants.»

Voilà qui est fort bien raisonné; c'est l'idée qu'il faut mouler sur le réel et non pas le réel sur l'idée *a priori*. Et c'est là, précisément, nous l'avons déjà dit, la grande supériorité de l'aristotélisme sur le platonisme, de la philosophie traditionnelle sur toutes les philosophies modernes.

Mais comment réaliser ce progrès, comment passer de la pensée à la nature, du sujet à l'objet? N'est-ce pas là précisément l'abîme que depuis Descartes et Kant on ne savait plus comment franchir, tous les *ponts* paraissant irrémédiablement coupés entre les deux rives distantes à l'infini?

Toute la philosophie moderne, plus ou moins imbue de subjectivisme, s'était donc enfermée dans l'étude du sujet pensant — sans en pouvoir sortir, — comme «dans un trou où l'on étouffe». La philosophie traditionnelle, depuis Aristote, avait bien découvert et publié la théorie célèbre de la communication des êtres entre eux, mais le secret s'était perdu et l'on ne tentait même plus aucun effort pour le retrouver, parce qu'on le disait impossible.

Ce préjugé est si tenace que l'on voit encore des penseurs de talent écrire sans la moindre hésitation des paradoxes comme celui-ci: «Un *dehors* et un *au delà* de la pensée est, par définition, chose absolument impensable. Jamais on ne sortira de cette objection.... La pensée, en se cherchant un objet absolu, ne trouve jamais qu'elle-même; le réel conçu comme chose purement donnée fuit sans cesse devant la critique.»

C'est donc, pour tous nos modernes, la pensée qui se contemple et se saisit elle-même, en croyant saisir et contempler un objet étranger au moi! Pour nous, au contraire, c'est l'illusion étrange et fantastique de ce *solipsisme* qui est contradictoire et impensable!

Nous avons vu comment M. Bergson, loin d'accepter cette défense de communiquer avec le dehors, avait hardiment brisé et franchi la barrière imaginaire en posant en principe l'intuition immédiate du monde extérieur.

C'était là, aux yeux de ses contemporains — et même de ses plus éminents disciples qui ont refusé de le suivre, — une audace révolutionnaire. A nos yeux, c'est un acte de courage louable; mais c'est surtout un acte de simple bon sens. S'il eût été soutenu par une analyse psychologique et métaphysique plus profonde, se rapprochant de la fameuse théorie péripatéticienne sur la communication de *l'agent et du patient* — qu'il semble ignorer totalement, — son acte de bon sens se fût doublé d'un acte philosophique d'une plus haute portée.

Quoi qu'il en soit, l'intuition du réel est enfin reintégrée dans la philosophie positive, à une place d'autant plus honorable que son exil avait été plus long et plus immérité.

Après l'intuition immédiate du monde extérieur par les sens externes, il fallait aussi réintégrer l'intuition immédiate du *moi-agent* par le sens intime. Ici, M. Bergson, quoique en avance sur ses contemporains, nous paraît encore bien incomplet.

«Si cette intuition existe, écrit-il, une prise de possession de l'esprit par lui-même est possible et non plus seulement une connaissance extérieure et phénoménale.» Après une affirmation si nette, on s'attend à voir apparaître le *moi-agent* et l'on est déçu.

Sans doute, il nous a bien dit que le moi était perçu dans ses profondeurs et non à sa surface: «J'en perçois l'intérieur, le dedans, par des sensations que j'appelle affectives, au lieu d'en connaître seulement la pellicule superficielle.» Mais cette analyse psychologique est encore bien insuffisante.

S'il avait étudié, comme Maine de Biran, le sentiment de l'effort actuel, où, sous l'action, apparaît si clairement l'existence d'un agent qui s'efforce pour passer de la puissance à l'acte, M. Bergson aurait conclu à la perception immédiate de l'*existence* — je ne dis pas de la *nature* que le raisonnement seul peut atteindre — de cet agent qui n'a rien de mystérieux puisqu'il s'appelle *moi*, et qu'il se proclame maître de son action, en disant: *ma* pensée, *mon* vouloir, *mon* choix, au lieu de dire *votre* pensée, *votre* vouloir, *voire* choix.

Sans cette intuition, le raisonnement seul ne permettrait jamais au moi de se connaître lui-même. Appuyé sur le principe de substance: *l'accident suppose un sujet*, il n'aurait pas droit de conclure que ce sujet est notre moi, notre personne. Au lieu de dire: *je* pense, *je* veux, *je* choisis, il devrait conclure seulement — sous une forme impersonnelle: — *on* pense, *on* veut, *on* choisit, comme on dit: *il* pleut ou *il* neige!

Cette intuition immédiate d'un agent sous l'action, il était difficile à M. Bergson de la reconnaître, après avoir fait profession du plus pur phénoménisme, sans se contredire ouvertement et renverser de fond en comble son propre système. Il a donc là comme une apparence d'excuse.

Mais ceux-là n'en ont aucune qui, après avoir combattu le phénoménisme et admis des agents sous les actions, des êtres sous les modes d'être, osent traiter «d'illusion d'ultra-raffinés» la perception immédiate du moi-agent. Ceux-là sont sans excuse qui tentent de chasser de la psychologie expérimentale la perception de cet agent, quelle qu'en soit d'ailleurs la nature, spirituelle ou matérielle. En cela, il font le jeu, sans s'en douter, des positivistes et des phénoménistes, et en deviennent, bon gré, mal gré, les prisonniers, parce qu'il est impossible de *décrire* les faits psychologiques sans les *juger*, et que les décrire comme le fait un pur phénoméniste, c'est déjà juger que le phénoménisme est vrai.

Par exemple, impossible de dire, comme psychologue, que l'âme (quelle qu'en soit la nature) est une «hypothèse superflue» pour expliquer les faits psychiques; — et puis d'ajouter, comme métaphysicien, qu'elle est indispensable pour expliquer les mêmes faits.

Ce raisonnement est tellement évident qu'il a forcé l'adhésion de M. Bergson lui-même dans une page mémorable que nous recommandons à la méditation des philosophes spiritualistes auxquels nous venons de faire allusion.

«A première vue, il peut paraître prudent d'abandonner à la science (la Psychologie positive) la considération des faits.... A cette connaissance, le philosophe superposera une critique de la faculté de connaître et aussi, le cas échéant, une métaphysique: quant à la connaissance même, dans sa matérialité, il la tient pour affaire de science et non pas de philosophie.

«Mais comment ne pas voir que cette prétendue division du travail revient à tout brouiller et à tout confondre? La métaphysique ou la critique que le philosophe se réserve de faire, il va les recevoir toutes faites de la science positive, déjà contenues dans les descriptions et les analyses dont il a abandonné au savant tout le souci. Pour n'avoir pas voulu intervenir, dès le début, dans les questions de fait, il se trouve réduit dans les questions de principe à formuler purement et simplement en termes plus précis la métaphysique et la critique inconscientes, partant inconsistantes, que dessine l'attitude même de la science vis-à-vis de la réalité....

«On ne peut pas décrire l'aspect de l'objet sans préjuger sa nature intime et son organisation. La forme n'est pas tout à fait isolable de la matière, et celui qui a commencé par réserver à la philosophie les questions de principe, et qui a voulu, par là, mettre la philosophie au-dessus des sciences comme une Cour de cassation au-dessus des Cours d'assises et d'appel, sera amené, de degré en degré, à ne plus faire d'elle qu'une simple cour d'enregistrement chargée tout au plus de libeller en termes plus précis des sentences qui lui arrivent irrévocablement rendues.»

Voilà qui est fort bien dit. C'est la psychologie expérimentale qui tiendra la psychologie métaphysique prisonnière, si celle-ci abdique tout contrôle sur la marche de la première: ce qui se fera sans *elle*, se fera *contre elle*. Et cette bonne leçon nous vient de nos adversaires eux-mêmes: *fas est et ab hoste doceri*!

A l'intuition du moi-agent et de tous les agents extérieurs perçus à travers leurs actions, il faut ajouter une troisième espèce d'intuition, bien différente des deux premières, l'*intuition intellectuelle*, fonction propre de l'intelligence humaine. Elle seule sait *lire à l'intérieur (intuslegere)* de l'objet concret, contingent et périssable, le *type* éternel et nécessaire dont il est l'expression sensible. Elle seule, conçoit l'*idée* ou notion générale, et, par l'intuition des rapports nécessaires entre les idées, nous découvre les jugements ou *principes premiers*.

Or, les notions les plus élémentaires — avant leurs combinaisons savantes dans des notions complexes — sont directement perçues par une pure intuition dans les réalités extérieures ou intimes qui les expriment. Telles sont les notions transcendantales d'être, d'unité, de bonté, de beauté, etc.; ainsi que les notions catégoriques de substance et d'accident, de qualité et de quantité, d'action et de passion, d'espace et de temps, etc. Tout cela, nous l'expérimentons à chaque instant; bien plus, tout cela, nous le sommes, nous le saisissons sur le vif en nous-mêmes, nous le vivons, et s'il y eut jamais des connaissances «vécues», ce sont bien celles-là.

Grâce à cette antique notion d' «intuition», désormais reconquise, la philosophie tout entière se transfigure. L'intuition du réel, comme un phare lumineux, l'enveloppe de la base au sommet. Elle est à la base, puisqu'elle tire du réel toutes ses données concrètes, tous les matériaux de ses constructions idéales, et qu'elle peut vérifier sans cesse la conformité de ses images sensibles avec le réel intuitivement perçu. Elle est au sommet, car c'est encore à l'intuition sensible que revient l'esprit, à chacune des étapes de ses ascensions vers la vérité totale, soit pour juger de la valeur objective de ce qu'elle a bâti, en reprenant contact avec le réel, soit pour approfondir davantage ses notions, ses théories, en les replongeant dans le milieu réel d'où elles ont surgi, en les regardant de nouveau à la lumière de ce concret dont la profondeur de sens est inépuisable, suivant l'adage scolastique: *omne individuum ineffabile*.

La beauté et surtout la vérité d'une telle science philosophique, ainsi reconstruite sur l'intuition du réel, éclatent à tous les regards. Elle n'est plus une divination hypothétique d'un noumène inconnaissable; — est une contemplation de la vérité — sinon directement dans le Soleil divin où elle habite, — du moins dans les réalités créées où se réfléchissent et se jouent, plus accessibles à nos faibles regards, les innombrables rayons de sa lumière. A ses yeux, les lois de l'être sont perçues dans l'être lui-même et leur portée philosophique est désormais fondée.

Au contraire, supprimez toute intuition du réel, le sujet pensant tourne; au dedans de lui-même sans en pouvoir sortir. Comme l'écureuil dans sa cage, il peut en tournant rapidement se donner l'illusion de franchir l'immensité des espaces; de fait, il reste toujours sur place.

Le philosophe subjectiviste, incapable de confronter sa pensée avec le réel qu'elle doit représenter, ne pourra plus la confronter qu'avec elle-même: ce qui n'a aucun sens, car la norme de la pensée ne peut être la pensée elle-même, sans une évidente contradiction; ou bien comparer ensemble deux pensées: un prédicat et un attribut, pour voir leur conformité logique: ce qui n'a aucune utilité pour juger de leur valeur réelle ou ontologique.

Dès lors, à quoi lui sert d'avoir des notions et des principes, par exemple les notions de cause et d'effet, et le principe de causalité, si l'esprit ne peut plus constater, en lui et hors de lui, l'existence de causes et d'effets réels correspondant à ces notions abstraites? A quoi lui sert le principe de causalité, s'il ignore s'il y a dans la nature des réalités concrètes auxquelles il serait applicable?

Toute sa métaphysique *a priori* reste ainsi suspendue en l'air comme un monde possible, mais peut-être irréel ou fort différent de celui que nous habitons et sans aucune application légitime à notre monde actuel. En un mot, sans l'intuition de l'être, toute la Métaphysique s'évanouit comme science du réel.

Ces conséquences, M. Bergson les a fort bien vues — rendons-lui cette justice, — et il a eu le courage de les rappeler à nos contemporains qui les avaient perdues de vue ou plutôt entièrement méconnues. Il a même su poser le problème avec une parfaite netteté: l'esprit humain est-il, oui ou non, incapable d'aucune intuition du réel? — *Toute la question est là*, déclarait-il fort justement, et il ajoutait: «Les doctrines qui ont un fond d'intuition (du réel) échappent à la critique kantienne, dans la mesure même où elles sont intuitives.»

C'est, en effet, la seule manière de tourner ou de briser la barrière artificielle élevée par Kant entre la pensée et l'objet réel. M. Bergson n'aurait-il écrit que ces paroles pour résumer sa théorie de l'intuition, nous devrions lui en savoir gré, car elles sont le mot d'ordre d'une révolution antikantienne et antisubjectiviste.

Malheureusement, sa réaction si légitime, si nécessaire, a dépassé le but, comme il arrive ordinairement à toute réaction.

Il a imaginé une intuition de l'objet, *en soi, par le dedans*, qui nous le ferait saisir tel qu'il est à l'intérieur de lui-même, dans la synthèse profonde et inexhaustible de son essence, alors qu'il nous suffit d'une intuition de l'objet *en soi*, mais vu *par le dehors*, dans les manifestations physiques ou psychiques qui l'expriment et que mon image mentale a la prétention légitime de reproduire. Il était d'ailleurs entraîné à cet excès par son préjugé monistique où tous les êtres, sujets ou objets, se confondent et se compénètrent dans une identité chimérique, ne pouvant plus rien avoir de caché ou d'insaisissable les uns pour les autres.

A cet excès sur un point, il a ajouté un très grave défaut sur un autre point non moins important. Ce défenseur à outrance de l'intuition sensible a nié ou méconnu l'intuition intellectuelle, encore plus nécessaire que la première, car si l'intuition sensible nous donne la *matière* contingente et périssable, l'intuition intellectuelle nous en donne la *forme* éternelle et nécessaire. Or, c'est la forme qui nous fait comprendre la matière, et, sans elle, la matière resterait inintelligible et incomprise, comme pour les animaux sans raison qui voient tout sans rien comprendre.

Non seulement la forme éternelle nous fait comprendre ce *qui est* mais encore et surtout ce *qui doit être*, c'est-à-dire les principes qui doivent orienter notre action et notre vie morale. Or, il est bien impossible de passer de l'intuition *de ce que nous sommes* présentement à l'intuition *de ce que nous devons être*, sans le secours de l'intelligence, faculté intuitive des principes nécessaires aussi bien en morale qu'en logique et en métaphysique. Sans elle, par conséquent, il est impossible à M. Bergson de couronner sa psychologie par une science morale vraiment digne de ce nom.

Pour se «connaître soi-même», suivant l'antique maxime, il ne suffit ni d'un regard sur le présent ni d'un retour sur le passé, il faut en outre une vue de l'avenir, ou plutôt de l'idéal éternel à réaliser, idéal de bonté et de beauté qui doit nous attirer et nous entraîner en orientant notre vie tout entière. Or, ce progrès moral individuel et social, cette «ascension dans une voie de spiritualité croissante», ce n'est pas un fait universel que l'on constate; c'est un principe d'ordre qui s'impose à notre esprit et à notre action, malgré tous les faits contraires. Ici, l'intuition morale va bien au delà de l'expérience présente; elle est donc intellectuelle. Elle porte sur des principes et non sur des faits, sur *ce qui doit être* et non sur *ce qui est*. Elle n'est pas une perspective sur le temps ni même sur l'avenir, mais sur l'éternité. La science morale sera donc intellectuelle ou elle ne sera pas.

Cette négation audacieuse de l'intelligence par l'école nouvelle—qui se dit elle-même néo-positiviste et antiintellectualiste—a brisé les ailes de l'esprit humain, dont «toute, la dignité consiste, non à sentir, mais à penser». Elle a déconsidéré, en même temps, sa philosophie, car le premier devoir du penseur qui cherche à expliquer la nature humaine est de ne pas la mutiler, sous prétexte de la mieux expliquer.

Par cette mutilation, les néo-positivistes renversent la législation naturelle de l'esprit humain, dont ils ne peuvent pourtant pas plus se passer que nous, puisqu'ils se servent de l'idée, et partant l'affirment encore au moment même où ils la nient.

Une intuition sensible du concret, sans une intuition correspondante de l'idéal et des principes premiers, ne peut conduire qu'à la confusion des idées, à l'anarchie et au chaos. Témoins toutes ces incohérences, toutes ces contradictions, toutes ces inintelligibilités que nous n'avons cessé, à chaque page de ce travail, de relever en détail et de dénoncer au lecteur.

Elle conduit aussi à tous les écarts de l'imagination—cette *folle du logis*, si brillante soit-elle—qui lient désormais les rênes du char embourbé, aux lieu et place de la raison. A chaque page de cette étude, nous aurions pu en souligner l'influence fatale et parfois délirante. Sans remonter plus haut, la théorie même de l'intuition bergsonienne va nous en fournir une preuve tangible.

Après avoir posé la thèse que l'intuition nous fait pénétrer «à l'intérieur même de la vie et des vivants», il s'efforce d'atténuer l'étonnement que doit en éprouver tout lecteur de bon sens par la comparaison suivante:

«Qu'un effort de ce genre n'est pas impossible, c'est ce que démontre déjà l'existence, chez l'homme, d'une faculté esthétique à côté de la perception normale.... L'artiste vise à ressaisir (les sentiments intérieurs de son modèle) en se replaçant à l'intérieur de l'objet par une espèce de sympathie, en abaissant par un effort d'intuition (?) la barrière que l'espace interpose entre lui et le modèle. Il est vrai que cette intuition esthétique, comme d'ailleurs la perception extérieure, n'atteint que l'individuel. Mais on peut concevoir une recherche orientée dans le même sens que l'art et qui prendrait pour objet la vie en général.... Par la communication sympathique qu'elle établira entre nous et le reste des vivants, par la dilatation qu'elle obtiendra de notre conscience (!), elle nous établira dans le domaine propre de la vie, qui est compénétration réciproque et création indéfiniment continuée. Mais si par là elle dépasse l'intelligence, c'est de l'intelligence que sera venue la secousse qui l'aura fait monter au point où elle est.»

Encore un mirage décevant de l'imagination! Sans doute, l'artiste qui veut peindre un modèle, comme le romancier qui veut composer un personnage, peut pénétrer par sympathie dans l'intérieur de cette individualité étrangère, lire dans sa pensée, ressentir ses impressions et ses sentiments les plus intimes. Mais qui donc en lui accomplit ce prodige, sinon l'imagination?

En vérité, il rêve, il ne voit point ce qu'il décrit d'une manière si émouvante. Il n'y a de même qu'un rêve de l'imagination dans l'effort intuitif inventé par l'auteur de *l'Evolution créatrice*. Une intuition supérieure à celle de l'intelligence n'existe point, et le pouvoir mystique qu'on lui prête de lire à découvert tous les secrets de la nature est vain.

L'intuition d'une vie individuelle distincte de la nôtre, à plus forte raison l'intuition de la vie en général, n'est donc qu'un mythe; et si M. Bergson en a fait l'âme de sa philosophie nouvelle, il a tout simplement réalisé une abstraction, caressé une chimère, galvanisé un brillant fantôme, auprès duquel pâlissent toutes entités scolastiques les plus célèbres.

A ce jeu élégant, et qui, par sa nouveauté, peut plaire à un certain public, la philosophie ne peut rien gagner; elle s'abaisse au contraire en devenant un art, un prolongement des beaux-arts, nous allions dire un roman philosophique, au lieu de rester ce qu'elle doit être: un amour incorruptible et une recherche parfaitement sincère de ce qui est, de la Vérité. L'intuition du réel, tant prônée, s'est changée en songe fantastique! Comme dans le poème de Lakmé, «la fantaisie y déploie ses ailes d'or» et s'imagine planer bien au-dessus des simples mortels ... alors qu'elle rêve!

NOTE SUR LE «PRAGMATISME» DE M. BERGSON

Nous avons omis de parler du «Pragmatisme» de M. Bergson, parce que—quoi qu'on en ait dit—nous n'avons pu découvrir en ses ouvrages ni le mot ni la chose. Sans doute, il est facile de, passer de l'antiintellectualisme et du mobilisme pur au Pragmatisme, mais ce passage, nous n'avons pu le surprendre chez notre auteur.

Pour M. Bergson, l'action prime la connaissance. Bien plus, l'intelligence est impuissante à spéculer, parce qu'elle est née pour l'action et tout entière orientée vers l'action. Cette préoccupation constante ne lui permet pas de voir pour comprendre, mais seulement de voir pour agir. En sorte que «nos perceptions nous donnent le dessin de nos actions possibles sur les choses, bien plus que celui des choses elles-mêmes»; «c'est notre action *éventuelle* qui nous est renvoyée par la matière, comme par un miroir, quand nous la contemplons».

De là, le morcelage du continu, la solidification du fluent, la cristallisation de la vie et notre incapacité intellectuelle. Or, tout cela est une certaine *Philosophie de l'action*, sans être un *Pragmatisme*. Nulle part M. Bergson ne prend l'*utile*, ni le *succès*, ni le *bien* pour critère du vrai, comme les pragmatistes anglo-saxons; nulle part il ne prend à son compte leur fameuse définition de la vérité des premiers principes, tels que *deux et deux font quatre*, où ils ne voient que des «hypothèses commodes à succès extraordinaire».

Bien au contraire, pour M. Bergson, le vrai se trouverait plutôt là où le besoin pratique de l'action—l'utilité—ne ferait plus sentir son influence déformatrice. Ainsi, par exemple, si les qualités sensibles lui apparaissent si pleinement objectives, c'est que «la perception des qualités sensibles est beaucoup plus indépendante du besoin et présente par là même une réalité objective supérieure».—Autre exemple. Il exalte la philosophie bien au-dessus des sciences positives, pour cette raison: la science ne cherche «à voir que pour prévoir et pour agir», tandis que la philosophie intuitionniste cherche «à voir pour voir». Toute l'excellence de l'intuition est là. La vérité serait donc plutôt en raison inverse de l'utilité. Ce qui est le contre-pied du Pragmatisme américain.

Toutefois, l'absence d'utilité ne serait encore qu'une marque négative et comme une présomption de vérité. Resterait à préciser sa marque positive, son critère; et c'est ici que notre auteur devient muet.

Parfois, il est vrai, il insinue que le seul moyen de comprendre une chose serait de la vivre. Le vrai critère serait donc *la vie*? Comme si une hypothèse fausse ne pouvait pas être aussi vécue qu'une hypothèse vraie! Toutes les philosophies, toutes les religions existantes ou *vivantes* seraient donc également vraies?... A son tour, la vie consisterait à n'avoir plus de critère?... Autant de problèmes qui restent en l'air, dans la philosophie bergsonienne, sans qu'on en puisse préjuger encore la solution.

M. Bergson ne peut manquer d'aborder de front un sujet si important et si plein d'actualité. Aussi attendrons-nous qu'il ait plus clairement formulé son opinion définitive pour la discuter. Que si le lecteur plus exigeant réclamait de nous un pronostic, nous lui dirions que nous serions fort surpris de ne pas voir M. Bergson se séparer nettement des pragmatistes qui—un peu hâtivement—se réclamèrent de lui comme d'un maître.

LE PROBLÈME DE LA CONTINGENCE ET DE LA DESTINÉE HUMAINE

Toute philosophie qui se respecte doit bien finir, au terme de ses spéculations ou de ses divagations, par rencontrer le problème «angoissant» de la contingence et de la destinée humaine. Aussi bien la philosophie «nouvelle» n'a-t-elle pu complètement l'esquiver.

Vers la fin du volume de l'*Evolution créatrice* auquel nous venons de consacrer les cinq derniers chapitres de cette critique, nous trouvons, en effet, posée la fameuse et inévitable question, mais elle nous a paru accompagnée de deux réponses bien différentes et même opposées.

La première — la moins satisfaisante des deux — est un effort puissant de dialectique *a priori* pour nous démontrer que ce n'est là qu'un «pseudo-problème soulevé autour d'une pseudo-idée». Volontiers, l'auteur nous dirait avec Littré: «Laissez là ces chimères.... Ces problèmes sont une maladie. Le moyen d'en guérir, c'est de n'y pas penser.» C'est par l'examen de cette première solution que nous allons commencer.

I. — Tous nos lecteurs savent ce que l'on entend par la *contingence*. Tout ce qui commence ayant une cause est un être *ab alio*, un être dérivé, second, c'est-à-dire un être contingent, tandis que ce qui n'est pas par un autre est par lui-même, *a se*, et trouve en lui-même, dans la perfection de sa propre nature, son explication ou sa raison d'être.

Ainsi un fils vient de son père et de sa mère: il est donc contingent. Et comme le père et la mère ont commencé par être eux-mêmes engendrés, ils sont encore des êtres contingents. De même, ma pensée actuelle vient de la fécondité de mon esprit, elle est donc contingente, et mon esprit lui aussi est contingent s'il n'est pas nécessaire et éternel.

Tandis que l'être contingent, pour avoir passé de la puissance à l'acte, reste marqué du sceau de la puissance qui est une dépendance et une relativité essentielles, comme nous l'avons vu, l'être qui serait *acte, pur*, sans aucun mélange de potentialité, serait l'indépendance même et l'absolue nécessité.

Or, cette théorie, qui est d'une complète évidence pour ceux qui nous ont suivi jusqu'ici, en même temps qu'elle est d'une simplicité et d'une beauté merveilleuses, ne pouvait avoir le don de plaire aux philosophes qui ont saccagé et ruiné les premières notions du bon sens sur lesquelles notre théorie est fondée, notamment les notions d'être, d'identité, de contradiction et de causalité. Désormais, il sera, non seulement curieux, mais très instructif de les voir se heurter et se débattre impuissants contre cette nouvelle barrière, et, ne pouvant plus résoudre le problème qu'elle suscite, chercher du moins à le subtiliser. Voici, en effet, comment ils ont essayé de supprimer le grand problème inéluctable, celui de la contingence.

Avant d'attaquer la contingence possible de l'*être* lui-même, M. Bergson commence, par une savante stratégie, à combattre la contingence d'une des manières d'être les plus frappantes des choses de ce monde, à savoir leur *ordre*. L'idée de désordre, dit-il, n'est qu'une pseudo-idée, soulevant un pseudo-problème, celui de l'origine ou de la raison d'être de cet ordre. Or, le désordre n'est même pas possible; donc l'ordre est nécessaire; donc, «du même coup s'évanouissent (avec l'idée de désordre) les problèmes que l'on faisait lever autour d'elle».

Tout d'abord, l'auteur distingue «deux espèces d'ordre irréductibles l'un à l'autre»: 1° l'ordre «voulu», où les choses sont disposées de concert vers un but; 2° l'ordre «automatique», où les choses sont dispersées d'une manière quelconque. Ainsi, tracez au hasard sur le tableau noir n'importe quelle figure: elle constituera toujours une figure géométrique.

Voici maintenant l'application de ces deux notions à un cas donné: «Quand j'entre dans une chambre et que je la juge «en désordre», qu'est-ce que j'entends par là? La position de chaque objet s'explique par les mouvements automatiques de la personne qui couche dans la chambre, ou par les causes efficientes, quelles qu'elles soient, qui ont mis chaque meuble, chaque vêtement, etc., à la place où ils sont: l'ordre au second sens du mot est parfait. Mais c'est l'ordre du premier genre que j'attends, l'ordre que met consciemment dans sa vie une personne rangée, l'ordre voulu, enfin, et non pas l'ordre automatique. J'appelle alors désordre l'absence de cet ordre.»

Le désordre n'est donc que la désillusion de l'esprit qui cherche un ordre et qui en trouve un autre. Mais il faut nécessairement que l'un ou l'autre existe; l'ordre est donc nécessaire; il est partout et toujours. Et s'il est nécessaire, il n'est plus un mystère à éclaircir et n'a plus besoin d'explication. La seule question: «pourquoi il y a de l'ordre» n'a plus de sens.

A ce raisonnement d'apparence spécieuse, nous répondrons en accordant à M. Bergson, qu'en effet, si l'on admet sa définition — et nous l'admettrons pour simplifier la discussion, — si l'on admet qu'on doive appeler du mot d'ordre tout arrangement quelconque des choses — ordonné ou désordonné, — sa conclusion s'impose: il est nécessaire que nous trouvions toujours et partout dans les choses l'un de ces deux ordres. Mais est-il nécessaire d'y trouver l'un plutôt que l'autre? il est clair que non. Le choix entre les deux est contingent. A plus forte raison, si nous sommes en présence d'un ordre intentionnel, le choix de tel ou tel plan parmi le nombre infini de plans également possibles sera contingent. Et alors le problème premier, que l'on a voulu supprimer, revient tout entier avec sa force impérieuse: pourquoi ce plan plutôt qu'un autre? S'il est nécessaire qu'il y en ait un, aucun d'eux pourtant n'était nécessaire: et s'ils sont tous contingents, ils ont donc une cause.

M. Bergson lui-même nous aide dans notre raisonnement lorsqu'il reconnaît «qu'un ordre est contingent et nous apparaît contingent par rapport à l'ordre inverse, comme les vers sont contingents par rapport à la prose et la prose par rapport aux vers». — C'est là tout ce que nous demandons. Il est donc contingent et nullement nécessaire que l'univers soit un poème écrit en vers ou en prose; si c'est en vers, il est contingent que ce soit en vers de telle ou telle mesure, soumis à telles ou telles lois, etc. La contingence renaît ainsi de ses cendres; et le problème de savoir quelle est la cause de l'ordre contingent que nous admirons, au lieu de s'évanouir, avec la pseudo-idée du désordre, comme on nous l'avait annoncé, s'impose aussi impérieux que jamais aux investigations de l'esprit humain.

Ce premier problème nous conduit naturellement au second. De la contingence de l'ordre qui n'est qu'une manière d'être, passons à la contingence de *l'être* lui-même. Ici, nous allons serrer encore de plus près et voir plus à fond la difficulté qu'on nous oppose. La nécessité d'un certain ordre que nous avons accordée n'était d'ailleurs qu'une nécessité hypothétique. Si tel être existe, il lui faut nécessairement une manière d'être et un ordre quelconque; mais aucune manière d'être, aucun ordre n'est nécessaire à cet être si, loin d'être lui-même nécessaire, il est contingent. C'est donc la contingence de l'être lui-même qu'il importe surtout d'examiner.

La seconde attaque de M. Bergson contre la contingence sera parallèle à la première.

Elle en sera presque une répétition. Le désordre était une pseudo-idée soulevant un pseudo-problème: quelle est la cause de l'ordre? — Le néant sera ici la pseudo-idée soulevant un autre pseudo-problème: quelle est la cause de l'existence? — On entrevoit déjà tout le plan de bataille, ou plutôt la trame subtile du piège qu'on nous prépare.

L'auteur ne consacre pas moins de vingt-six pages à nous démontrer la majeure de sa preuve, à savoir que l'idée du néant absolu est «une idée destructive d'elle-même, une pseudo-idée, qui se réduit à un simple mot». Cette longue dissertation, déjà parue sous forme de cours et d'article, de Revue, est, en effet, très instructive à relire, si l'on veut comprendre le fort et le faible de ce merveilleux analyste psychologue qu'est M. Bergson, conférencier aussi brillant que subtil, aussi habile à jongler avec les idées qu'avec les images et les formes littéraires. Mais pourquoi sa pénétrante psychologie n'est-elle pas doublée d'une logique impeccable? Qu'on juge de la portée de notre doute par un simple trait.

Après s'être évertué à nous montrer que l'idée de néant n'était elle-même qu'un pur néant et un mot vide, voici qu'à son tour, victime sans doute de l'illusion commune, il se prend à lui attribuer un rôle; et non seulement un rôle négatif, comme on le fait couramment dans l'Ecole, mais encore un rôle positif, et même un premier rôle. «Ainsi, d'après lui, nous nous servons du vide pour penser le plein»; — nous allons de l'absence à la présence»; — «nous passons par l'idée du néant pour arriver à celle de l'être»; — «l'idée du néant est souvent le ressort caché, l'invisible moteur de la pensée philosophique», etc. L'auteur a beau ajouter que c'est «en vertu d'une illusion fondamentale de l'entendement», il n'en reste pas moins qu'un rôle si utile et si puissant, attribué à une idée qui n'existe même pas, semble quelque peu contradictoire.

Aristote et saint Thomas, qui reconnaissent pourtant la réalité de cette idée négative du néant, ne lui ont jamais attribué une telle vertu. Jamais ils n'ont dit que notre pensée doit s'élever du vide au plein, du néant à l'être. Pour eux, au contraire, l'idée d'être est la première que puisse saisir l'intelligence; et le néant n'est conçu qu'en second lieu, négativement et par le contraste de la présence avec l'absence; pour eux, c'est l'idée d'être qui est «le ressort caché et l'invisible moteur de la pensée philosophique» et non pas l'idée du néant. Jamais ils n'auraient écrit, comme M. Bergson: «l'existence m'apparaît (par une illusion naturelle) comme une conquête sur le néant»;—«je me représente toute réalité comme étendue sur le néant comme sur un tapis»; —«si quelque chose a toujours existé, il faut que le néant lui ait toujours servi de substrat ou de réceptacle, et lui soit, par conséquent, éternellement antérieur.»

Toutes ces prétendues «illusions fondamentales à notre entendement» ne sont que des imaginations fantastiques et puériles, auxquelles aucun esprit sérieux ne s'arrête, et qu'il suffit de classer à côté de la fameuse méthode à fabriquer les canons: prenez un trou, et tout autour de ce trou, coulez du bronze....

Mais voici qui paraît encore plus fort. Après avoir soutenu que l'idée de néant n'est qu'un mot vide, on ajoute, sans hésiter, qu'il est très plein, car il contient autant et même *plus* que l'idée d'être. Ici nous devons citer textuellement, tant la chose est invraisemblable: «Si étrange que notre assertion puisse paraître, *il y a* plus, *et non pas* moins *dans l'idée d'un objet conçu comme* «*n'existant pas*» *que dans l'idée de ce même objet conçu connue* «*existant*», *car l'idée de l'objet* «*n'existant pas*» *est nécessairement l'idée de l'objet* «*existant*», *avec, en plus, la représentation d'une exclusion de cet objet par la réalité actuelle prise en bloc.*»

Par là, M. Bergson voudrait-il dire avec Michelet et les sophistes hégéliens: «le néant est une catégorie plus riche que celle de l'être?» — Nous nous refusons à le supposer. Il faut donc expliquer autrement sa pensée. On peut soutenir, en effet, qu'il y a *plus de complication* dans une formule négative que dans une formule positive. Ainsi, dans la formule $X^n - X^n$, il y a plus de signes que dans la simple, formule X^n. Mais il est clair qu'il n'y a pas *plus d'être*, et qu'une personne à qui il manque cent francs n'est certes pas plus riche que celui qui les a. Nous aimons à croire que telle est la vraie pensée de l'auteur, d'accord avec celle du bon sens. Mais, alors, on conviendra que, pour arriver à ce résultat, tout cet appareil brillant de thèses et d'antithèses, d'affirmations et de négations, n'était pas indispensable. C'est là un

268

jeu qui amuse sans instruire beaucoup, un feu d'artifice qui éblouit sans éclairer; et loin d'éclaircir ainsi les questions, on les embrouille à plaisir.

Quelque utiles que soient ces observations pour comprendre la manière brillante de notre adversaire, revenons à sa thèse capitale: l'idée du néant absolu n'est qu'une pseudo-idée, un mot vide de sens; elle n'existe même pas subjectivement.

En effet, si elle était quelque chose en nous, ce serait ou une *image*, ou une idée *positive*, ou une idée *négative*. Or, elle n'est rien de ces trois choses. Les deux premières hypothèses sont longuement développées, et l'auteur a ici le triomphe facile. On pourrait dire qu'il enfonce des portes ouvertes. Personne n'a jamais prétendu que le néant pût être dessiné, photographié ou mis en image, ni que son idée eût un contenu positif. Quant à la troisième hypothèse, celle d'une idée vraie, quoique négative, la question est beaucoup plus délicate et subtile, nous le reconnaissons volontiers, mais pour des motifs bien différents de ceux par lui allégués.

Dire, par exemple, qu'on ne peut nier une chose sans la remplacer par une autre, au moins implicitement, ne nous paraît pas un principe universel. Cela est vrai pour la soustraction physique des objets, car on ne peut enlever un objet matériel sans le remplacer en même temps au moins par de l'air, puisque le vide est impossible. Cela est vrai aussi pour les jugements, car on ne peut nier une proposition sans affirmer, au moins implicitement, sa contradictoire.

Mais cela ne nous paraît plus évident pour les simples notions. Si je mets un signe négatif devant une quantité quelconque, il n'en reste plus rien, et la quantité n'est nullement remplacée par une autre quantité ni par une qualité ou toute autre notion. C'est ainsi que se forment les notions de quantités négatives et les autres notions négatives.

Du reste, M. Bergson reconnaît, comme tout le monde, qu'on peut nier l'existence de chaque chose en particulier, parmi toutes celles qui nous entourent; ce serait seulement la négation en bloc de toutes ces choses à la fois qui serait impossible et contradictoire. Mais d'où pourrait venir cette prétendue contradiction?

Sans doute, la *réalisation* ou la possibilité *extrinsèque* de cette supposition, à savoir: il aurait pu se faire qu'il n'existât rien du tout, est en contradiction avec les faits, soit avec l'existence de cette pensée elle-même, soit de toute autre réalité présente, car, selon la parole bien connue de Bossuet: «Si rien n'existe, rien n'existera jamais.»

L'hypothèse qu'à un moment donné il a pu n'y avoir rien est donc démentie par les faits; elle est en contradiction avec les faits, mais est-elle en contradiction avec elle-même? Nous ne le voyons pas. Et lorsque M. Bergson la prétend contradictoire parce qu'elle serait «un fantôme chevauchant sur le corps de la réalité positive auquel elle est attachée», je reconnais qu'en effet elle serait contradictoire si, en même temps qu'elle suppose que rien n'existe, elle supposait sa propre existence ou celle du sujet pensant où elle «chevauche». Mais il n'en est pas ainsi, et ce concept implique que rien n'existe, sans s'excepter lui-même. Supposition contradictoire avec les faits, nous le répétons, c'est clair; mais nullement contradictoire en elle-même: ce qui constitue sa possibilité *intrinsèque*. Si le néant absolu ne peut être *affirmé*, il peut du moins être *pensé*: c'est un *être de raison*, c'est-à-dire un concept auquel, dans la réalité, ne correspond aucun être, mais seulement une relation que la raison conçoit.

Quoi qu'il en soit de cette subtile controverse, accordons à M. Bergson que cette idée de néant absolu soit contradictoire et impossible; — pour n'avoir pas l'air d'asseoir sur une pointe d'aiguille la grave conclusion que nous allons tirer.

Accordons-lui qu'on peut supposer la non-existence de chacun des êtres qui nous entoure, mais pas de toutes les existences à la fois. Que faut-il en conclure? Qu'il y a au moins une ou plusieurs existences nécessaires? Assurément. Mais que toute existence est nécessaire et qu'aucune n'est contingente? On ne le peut sans braver la plus élémentaire logique. Ce serait d'ailleurs contredire trop ouvertement aux faits: puisqu'il y a des êtres qui ne sont pas par eux-mêmes, mais par d'autres, *ab alio*, comme les fils qui viennent de leurs pères, et, en général, comme tous les effets qui viennent de leurs causes, et, par suite, sont contingents.

Et alors, la question de savoir «pourquoi existent ces êtres contingents» reparaît tout entière. Pour la seconde fois, le contingent qu'on avait cru anéantir renaît de ses cendres, et l'on a fait faillite à la promesse de supprimer avec sa notion les problèmes qu'elle soulève à tout esprit qui pense.

«Dès le premier éveil de la réflexion, avait-on déclaré, c'est elle (l'idée du néant *absolu*) qui pousse en avant, droit sous le regard de la conscience, les problèmes angoissants, les questions qu'on ne peut fixer sans être pris de vertige. Je n'ai pas plutôt commencé à philosopher que je me demande *pourquoi j'existe.*» — Après cette déclaration qui n'est pas entièrement juste, puisqu'il suffit pour poser la même question que le néant *partiel* soit possible, par la non-existence de ma seule personne, l'auteur a ajouté témérairement la promesse de faire évanouir ce problème troublant, rien qu'en soufflant sur la notion de néant absolu; il nous a promis qu'après l'extinction de cette idée obsédante, on pourra conclure avec assurance «que la question de savoir pourquoi quelque chose existe est une question dépourvue de sens, un pseudo-problème soulevé autour d'une pseudo-idée». Et voici que le résultat est loin d'être obtenu: on a bien établi la nécessité de l'existence de l'être nécessaire (la belle affaire!), mais on n'a pas même commencé d'établir la nécessité des autres existences, de vous et de moi, et la question «angoissante»: *pourquoi j'existe?* — impossible à subtiliser par les mains les plus habiles — demeure aussi ce angoissante» que jamais.

II. — Cette première solution toute négative était si peu satisfaisante que M. Bergson n'a plus hésité à en chercher une autre. Après avoir traité dédaigneusement le problème «angoissant» de la contingence comme un «pseudo-problème», qu'il n'était plus permis de poser à nos contemporains, voici qu'il va le prendre lui-même assez au sérieux pour lui chercher une solution positive.

A nos yeux, c'est là bien moins une contradiction qu'un développement et un progrès de la pensée de ce philosophe. En effet, sa première dissertation sur le néant, déjà connue de ses auditeurs, paraît être plutôt une œuvre de jeunesse, si l'on s'en tenait à la critique interne. On n'y retrouve aucune de ses préoccupations systématiques actuelles sur le Temps, la Durée pure, l'Evolution, l'Intuition et ses demi-concepts, encore moins sur l'impuissance métaphysique de l'intelligence humaine, car elle est un modèle de spéculation *a priori*, un «jeu d'entités conceptuelles» audacieusement débridé. Ce morceau nous semble donc composé antérieurement, puis ajouté après coup et comme égaré dans le système de l'Evolution créatrice.

Quoi qu'il en soit, voici la nouvelle solution proposée, et celle-ci prétend bien être tirée des entrailles mêmes du nouveau système.

1° M. Bergson nous déclare d'abord que «dans le présent travail (*l'Evolution créatrice*) un Principe de création *enfin* a été mis au fond des choses». Ce Principe (avec un grand P), on ne le découvre, il est vrai, nulle part bien clairement exprimé, mais il ne saurait être que son *dieu-Cronos*, le Temps, la Durée pure, dont il a fait la «substance» même des choses.

Dans ce cas, malgré cette confusion panthéistique de la créature avec son principe, la création tout entière et, partant, l'humanité sont bien reconnues contingentes — la contingence de l'homme est ainsi confessée, — ce qui est un premier pas en avant d'une importance incontestable. Pourquoi j'existe? — parce que je suis créé par un Principe supérieur. Telle est mon origine: reste à savoir quelle est ma fin.

2° Sur la destinée humaine, M. Bergson n'a pas encore dit son dernier mot, mais il a posé des pierres d'attente significatives. Pour lui, l'immortalité est un dogme à la fois affirmé par l'Intuition et nié par l'intelligence et la science, — comme tous les autres dogmes spiritualistes, d'ailleurs, sujets à la même antinomie. Ecoutons sa profession de foi:

«Certes, elles (les doctrines spiritualistes) ont raison d'écouter la conscience, quand la conscience affirme la liberté humaine; — mais l'intelligence est là, qui dit que la cause détermine son effet, que le même conditionne le même, que tout se répète et que tout est donné.

«Elles ont raison de croire à la réalité absolue de la personne et à son indépendance vis-à-vis de la matière; — mais la science est là, qui montre la solidarité de la vie consciente et de l'activité cérébrale....

«Elles ont raison d'attribuer à l'homme une place privilégiée dans la nature, de tenir pour infinie la distance de l'animal à l'homme; — mais l'histoire de la vie est là, qui nous fait assister à la genèse dès espèces par voie de transformation graduelle et qui semble ainsi réintégrer l'homme dans l'animalité.

«Quand un instinct puissant proclame la survivance probable de la personne, elles ont raison de ne pas fermer l'oreille à sa voix; — mais s'il existe ainsi des «âmes» capables d'une vie indépendante, d'où viennent-elles? quand, comment, pourquoi entrent-elles dans ce corps que nous voyons, sous nos yeux, sortir très naturellement d'une cellule mixte empruntée aux corps de ses deux parents?

«Toutes ces questions resteront sans réponse, une philosophie d'intuition sera la négation de la science; tôt ou tard, elle sera balayée par la science, si elle ne se décide pas à voir la vie du corps là où elle est réellement, sur le chemin qui mène à la vie de l'esprit.»

Nous avons déjà vu, en ce qui concerne les trois premières questions, combien ces antithèses sont artificielles et systématiques; tenons-nous-en, pour le moment, à la dernière et répondons aux interrogations de M. Bergson.

D'où viennent les âmes? — Mais de celui qui les crée: réponse autrement intelligible que celle de l'auto-création et des commencements absolus et sans cause, dont M. Bergson a rempli son *Evolution*.

Pourquoi viennent-elles dans les corps? — C'est pour y vivre d'une manière complète, puisqu'elles ont besoin d'organes corporels pour vivre de la vie végétative, de la vie sensible, et même, indirectement, de la vie intellectuelle, comme le prouve surabondamment l'expérience vulgaire et scientifique, d'après M. Bergson lui-même.

Comment entrent-elles dans les corps? — Elles y viennent du dehors, θύραθεν, d'en haut, comme le disait Aristote, suivant les lois providentielles de la Biologie, que savants et philosophes cherchent à découvrir peu à peu, mais que personne ne peut nier.

Quand l'âme entre-t-elle dans le corps? — Dès qu'il est apte à la recevoir: en cela, rien de plus raisonnable.

Il est donc entièrement inexact d'affirmer que «toutes ces questions resteront sans réponse», alors que des réponses, si simples et si satisfaisantes, sont déjà faites depuis longtemps et connues de tous. C'est même plus qu'inexact, c'est entièrement faux, d'ajouter que ces doctrines spiritualistes sont «la négation de la science». Une si énorme assertion, dépourvue de la moindre preuve, n'a aucune valeur.

Quant à «se décider à voir la vie du corps sur le chemin qui conduit à la vie de l'esprit», il y a longtemps que les spiritualistes partisans de l'évolution s'y sont «décidés», sans renier pour cela aucun de leurs principes, comme nous le propose M. Bergson.

Ainsi, l'Intuitionnisme spiritualiste n'a rien à redouter des objections de l'intelligence ni de la science. Ce sont là de vains scrupules qu'une étude plus attentive des premières notions et des premiers principes d'Ontologie suffirait à dissiper.

En revanche, cet Intuitionnisme spiritualiste a, croyons-nous, tout à redouter de lui-même, c'est-à-dire de ses autres doctrines soi-disant intuitionnistes, et c'est sur ce point capital que nous voudrions attirer l'attention du lecteur.

Qu'est-ce que *l'âme*, qu'est-ce que la *personne humaine* pour M. Bergson?

Le mot «âme», toujours mis par lui entre guillemets, est complètement vidé de son sens naturel; il ne signifie plus un agent ni un principe substantiel d'activité psychique, puisqu'il n'y a plus dans ce système que des actions sans agent, des attributs sans sujet, des modes d'être sans être.

L'âme n'est donc plus qu'un «mouvement», un pur phénomène, une ombre d'elle-même. Or, un mouvement, un phénomène, une ombre, n'ont rien, comme la substance, de stable ni de permanent, et, de par leur nature, ne peuvent avoir aucune prétention à l'immortalité.

En réalité, au contraire, l'âme est une substance simple et spirituelle, c'est-à-dire, de par sa nature même, incorruptible et suffisamment indépendante de la matière pour vivre séparée dans l'immortalité.

Qu'est-ce que la *personne* pour M. Bergson?—Pour nous, c'est une substance individuelle et raisonnable, suivant la définition classique: *rationalis naturæ individua substantia*. On peut donc lui attribuer encore, malgré son union naturelle avec un corps corruptible, la spiritualité, l'incorruptibilité, l'immortalité. Pour M. Bergson, au contraire, elle n'est que «la continuité d'un mouvement» purement psychique, il est vrai, comme la mémoire qui en fait le fond;—ou bien encore elle est «un élan en avant». Qui donc pourrait désormais nous garantir qu'il ne s'arrêtera pas?

Mais nous avons à faire un reproche encore plus grave à la théorie bergsonienne. Les âmes séparées de leurs corps ne seraient plus distinctes et fusionneraient comme des mouvements dans une résultante commune. En effet, d'après ce système moniste, à l'origine toutes les âmes étaient confondues dans l'unité du grand Tout psychique. Ce grand «courant de la conscience» universelle essaya ensuite d'entrer dans la matière «pour la convertir à ses fins», c'est-à-dire «en faire un instrument de liberté». Mais bientôt paralysé, brisé, par les obstacles matériels, il a dû se dissocier et se distinguer en personnalités indépendantes. C'est donc la multiplicité des corps qui seule ferait la multiplicité, au moins apparente et provisoire, des âmes et des personnes. Or, cela est inadmissible.

Il est vrai que les scolastiques, à la suite de saint Thomas, ont bien admis le principe d'individuation des esprits par la matière, mais dans un tout autre sens. Pour saint Thomas, *telle* âme, créée à la mesure de *tel* corps, doit à ce corps d'être *telle* âme. La multiplication des corps n'est donc que l'occasion de la multiplication des âmes, déjà distinctes par leur aptitude à tel ou tel corps.

En sorte qu'après la séparation de son corps, cette *âme* garde son aptitude à l'informer de nouveau, et partant son individualité. Elle demeure donc toujours distincte des autres âmes.

Or, ici il n'en est rien. Le *corps* a découpé une âme dans le grand Tout psychique, et cette âme, après sa séparation de ce corps, revient s'y plonger et s'y perdre de nouveau pour refaire l'unité passagèrement brisée. L'immortalité, au sens bergsonien, serait donc impersonnelle, si tant est qu'elle existe encore; et ce n'est plus là qu'une contrefaçon de l'immortalité véritable.

Enfin, un dernier reproche, le plus essentiel à nos yeux: Dans le spiritualisme sans Dieu de M. Bergson, toutes les grandes preuves morales de l'immortalité s'écroulent, et ce dogme demeure en l'air sans aucun fondement.

On ne peut plus soutenir, en effet, que la *Justice* de Dieu exige qu'il rende à chacun selon ses œuvres dans une autre vie; ou qu'il réponde par des sanctions futures à cette sublime protestation de la conscience humaine contre toutes les injustices des méchants, contre toutes les tyrannies de l'iniquité triomphante: «Tremblez, tyrans, vous êtes immortels!»

On ne peut plus prétendre que la *Sagesse* de Dieu se doit à elle-même de ne pas détruire sans motif son chef-d'œuvre, qui est l'âme humaine, après l'avoir créée avec une nature et des aspirations immortelles; et surtout de ne pas détruire sur cette terre l'ordre moral par la suppression des sanctions futures, base essentielle du devoir, de la morale et de la vie sociale.

On ne peut pas davantage faire appel à la *Bonté* de ce Dieu, gage non moins certain que sa Sagesse et sa Justice de notre immortalité future. Après avoir mis au tréfond du cœur humain le désir infini du Vrai, du Bien, du Beau, dans une vie sans limite — désir dont l'animal sans raison est incapable; — après nous avoir créés pour le bonheur et pour la félicité suprême, la Bonté divine ne peut, en effet, nous anéantir au moment où nous semblons toucher au but désiré et prêts à recueillir la récompense de nos travaux, de nos luttes et de nos souffrances terrestres. En imposant à l'homme de si décevantes espérances, cette Bonté se renierait elle-même et se changerait en absurde cruauté!

Eh bien! toutes ces preuves, toutes ces intuitions évidentes — qui ont arrêté et vaincu le scepticisme universel de Kant, de Renan et de tous les cœurs simplement honnêtes — s'écroulent, disons-nous, et disparaissent après la négation de l'existence de Dieu. Et comme elles sont le fond même de cet «instinct profond» d'immortalité, allégué par M. Bergson, et tout pétri du sentiment de la Justice, de la Sagesse et de la Bonté éternelles, cet instinct n'est plus qu'un mot vide, sur lequel nous ne pouvons plus fonder nos espérances.

Que M. Bergson y réfléchisse bien, avant de faire subir une si grave mutilation à un système qu'il dit être encore spiritualiste. Et puisqu'il médite si souvent sur la mort; puisqu'il semble hanté et poursuivi par le tourment de l'au-delà — au témoignage des amis qui l'approchent et même des journalistes admis à l'interviewer , — nous gardons encore espoir. La pensée de la mort a toujours été une si sage conseillère!

Sans doute, elle peut, de prime abord, effaroucher l'orgueil de l'homme et le provoquer à la révolte. Il fera alors appel aux découvertes de la science future qui finira — peut-être! — par arracher aux forces de la nature le secret de vaincre la mort et de nous élever à la «surhumanité». Ou bien il s'imaginera voir et entendre dans le lointain des siècles cette «charge irrésistible de l'Evolution créatrice, qui doit culbuter tous les obstacles au progrès sans fin et nous affranchir de la mort elle-même....»

Mais ce premier rêve d'orgueil une fois passé et son frémissement calmé, l'intuition de l'esprit et du cœur, en face des réalités présentes, ramènera cet homme, très doucement, très humblement, aux pieds du souverain Maître de la vie, qui seul peut commander à la mort, nous laver de nos iniquités et nous ouvrir les portes de la Vie bienheureuse.

Pour les amis de Dieu, en effet, la vie n'est point enlevée par la mort, mais seulement transformée, *vita mutatur, non tollitur*; Il est pour eux la Résurrection et la Vie. C'est donc à lui qu'il faut aller, car il a seul les secrets de la Vie éternelle!

L'expérience «vécue» de cette intuition religieuse en est faite et refaite chaque jour par des milliers d'esprits superbes qui s'essayent à redevenir humbles, et l'un d'eux, l'un des plus incrédules, adressait récemment dans un «Testament» suprême, «à quelques-uns de ses frères, de qui elle est attendue, peut-être», cette éloquente profession de foi:

«L'existence d'une Pitié suprême (du Créateur pour sa créature), on la sent plus que jamais s'affirmer universellement dans les âmes hautes qui s'éclairent à toutes les grandes lueurs nouvelles.... La Pitié suprême vers laquelle se tendent nos mains de désespérés, *il faut qu'elle existe*, quelque nom qu'on lui donne; *il faut qu'elle soit là*, capable d'entendre, au moment des séparations de la mort, notre clameur d'infinie détresse; sans quoi, la création, à laquelle on ne peut raisonnablement plus accorder l'inconscience comme excuse, deviendrait une cruauté par trop inadmissible à force d'être odieuse et à force d'être lâche.»

Celle belle parole de Pierre Loti, toute pleine de sanglots et d'espérances, est, à son insu peut-être, un écho de la grande voix du Roi-prophète dans son *De Profundis* qu'ont redit et que rediront jusqu'à la consommation des siècles, chacune en sa langue, toutes les nations et toutes les générations humaines. Elle est le cri de la nature, la voix de Dieux!

NOTE SUR LE «MONISME» DE M. BERGSON

Deux lettres importantes de M. Bergson au P. de Tonquédec, récemment publiées dans les *Etudes* (20 fév. 1912), démontrent que la méditation des problèmes moraux commence—comme nous l'espérions—à faire évoluer sa pensée et à l'orienter des confins du monisme vers un certain dualisme encore vague. Mais ce serait une grande illusion de croire que, pour opérer cette évolution et faire apparaître un Créateur transcendant à sa créature—tel que l'enseigne un vrai spiritualisme,—il suffirait de quelques retouches superficielles au système de l'Evolution créatrice. Non, il ne peut suffire de changer, par exemple, le *«centre* ou la *continuité* de jaillissement»* d'où dérivent les mondes, en «source de jaillissement». Certes, la première formule est malheureuse. Un «centre» ne peut faire fonction de cause transcendante. Il ne peut être réellement distinct des flots qui jaillissent, encore moins être du nature différente. La «continuité de jaillissement» n'eut qu'un nom collectif de ces flots incessants, ce n'est point une cause supérieure.

Quant à la «*source* de jaillissement», elle est une formule meilleure, mais encore bien vague, qui se prête trop aisément à une interprétation monistique. Sans doute, à sa source, la vie est plus pure; elle n'est pas encore chargée de cette matérialité qu'elle produira par une espèce de dégradation d'énergie, de relâchement d'intensité, qui rappelle un peu trop la chute de l'Absolu chez les Alexandrins. Elle est donc plus pure, mais est-elle de nature différente? Il est clair que non. Une «source de jaillissement» pourrait être une image d'un panthéisme émanationniste, nullement d'une création théiste.

Bien plus, l'évolution des mondes, loin de se produire *ad extra* hors de sa source, se ferait plutôt *ad intra* par un simple grossissement intérieur, si nous nous en rapportons à cette explication de M. Bergson: «Tout est obscur dans l'idée de création, si l'on pense à des choses (des substances) qui seraient créées et à une chose (une substance) qui crée.... Mais que l'action grossisse en avançant, qu'elle crée au fur et à mesure de son progrès, c'est ce que chacun de nous constate quand il se regarde agir.» C'est ce que l'auteur, dans le même passage, explique en termes encore plus clairs en disant: «Dieu, ainsi défini, n'a rien de tout fait.» Il se fait donc sans cesse et progresse avec le jaillissement des mondes.

Après cela, que M. Bergson se défende d'être encore moniste ou panthéiste, cela ne peut avoir qu'un sens. Il ne l'est pas à la manière de Spinosa, de Spencer, de Taine ou d'Hœckel, assurément, car il ne professe pas comme eux un monisme par identité et homogénéité substantielle, encore moins un monisme matérialiste, mais ce n'en est pas moins un autre monisme par croissance et évolution à travers des états successifs toujours nouveaux et irréductibles aux précédents.

Libre à M. Le Roy d'appeler cela «un panthéisme orthodoxe»; pour nous, nous l'appellerons un panthéisme tout court, parce qu'il efface la distinction substantielle entre le Créateur et ses créatures, pour ne laisser entre eux que des distinctions modales.

On comprend maintenant que pour transformer en Dualisme le Monisme Bergsonien, quelques retouches superficielles ne puissent suffire. Il ne s'agit point ici de formules, il s'agit de l'âme, même du système.

Encore deux remarques pour le faire mieux comprendre.

1° Le système de M. Bergson, nous l'avons vu très longuement, est tout entier fondé sur le *Devenir pur:* ce n'est plus l'Acte qui prime la Puissance, mais la Puissance qui prime l'Acte. Or, cela est aux antipodes de la doctrine spiritualiste qui a fait de Dieu *l'Acte pur*, infiniment actif et parfait. Le dieu Bergsonien qui est «en train de se faire» ne sera jamais qu'une caricature du vrai Dieu.

2° Le système Bergsonien est essentiellement antiintellectualiste. Or, je le défie bien de revenir au vrai Dieu par des considérations morales—à la manière de Kant—sans user comme lui de l'intelligence, c'est-à-dire des notions intellectuelles et des procédés intellectuels qu'il a commencé par répudier comme illusoires.

Kant, pour réédifier par la Raison pratique ce qu'il a démoli par la Raison pure, recourt à la foi aveugle du sentiment moral. Bergson changera seulement d'étiquette en appelant du nom d'*intuition* la foi morale de Kant, mais le paralogisme sera le même.

Les notions fondamentales et les raisonnements contenus dans l'œuvre de réédification par la Morale, sont du domaine et sous le contrôle de l'Intelligence ou de la Raison pure. L'antiintellectualisme est ainsi acculé dans une impasse, emmuré dans la prison sans issue qu'il s'est bâtie de ses propres mains.

Son auteur, malgré ses meilleures intentions, est donc le prisonnier de son système. Pour en sortir, il ne suffit plus de le retoucher par les sommets, il faut le refaire par la base.... Certes, c'est là un sacrifice douloureux et même héroïque pour tous les inventeurs célèbres: aussi se contentent-ils, d'ordinaire, de dédoubler leur personnalité. Ils séparent par une cloison étanche la raison théorique et la foi morale, la spéculation pure et l'action pratique — démontrant ainsi, mieux que par des raisonnements, la fausseté de systèmes qui ne peuvent être vécus.

Quoi qu'il en soit, nous saluerons de tous nos vœux cette tentative d'évolution de M. Bergson vers une Morale théiste. Se ferait-elle au prix d'un dédoublement de la pensée et de la conscience, ce ne serait pas la payer trop cher. Au surplus, qui pourrait la taxer d'inconséquence dans un système où les effets de l'Evolution créatrice sont toujours «imprévisibles» et «sans aucune proportion avec leurs antécédents»?...

CONCLUSION GÉNÉRALE

I. Arrivés au terme de cette étude, une vue rétrospective peut nous permetter de mieux saisir l'ensemble et la synthèse de la philosophie bergsonien.

Dès le début, nous disions que son point de départ n'était pas sans analogie ni sans parenté avec celui d'Aristote. Pour le philosophe d Stagire, c'est le *mouvement*; pour M. Bergson, c'est le Temps, qui est la forme la plus saillante du mouvement, comme le mouvement est la forme la plus saillante du réel.

Mais si les points de départ diffèrent déjà, les procédés diffèrent encore plus. Aristote, par une simple analyse, distingue d'abord le mouvement du mobile ou du sujet en mouvement: *substance* et *accident*. Puis, dans le mouvement, qui est un passage de la puissance à l'acte, il distingue aussitôt deux états opposés de la réalité: l'état *potentiel* et l'état *actuel*: clé de voûte de toute sa métaphysique.

M. Bergson, au contraire, synthétise ou plutôt confond tous ces termes: le mouvement ne se distingue plus du mobile en mouvement, et le mobile se trouve ainsi supprimé: plus d'agent ni de patient, plus de substance: le mouvement est le tout du réel.

Enfin, le temps lui-même est identifié au mouvement et devient la «substance» même des choses, la seule réalité. C'est un pur *phénoménisme*.

Quant à la nature de cette «substance», Aristote avait encore distingué la matière et l'esprit. M. Bergson ne les distingue que pour mieux les confondre. Tout est psychique, et la matière elle-même n'est que du psychique dont le mouvement est «inverti».

En conséquence, tandis qu'Aristote s'achemine vers une conception pluraliste de l'Univers où l'unité se fait dans la hiérarchie des formes, M. Bergson s'oriente vers le monisme universel où l'unité ne se fait que par l'identification et la confusion des parties. La seule différence du monisme psychique de M. Bergson avec le monisme matérialiste ordinaire est qu'il donnera le rôle de substance universelle, non plus à l'*Espace-matière*, mais au *Temps-esprit*, où tout ne sera pas moins confondu.

Désormais, tout étant identique à tout, la logique de l'identité n'a plus de raison d'être; les principes premiers sont caducs; et l'antiintellectualisme triomphe sur les ruines de l'intelligence et du bon sens.

Pour relever ensuite de ses ruines immenses la métaphysique — car l'esprit humain ne saurait s'en passer, — l'on fait appel à une faculté nouvelle qu'on appelle l'*intuition*. Malgré sa prétention de lire dans l'intérieur même des choses, elle n'est autre que l'*imagination créatrice*, et c'est elle que l'on charge de refaire le plan de l'Univers. Une esthétique subtile et brillante, parfois mystique, le plus souvent poétique, va détrôner la raison froide et calculatrice, en attendant que cette «folle du logis» se détruise elle-même par ses extravagances et ses excès.

Voici les principales conclusions auxquelles elle aboutit et qui sont les traits les plus saillants de la métaphysique nouvelle:

1° *Négation de l'être; tout est Devenir pur*, sans que rien soit déjà devenu, ou puisse jamais être et demeurer identique à lui-même, sous le flot changeant des phénomènes. En d'autres termes, il n'y a plus de personnes permanentes, ni de substances stables, ni de causes actives, mais seulement des actions sans agent, des attributs sans sujet, des accidents sans substance, des manières d'être sans être, un devenir perpétuel de ce qui ne peut jamais être!

2° *Négation du vrai; plus de vérité stable ou acquise une fois pour toutes*. La vérité, en effet, c'est ce qui est, ce que je conçois comme il est. Mais puisque rien n'est ni ne peut être, et que tout le réel est entraîné dans un écoulement perpétuel et insaisissable, il faut bien que la Vérité suive le sort de l'être et s'abîme dans le gouffre sans fond de l'inconnaissable.

De là ces formules si souvent rencontrées dans la philosophie nouvelle: «plus de doctrine arrêtée», pas même de «méthode fixe», mais une «simple tendance», une «orientation de la pensée plutôt que des résultats», ou bien encore, comme le dit W. James: «les choses ont moins d'importance que la recherche des choses»; «les vérités ne sont que des inventions commodes qui ont réussi», — mot célèbre qui a fait fortune. En sorte que nous serions réduits à chercher toujours sans pouvoir rien trouver jamais. C'est le travail désespérant de Pénélope ou de Sisyphe auquel on voudrait condamner l'esprit humain!

3° *Négation des principes d'identité ou de contradiction*, «lois du discours», disent-ils, mais non du réel. En effet, puisque l'être n'est pas, on ne peut le dire jamais identique à lui-même. Quant au contradictoire, il reste encore impensable, vu la constitution actuelle de notre esprit, mais il n'est plus impossible. Au contraire, il est au fond du Devenir et à la racine même des choses, le Devenir étant à la fois être et non-être, c'est-à-dire fusion ou identité des contradictoires. Ainsi les contradictoires logiques s'allient à merveille dans ce que M. Le Roy appelle les «profondeurs supra-logiques», et désormais la fière devise de l'inventeur sera: «Au-dessus ou au delà de la Logique!»

4° *Négation du principe de causalité*. Puisqu'il n'y a plus ni causes ni effets, le principe de causalité n'a plus aucun sens et doit être relégué au musée des antiques. Désormais, ce qui commence n'a plus de cause et se fait tout seul.

Aussi bien l'Evolution créatrice est-elle conçue comme un pur mouvement, sans aucune chose, qui soit mue ou qui meuve; comme un mouvement qui se crée lui-même, en se donnant incessamment à lui-même l'existence qu'il n'a pas. L'idée de *commencement absolu* et sans cause — nous l'avons déjà fait remarquer — est ainsi mise partout dans l'Univers, au commencement, au milieu, à la fin de toute existence, et poussée jusqu'à la plus éclatante absurdité.

5° *Négation de la multiplicité réelle des individus et des choses: tout est un*. Le moi et le non-moi, le sujet et l'objet, la cause et l'effet, le père et le fils, la matière et l'esprit, ne sont, paraît-il, que des illusions de notre «postulat du morcelage» ou des exigences et des nécessités de l'action. En réalité, tous les individus et toutes les natures fusionnent dans le grand Tout.

Mais là où l'on ne peut plus distinguer des termes définis et multiples, il n'y a plus de relations ni de lois. Toute loi devient donc illusoire, c'est-à-dire que toute la législation de la Logique et de la Morale, de la Physique et de la Métaphysique s'écroule dans un abîme chaotique et sans fond où l'esprit n'a plus de prise.

6° *Négation du primat de la Raison*. L'instinct est, nous dit-on, supérieur à l'intelligence, laquelle n'est qu'un «rétrécissement par condensation d'une puissance plus vaste», à savoir de «l'élan vital» primitif ou de l'instinct. C'est l'évolution de «l'élan vital» qui «l'a déposée en cours de route», lorsqu'il était sur son déclin.

Aussi faut-il se défier des concepts qui ont maladroitement «cristallisé» le fluent, ainsi que de ces jeux de concepts qu'on appelle les jugements et les raisonnements, les déductions et les inductions, dont l'apparente nécessité est illusoire; il ne faut se fier qu'aux «intuitions» de l'instinct réfléchissant sur son principe, l'élan vital, d'où il est sorti.

Cet instinct supra-intellectuel est une «sympathie divinatrice» — impossible à définir par des concepts — qui nous donne une vision directe et immédiate de l'intérieur même des choses avec lesquelles nous communions intérieurement par l'action. C'est là que nous découvrons comme un monde nouveau, où tout s'auréole de fluidité dans un perpétuel écoulement. Telle est la vision de la durée pure ou du Temps, qui ressemble à une continuité opaque et mouvante, à une hétérogénéité indistincte et amorphe où tout fusionne dans l'Unité suprême de la vie, comme dans un abîme mystique où l'esprit se perd.

Or, cette vision pure est tellement ineffable, que M. Bergson lui-même, se sentant impuissant à l'exprimer, nous déclarait au Congrès de Bologne qu'il passerait toute sa vie à la balbutier sans pouvoir jamais arriver à se faire comprendre.

Voici ses paroles textuelles: «Tout se ramasse en un point unique (la durée pure) ... et ce point est quelque chose de simple, d'infiniment simple, de si extraordinairement simple que le philosophe n'a jamais réussi à le dire, et c'est pourquoi il a parlé toute sa vie sans pouvoir être compris».

Cette vision de la Durée pure ou du Temps — s'élevant de la subconscience à la limite de la conscience par une «torsion» de l'esprit sur lui-même — nous remet en mémoire la fameuse, vision de l'*Etre simpliciter*, tant célébrée par les Ontologistes, et, qui eut un moment de vogue enthousiaste, il y a quelque quarante ans. Nous étions alors au collège, et parmi nos camarades les plus fervents pour les nouvelles doctrines, plusieurs, qui croyaient avoir vu l'Etre, se levaient pendant la nuit pour le revoir et le contempler à loisir dans la lune ou les étoiles. Et ces visions nocturnes ou diurnes aboutissaient régulièrement à un détraquement cérébral....

Aussi ne conseillons-nous pas aux lecteurs de trop prolonger les exercices de vision de «la durée pure», si tant est qu'ils les veuillent essayer. Ce n'est pas l'univers qu'elle mettrait à l'envers, mais leurs cerveaux.

Du reste, il n'y a rien à contempler dans ce trou noir, et M. Bergson se flatte ou s'illusionne grandement s'il croit y avoir vu le plan et les développements de son «Evolution créatrice».

7° *Divorce de la Philosophie avec les Sciences*. Une *telle* Philosophie toute imaginaire ne pouvait pas ne pas aboutir tôt ou tard à un divorce complet avec la Science positive. Et ce sera là le dernier trait caractéristique de la Philosophie nouvelle.

Inaugurée dans un élan généreux de réaction contre toutes les méthodes *a priori*, elle se posait comme un retour légitime à l'observation directe des choses, comme un effort pour se rajeunir et se retremper, en se plongeant avidement dans la réalité, ou, comme elle le répétait, pour faire enfin «redescendre du ciel sur la terre» la pensée humaine.

Et ce n'était pas là une vaine protestation de sa part. Les travaux qu'elle inspirait étaient tout hérissés de l'appareil scientifique le plus accentué: formules, comparaisons et démonstrations mathématiques, physico-chimiques, biologiques, psychologiques, etc. C'était bien avec les sciences positives une alliance ardemment recherchée et définitivement conclue. Malheureusement, les serments de fidélité éternelle n'auront duré que l'espace d'une lune de miel!

Il suffirait de relire le discours de Bologne pour se bien convaincre que le divorce est bien définitivement proclamé.

Pour nous et tous les disciples d'Aristote et de saint Thomas, l'esprit philosophique prend son point de départ dans les données positives de la science expérimentale et fait effort pour la continuer et l'approfondir en l'universalisant. Ce n'est, du reste, qu'une application du principe fondamental que toutes les idées nous viennent par les sens, et toutes les théories, dignes de ce beau nom, θεωρήματα, doivent nous venir de l'expérience vulgaire ou scientifique.

Pour M. Bergson, au contraire, la philosophie, bien loin d'être immanente à la Science, lui est transcendante, en ce sens que ce sont deux connaissances entièrement différentes et hétérogènes. La Philosophie, grâce à l'Intuition, saisit le dedans même du réel, l'âme de l'Univers, jouit d'une communion mystique avec sa vie intime, son «élan vital».

A l'opposé, la Science ne saisit que le dehors de l'être, la gangue, la matière. Voilà pourquoi, au lieu de pouvoir communier à la vie de la nature, le savant est obligé de la heurter de front comme un ennemi qu'il faut dompter pour les besoins pratiques de l'action quotidienne. Donc, il la saisit, il l'analyse, la torture, la dissèque, il la tue pour la dominer.

Comme on le voit, la Philosophie et la Science sont ainsi conçues comme deux mondes aussi différents que la vie et la mort, et étudiés par deux procédés hétérogènes. D'où la conclusion de M. Bergson: «La règle de la Science a été posée par Bacon; obéir (à la nature) pour commander. Le philosophe n'obéit ni ne commande: il cherche à sympathiser.»

L'union dont on s'était flatté au début est donc devenue entièrement impossible. Les caractères des deux conjoints, leurs méthodes, leurs fins sont opposés et antipathiques. Que, chacun reste donc à sa place! Sans doute, on ne nie pas la science, mais on la prie de rester désormais chez elle. C'est un *libellum repudii* aussi clair, aussi catégorique qu'on puisse le formuler en belle langue diplomatique.

De son côté, d'ailleurs, la Science en a facilement pris son parti. Elle a même proclamé bien haut son antipathie pour l'antiintellectualisme par cette protestation célèbre de M. Poincaré: «La science sera intellectualiste ou elle ne sera pas.» La désunion est donc mutuelle et complète.

En résumé, s'il était possible de synthétiser tous ces caractères en un seul mot typique, nous dirions de la Philosophie nouvelle: elle prétend se passer de l'Intelligence pour philosopher; elle prétend, comme elle l'a audacieusement déclaré, «pousser l'intelligence hors de chez elle par un acte de volonté ... par la torsion du vouloir sur lui-même.... Effort d'ailleurs douloureux que nous pouvons donner brusquement en violentant la nature, mais non pas soutenir au delà de quelques instants».....

Nous n'exagérons rien, et tel est bien le sens et la portée de ces étranges formules, reconnus unanimement par tous les commentateurs. W. James l'avouait: «C'est bien là une sorte de catastrophe intérieure que Bergson réclame de nous, et tout le monde n'est pas capable d'une telle révolution logique». — «Il n'y a, je crois, ajoutait-il, qu'un petit nombre d'entre vous qui auront pu obéir à l'appel de Bergson.» — James a voulu être du petit nombre de ces élus et a proposé à son tour de «renoncer tout à fait au rationnel» et de faire fi de la Logique.

N'est-ce pas, vraiment, rêver les yeux ouverts!...

Mais ce qui n'est pas moins étrange, c'est de rapprocher ce point d'arrivée final avec le point de départ. Partie d'une certaine théorie du Temps ou de la Durée, construite avec une confiance audacieuse dans la toute-puissante force d'abstraction de la raison humaine, la pensée Bergsonienne aboutit à une conclusion antiintellectualiste qui dénie à l'intelligence tout vrai pouvoir de connaissance objective.

Cette pensée se détruit donc elle-même et se suicide!

8° Après le divorce de la philosophie, bergsonienne avec la Science et avec la raison, il est bien inutile de parler de son *Divorce avec la foi religieuse et chrétienne*.

Les preuves en seraient si nombreuses et si profondes qu'il serait impossible de les énumérer en quelques mots. Aussi bien une seule peut les résumer toutes. Comme l'a si bien compris et dit un philosophe laïque: «Une philosophie qui blasphème l'intelligence ne sera jamais catholique.»

Non, jamais la foi du chrétien ne pourra consentir à ne plus être raisonnable, c'est-à-dire fondée en raison et justifiée par les données de la raison, selon la maxime de nos pères; *Fides quærens intellectum*, ou le précepte de saint Paul: *Rationabile sit obsequium vestrum.*

La foi même du charbonnier n'est jamais totalement aveugle, et si ses raisons de croire sont extrinsèques et banales, elles n'en sont pas moins des raisons à sa portée qui lui donnent une *certitude* relative de la révélation, et justifient sa conduite. A plus forte raison la foi des savants et des génies, des Augustin, des saint Thomas ou des Bossuet a-t-elle besoin d'être illuminée par toutes les lumières intellectuelles et fortifiée par tous les arguments logiques dont l'ordonnance rigoureuse constitue l'œuvre colossale et merveilleuse de la Théologie.

Cette citadelle inexpugnable de la foi catholique, l'Eglise ne peut y renoncer, et c'est pour cela qu'elle est tout naturellement la protectrice et la gardienne de la raison humaine non moins que de la foi révélée, défendant la raison contre ses propres excès, tour à tour contre les orgueils rationalistes et contre les défaillances fidéistes. Tel est son rôle séculaire qu'elle n'abdiquera jamais!

Bien aveugles ou bien naïfs furent donc certains penseurs catholiques qui ne l'ont pas compris et qui, emportés par l'engouement général, crurent pouvoir emprunter à la philosophie bergsonienne la plupart de ses méthodes et de ses thèses, espérant qu'elles pourraient être acceptées ou assimilées par la foi catholique. C'est là une illusion qu'il serait vain d'entretenir davantage: l'expérience de ces philosophes «modernistes» l'a démontré assez clairement et trop douloureusement pour qu'il soit utile d'insister davantage.

II. Comment une telle philosophie, ennemie-née de la raison et si renversante pour le sens commun, a-t-elle pu — surtout en France, terre classique des idées claires et du bon sens — obtenir un succès colossal, pour ne pas dire un succès fou? C'est le secret qu'il nous reste à expliquer au lecteur avant de prendre congé de lui.

Ce succès inouï tient assurément à des causes multiples. Nous ne dirons rien des causes artificielles telles que la réclame dans les journaux, les revues et la presse des deux mondes — par la légion des thuriféraires officiels et officieux, — sans méconnaître pour cela son efficacité prodigieuse à notre époque. Bornons-nous à indiquer les causes naturelles; encore n'avons-nous pas la prétention de les énumérer toutes, mais seulement les principales, celles qui nous ont le plus frappé.

1° La première cause — la plus évidente — d'une telle fortune vient de ce que la Philosophie nouvelle a paru inaugurer une réaction courageuse contre le Logicisme outrancier et le verbalisme de la philosophie classique postérieure à Kant, et surtout une réaction vengeresse contre le kantisme lui-même, dont le public français commençait à en avoir «soupé». L'attrait persistant de l'esprit humain pour la métaphysique et ses problèmes vitaux, trop longtemps comprimé par l'interdit kantien, se réveillait et préparait enfin sa revanche. Le mot d'ordre: *il faut traverser Kant!* venait de retentir à la

Sorbonne, comme le commencement d'un exode qui provoquait l'enthousiasme. On cherchait un prophète des temps nouveaux et l'on crut l'avoir trouvé.

Malheureusement, M. Bergson restait encore, en secret, le prisonnier de Kant, puisqu'il aboutit, comme Kant, quoique par d'autres voies, à la négation de la valeur métaphysique de l'intelligence humaine. Pour lui, comme pour Kant, la critique de la Raison pure est définitive. Il était donc réduit à faire de la métaphysique, non en intellectuel, mais en artiste.

2° La deuxième cause me paraît résumée dans l'attrait des idées spiritualistes, élevées et généreuses, hautement professées par le nouveau maître. Pour lui, «la philosophie ne peut être qu'un vaste effort pour transcender la condition humaine....», qu'un «irrésistible courant pour hausser l'âme humaine au-dessus de l'idée». Or, tout cela devait plaire à cette multitude d'âmes qui souffrent de l'insuffisance si manifeste de la vie terrestre. Il les a aussi charmées en se posant crânement, dès le début, en défenseur de la liberté contre le déterminisme, du spiritualisme contre le grossier matérialisme et même contre le mécanisme par qui en est la première étape. On sait avec quelle force, en effet, et quel succès il a combattu sans relâche ces deux erreurs à la mode. Il y revient sans cesse, à tout propos, et toutes ses professions de foi spiritualistes sont applaudies vigoureusement par son auditoire.

Malheureusement, ses préjugés monistiques l'inclineront plus tard à effacer peu à peu les distinctions essentielles qui opposent l'esprit à la matière, la liberté à la nécessité. Après les avoir fusionnées dans l'identité universelle, on ne saura plus les reconnaître.

Ses préjugés antiintellectualistes, d'autre part, le porteront à réhabiliter le sensible aux dépens de l'idée, la matière aux dépens de l'esprit, et à faire ainsi le jeu de ceux qu'il voulait combattre. Mais tout cela est trop subtil pour effacer dans l'esprit du public la bonne impression première de sa doctrine nettement spiritualiste.

Il est vrai que cette doctrine, en même temps qu'elle exalte les aspirations élevées de l'âme humaine, rabaisse son intelligence et sa raison, dont les croyants faisaient logiquement la base et le soutien de leur foi religieuse: *fides quærens intellectum*. Mais Pascal, l'auteur de la célèbre apostrophe: *Taisez-vous, raison imbécile!* ne leur a-t-il pas appris à voir, au contraire, dans l'impuissance de la raison, un secours inespéré pour leur foi?

De là une grande cause de succès auprès de certaines âmes, au fond religieuses, mais surtout amies d'une religiosité vague, sans symbole et sans dogme et même sans rite obligatoire. Privée du contrepoids de la raison, l'intuition sentimentale ou mystique leur permet de tout croire, comme le pragmatisme qui en dérive si facilement leur permet de tout faire, puisque «agir c'est créer la vérité de ce qu'on fait». Et chacun peut ainsi «vivre sa vie» et se faire, à son gré, pour son usage personnel, comme la princesse Palatine, «son petite Religion». Quoi de plus commode et de mieux prédestiné à une immense vogue?

3° A ce spiritualisme élevé, M. Bergson a su ajouter discrètement quelques idées irréligieuses qui en ont fait un spiritualisme sans Dieu et vraiment «laïque»: autre cause de succès par ce temps de laïcité à outrance.

Ses critiques dédaigneuses et d'ailleurs injustes sur le Dieu de Platon et d'Aristote font assez pressentir ce qu'il n'a pas encore exprimé bien clairement, mais qui reste partout sous-entendu. Sa religion — si tant est qu'on puisse lui appliquer ce grand mot — sera panthéistique et mystique. Les amateurs des rêves flottants et nuageux — ils sont si nombreux! — éprouvent déjà dans la sensation dissolvante de l'éternel écoulement le frissonnement de l'être universel qui est l'âme des choses et qui nous met en communication invisible avec l'intérieur même de toutes les activités cachées de la nature. Télépathie, rayonnement des esprits dans l'espace, conscience et communion universelle des êtres, mystérieux secrets de l'occultisme, sont des croyances qui n'ont rien à redouter — nous dit-on — des dogmes de la Religion nouvelle.

Quant à la nouvelle Morale, elle est attendue, dans la crise actuelle, comme le Messie d'Israël.... On n'en connaît pas encore les contours précis, encore moins la base, mais on devine que, sans un Dieu personnel, elle ne saurait être que sans obligation ni sanction, c'est-à-dire parfaitement «laïque». Eh! comment l'antiintellectualisme pourrait-il trouver une loi morale supérieure à l'expérience humaine?...

De même qu'il aura affranchi la science de la notion de Vérité, la Religion, de l'idée de Dieu, il ne peut donc manquer d'affranchir la Morale de la notion du Bien obligatoire ou du Devoir.

Attendons toutefois qu'il nous révèle clairement son secret sur des questions futures qu'il lui a plu de réserver.

4° A ce fonds de vérités et aussi d'erreurs séduisantes pour le public de noire époque, le maître a su ajouter l'éclat de la forme. Parfois, c'est un appareil scientifique solennel et austère, comme un théorème qui marche et qui en impose au vulgaire. A ce liait, on reconnaît l'ancienne vocation de M. Bergson pour les mathématiques.

Mais, d'ordinaire, c'est l'artiste qui se révèle sous les formes littéraires les plus brillantes. Nous avons déjà parlé de ses métaphores à jet continu, qui ont la vertu de masquer des erreurs ou de faire paraître à l'endroit ce qui est retourné à l'envers, car le public les interprète spontanément suivant les données du bon sens. Elles ont aussi le don de prêter de la vie et de l'intérêt aux théories les plus abstruses que l'auditoire serait bien incapable de suivre, et de lui donner au moins l'illusion de les avoir comprises.

L'ancienne école repoussait la philosophie littéraire avec ses considérations esthétiques ou mystiques. La nouvelle, au contraire, en fait sa méthode essentielle d'exposition. L'image, qui venait parfois compléter la preuve, ici tient sa place; elle tient lieu d'argument, car elle suffit à satisfaire certains esprits peu exigeants ou du moins à obtenir d'eux qu'ils lui fassent crédit.

D'ailleurs, elle charme et captive par son éclat imprévu, sa tournure pittoresque, originale et vraiment neuve; et on applaudit l'incomparable virtuosité de l'artiste. On l'écoute donc volontiers; sa musique est comparée au chant de «l'*alouette*» dans le ciel bleu, et l'on se presse, l'on s'entasse autour de sa chaire pour l'entendre.

Il est vrai que sa lecture est moins facile; à côté des pages merveilleusement enlevées; on en rencontre d'autres — beaucoup plus nombreuses — d'un opacité soporifique et vraiment ennuyeuses, qui nous ont fait trop souvent redire le *quandoque bonus dormitat Homerus.* Ses ouvrages manquent aussi de suite et de composition. Il suffit d'en parcourir la table des matières pour être surpris de leur pauvreté, surtout de l'imprécision et du vague dans la division et l'enchaînement des sujets. Le logicien est ici pris en défaut: l'artiste fait tort au professeur.

Toutefois, l'artiste excelle à ouvrir des horizons de rêve, propres à satisfaire les tendances de l'imagination et les besoins du cœur dans toutes les âmes que le Positivisme du siècle passé n'a pu contenter tout à fait et qui désirent s'élever plus haut: au delà et audessus du Positivisme! Tel est le secret de bien des enthousiasmes.

5° Enfin, une dernière cause d'un si grand succès — et ce n'est sûrement pas la moindre, — c'est le goût du public actuel, ou, si l'on veut, la mode du jour, qui se passionne également pour la *philosophie nouvelle* comme pour le *théâtre nouveau*.

A propos d'une pièce à grand succès, de *la Vierge folle* — si j'ai bonne mémoire, — un des plus distingués critiques parmi nos contemporains — après avoir salué cette pièce comme un chef-d'œuvre, — suivant la formule protocolaire obligatoire, ajoutait aussitôt ces judicieuses remarques:

«Cet art est en train de dévier. Il n'est que temps de le reconnaître et de signaler la fâcheuse erreur de direction qui le mène droit a l'écueil. L'art, et cela peut se dire aussi bien de tous les arts, à une tendance continuelle à s'écarter du réel et du vrai. Cette vérité ... est une insupportable contrainte dont il médite sans cesse de s'affranchir. Nature, raison, logique, vraisemblance, autant de, dures maîtresses qui lui interdisent les plus agréables tours d'adresse et les plus prestigieuses jongleries. Le jour où il se libère de ces entraves, il se peut qu'il y soit encouragé par la complaisance du public, celui ci ne demandant qu'à être diverti et commençant par applaudir à toutes les excentricités qui le distraient de son ennui. C'est alors que la critique peut tenir un emploi utile. Elle rappelle à l'écrivain que l'art du théâtre est essentiellement un art d'imitation, qu'une comédie de mœurs est un portrait et que son premier mérite est de ressembler.... Tant que vous n'aurez pas changé les conditions de l'humanité, vous serez obligé de vous y conformer, ou vous aurez tort....

«Ce tort est celui du théâtre nouveau.... Il se place en dehors de toutes les conditions de la vie réelle, il imagine des situations de fantaisie, il en tire des effets qui peuvent donner l'illusion de la vigueur, mais ne supportent ni la discussion ni l'examen. Il nous est cependant impossible de dépouiller toutes les données que l'expérience et la réflexion nous ont lentement apportées. On exige de nous que nous déposions au vestiaire, avec notre paletot, toutes les notions acquises, toutes les constatations, tous les souvenirs qui risquent de démentir des tableaux enlevés de chic par une brosse exaspérée. Pourquoi et de quel droit?»

Eh bien! ces réflexions sévères mais justes, nous étions en train de les faire en lisant *l'Evolution créatrice*, parce que nous n'avions pas cru devoir déposer «au vestiaire» de ce grand Cinéma toutes les notions premières ni tous les premiers principes de la raison humaine.

Après avoir rendu un juste hommage à ce qu'on est convenu d'appeler un chef-d'œuvre, ou tout au moins le chef-d'œuvre de M. Bergson, nous nous demandions comment on avait pu concevoir une Evolution qui serait *créatrice d'elle-même*, ou une création *sans aucun Créateur et sans aucune chose créée*; comment une si prodigieuse imagination, qui froisse à la fois la nature, la raison, la logique, les vraisemblances et toutes ces «dures maîtresses de la vérité», qui sont les garde-fou de l'esprit humain, avait pu être caressée par un esprit supérieur. Nous nous le demandions avec angoisse, sans pouvoir trouver d'autre réponse que le goût du public qu'il faut bien satisfaire, et dont la tyrannie a fait tant d'autres victimes.

Renan, ce grand romancier de la religion auquel on peut bien comparer les grands romanciers de la philosophie, écrivait quelque part cette plainte bien connue: «Sitôt que j'eus montré le petit carillon qui était en moi, le monde s'y plut, et, peut-être pour mon malheur, je fus engagé a le continuer.»

Or, ce goût déprave du public contemporain vient de l'état intellectuel de la génération présente. Dépourvue de toute culture la plus élémentaire en Logique et en Ontologie—car on ne les enseigne plus dans nos lycées ni nos collèges,—elle se laisse facilement séduire par toutes les nouveautés et les hardiesses de l'imagination.

On dirait qu'aujourd'hui les esprits sont fatigués d'idées claires et précises; que le goût des fuyances de la pensée a remplacé l'antique goût des crédos positifs et des vérités éternelles; qu'on préfère les rêveries poétiques aux solides démonstrations expérimentales et rationnelles. Les contradictions elles-mêmes ne choquent plus; leurs dissonances amusent plutôt comme un jeu original et élégant. Est-ce l'anémie intellectuelle des races décadentes?

Nous n'osons répondre à cette angoissante question; mais ce que nous ne craignons pas de dire, avec la plus profonde conviction, c'est que la nouvelle philosophie antiintellectualiste n'est point le remède cherché, qu'elle est, au contraire, dans une certaine mesure, à la fois cause et effet de ce recul et de cette décadence de la pensée contemporaine ou de l'esprit public.

Heureusement que les modes du jour sont éphémères et sans aucune prétention à la durée éternelle. Après une éclipse momentanée, nous reverrons de nouveau – n'en doutons pas – se lever sur notre horizon et briller de son éclat naturel cette foi calme et tranquille en la valeur de la raison humaine, qui a inspiré tous les chefs-d'œuvre et orienté tous les plus grands génies des siècles passés.

M. Bergson ne nous démentira pas, au contraire. Il domine de trop haut son auditoire pour ne pas avoir senti où est le point vulnérable de son brillant système, et il a eu plus d'une fois la loyale franchise de nous avouer ses doutes.

A la fin de son cours, en mai 1911, adressant ses adieux à son bel auditoire, il lui confiait que «la joie de créer est la meilleure de toutes» et qu'il éprouvait cette joie de créateur en contemplant son système. Puis il ajoutait ces paroles significatives: «Si le philosophe s'attache à la poursuite de la renommée, c'est parce qu'*il lui manque la sécurité d'avoir créé du viable*. Donnez-lui cette assurance, vous le verrez aussitôt faire peu de cas du bruit qui entoure, son nom.»

Notre créateur d'antiintellectualisme a donc la crainte – d'ailleurs bien fondée – de n'avoir point créé du viable. C'est l'opposé de l'auteur classique qui terminait son œuvre par ce cri de confiance en l'immortalité: *Exegi monumentum ... ære perennius*!

Cet aveu de M. Bergson, loin d'être isolé, semble au contraire le tourmenter et le poursuivre, comme un secret remords.

Dans son *Evolution créatrice*, après avoir célébré, en termes magnifiques, cette philosophie intellectualiste des génies de la Grèce, dont il a pris le contrepied; après avoir reconnu que «si l'on fait abstraction des quelques matériaux friables qui entrent dans la construction de cet immense édifice, une charpente solide demeure, et cette charpente dessine les grandes lignes d'une métaphysique qui est, croyons-nous, la métaphysique naturelle de l'intelligence humaine», il se demande quel sera son avenir et sa durée dans les siècles futurs, et voici sa loyale réponse: «Un irrésistible attrait ramène l'intelligence à son mouvement naturel et la métaphysique des modernes aux conclusions générales de la métaphysique grecque.» Et il ajoute mélancoliquement: «Illusion, sans doute, mais illusion naturelle indéracinable qui durera autant que l'esprit humain.»

Ce pronostic, sur les lèvres de M. Bergson, est, ce nous semble, un aveu loyal, complet, dépassant toutes nos espérances. C'est en vain qu'on luttera contre l'intelligence au nom de l'intelligence même; cette lutte est contre nature. La raison finira toujours par avoir raison.

Cet espoir est pour nous une certitude fondée sur ce fait constant et universel de la biologie: les produits déraisonnables — quelque curieux ou énormes que soient ces monstres — sont éliminés par la nature fatalement. Or, la philosophie de M. Bergson recèle en ses flancs ce que son ami W. James appelait «le monstre inintelligible du Monisme», accouplé avec le monstre non moins inintelligible de l'Antiintellectualisme absolu. Elle est donc réformée et condamnée deux fois.

Elle ne parle que de vie ou d'élan vital, et elle est une philosophie anémique, incapable de vivre et de nous faire vivre de la vie la plus haute, la vie intellectuelle, principe de la vie morale et prélude de la vie divine.

Aussi, concluons-nous, cette œuvre de M. Bergson, qui a pu paraître belle par l'art de l'écrivain et le talent prestigieux qu'il révèle, est, pour ceux qui négligent la forme pour s'attacher au fond, entièrement décevante. Il lui manque cette foi robuste en la puissance de la raison humaine qui guérirait les esprits contemporains si malades et les retiendrait sur la pente d'une décadence fatale; il lui manque ce rayon de lumière venu de l'Infini, qui seul peut nous dévoiler nos destinées immortelles, relever nos courages et attirer nos cœurs en haut, vers Celui qui est par essence le Vrai, le Bien et le Beau, triple source d'où jaillit la Vie bienheureuse!